合格するための

過去問題集

よくわかる簿記シリーズ

Exercises in the Exam

建設業経理士2級

はしがき

本書は、今、建設業界で注目をあつめている資格「建設業経理士」の本試験過去問題集です。

建設業経理士とは、ゼネコンをはじめとした建設業界において、簿記会計の知識の普及と会計処理能力の向上を図ることを目的として、国土交通大臣より認定された資格です。

２級以上の建設業経理士は、公共工事の入札に関わる経営事項審査の評価対象となっており、建設会社における有資格者数はこの評価に直結するものとなっています。さらに近年、コスト管理の重要性が高まっていることから、有資格者の活躍の場は経理部門だけでなく各セクションへと広がっていくことが予想されています。

一方、試験の内容を見てみると、日商簿記検定試験とその出題範囲や方式が類似しており、かつ、日商簿記検定試験ほど出題範囲が広くないことに気づきます。このため、短期間での資格取得が可能と言われており、業界への就職・転職を考えている方は、ぜひ取得しておきたい資格の一つといえるでしょう。

学習にあたってまずは第１部「攻略テクニック編」で本試験の傾向をつかんでください。この攻略テクニック編では、本試験で毎回のように出題される頻出問題とその解法のポイントをまとめていますので、まずはこれらがスムーズに解答できるように学習を進めてください。そしてこれらをマスターした後は第２部の「過去問題編」で実際の本試験問題にチャレンジしてください。その際、解答用紙の最後にあるチェックリストを活用して、繰り返し演習してください。

本書の解説「解答への道」は、TAC 建設業経理士検定講座が講座運営を通じて培ったノウハウを随所に活かして作成しておりますので、きっと満足してご利用いただけるものと思います。

読者の皆様が建設業経理士検定の合格を勝ち取り、新たなる一歩を踏み出されますよう、心よりお祈りしております。

令和６年10月

TAC 建設業経理士検定講座

建設業経理検定はこんな試験

建設業経理検定とは、建設業界における簿記検定として、会計知識と処理能力の向上を図るために実施されている資格試験です。

試験の内容も「日商簿記検定試験」とその出題範囲や方式が類似していますので、短期間でのWライセンス取得、さらには税理士・公認会計士など簿記・会計系の上位資格へのステップアップと、その活用の場は広がっています。

主催団体	一般財団法人建設業振興基金
受験資格	特に制限なし
試験日	9月、3月
試験級	1級・2級（建設業経理士） ※ 他、3級・4級（建設業経理事務士）の実施があります。
申込手続き	インターネット・「受験申込書」郵送により手続き ※ 令和7年度試験よりインターネット申込のみとなります。
申込期間	おおむね試験日の4カ月前より1カ月 ※ 実施回により異なりますので必ず主催団体へご確認ください。
受験料等（2級）	7,120円（消費税込） ※ 上記の受験料等には、申込書代金、もしくは決済手数料の320円（消費税込）が含まれています。
問い合せ先	一般財団法人 建設業振興基金　経理試験課 TEL：03-5473-4581　URL：https://www.keiri-kentei.jp

試験概要（2級）

内容	配点	制限時間	レベル
建設業の簿記・原価計算及び会社会計	100点	2時間	実践的な建設業簿記、基礎的な建設業原価計算を修得し、決算等に関する実務を行えること。

試験の合格判定は、正答率70%を標準としています。

合格率（2級）

回数	第30回（令和4年3月）	第31回（令和4年9月）	第32回（令和5年3月）	第33回（令和5年9月）	第34回（令和6年3月）
受験者数	9,288人	8,847人	9,636人	8,985人	8,920人
合格者数	4,163人	2,993人	3,411人	3,796人	4,255人
合格率	44.8%	33.8%	35.4%	42.2%	47.7%

今後の検定日程

●第36回建設業経理士検定試験

令和7年3月9日（日）

検定ホームページアドレス

https://www.keiri-kentei.jp

出題論点分析一覧表

第 24 回～第 35 回までに出題された論点は以下のとおりです。

第1問

論点	24	25	26	27	28	29	30	31	32	33	34	35
現金過不足												
当座借越					●							
銀行勘定調整表												
手形の裏書き（割引き）		●										
不渡手形												
手形借入金							●					
有価証券の購入					●			●		●	●	
有価証券の売却	●					●						
有価証券の差入れ												
有価証券の期末評価			●	●								
固定資産の購入			●									
固定資産の売却	●						●					●
固定資産の除却												
固定資産の交換									●			
建設仮勘定		●				●				●	●	
改良と修繕				●				●				
固定資産の滅失等										●		
未成工事受入金												
貸倒れの発生			●	●							●	
償却債権取立益									●			
社債						●						●
退職給付引当金の設定												
完成工事補償引当金	●							●		●		
賞与引当金												●
株式の発行			●				●				●	
株主資本の計数の変動								●	●		●	
剰余金の配当および処分	●			●		●				●		●
合併・買収												
損失処理												
法人税等の処理									●			
消費税							●					
のれんの償却					●							
仕入（売上）割引		●		●	●	●						
工事完成基準	●											
工事進行基準		●			●		●	●	●		●	
材料の購入、戻入			●									●
賃金の支払い		●										
前渡金												
訂正仕訳				●								

第2問

論点	24	25	26	27	28	29	30	31	32	33	34	35
銀行勘定調整表		●			●		●		●		●	
手形貸付金（償却原価法）						●						
固定資産の取得原価推定												
固定資産の売却				●					●			
固定資産の交換								●				
減価償却（総合償却を含む）	●				●	●	●			●		●
固定資産の滅失等									●			
消費税			●					●				
有価証券の計算												●
買収時ののれん		●									●	
当座借越												
引当金										●		
社債の買入償還（消却）	●							●				
株式の発行												
剰余金の算定												
剰余金の配当および処分			●									
未払法人税等												
工事進行基準	●		●	●		●				●		●
実際工事原価の推定												
材料の計算	●											
労務費の計算					●				●		●	
材料評価損の計算		●					●			●		
本支店会計			●	●	●		●	●			●	
一年基準												
費用・収益の見越し・繰延べ		●		●		●			●			●

第3問

論点	24	25	26	27	28	29	30	31	32	33	34	35
材料費				●				●				
労務費					●							
経費												
費目別計算							●					
工事間接費					●	※			●			●
部門別原価計算	●	※								●	※	
勘定の記入			●				●					

※　25回・29回・34回は第4問で出題。

第4問

論点	24	25	26	27	28	29	30	31	32	33	34	35
工事原価計算の資料より												
勘定記入											※	
工事原価明細表作成		※										●
完成工事原価報告書作成			●			※			●		※	
工事間接費配賦差異の算定	●							●	●	●		
部門別原価計算				●			●					
工事別原価計算表	●				●			●		●		
理論												
原価計算基準全般								●				
配賦基準の選択						※			●			
制度的原価の基礎的分類	●											
原価計算の分類					●							●
原価・非原価の区別		※		●						●	●	
特殊原価調査			●									
営業費の分類							●					

※　25回・29回・34回は第３問で出題。

第5問

論点	24	25	26	27	28	29	30	31	32	33	34	35
精算表作成	●	●	●	●	●	●	●	●	●	●	●	●
銀行勘定調整表				●		●		●				●
現金過不足			●		●		●		●	●	●	
通貨代用証券												
仮払金の整理	●	●	●	●	●	●	●	●	●	●	●	●
仮受金の整理	●	●	●	●	●	●	●	●	●	●	●	●
手形の不渡り	●											
有価証券の評価（振替）		●								●		
償却債権取立益		●										
外注費の計上												
建設仮勘定									●			
一年基準		●										
仮設撤去費の計上				●								
仮設材料の評価	●				●		●		●		●	
工事未払金		●		●								
貸倒引当金の設定	●	●	●	●	●	●	●	●	●	●	●	●
減価償却費の計上	●	●	●	●	●	●	●	●		●	●	●
材料の棚卸減耗損			●			●		●		●		●
材料の戻入	●	●			●							
退職給付引当金	●	●		●	●	●	●	●	●	●	●	●
完成工事補償引当金	●	●	●	●	●	●	●	●	●	●	●	●
完成工事原価の振替	●	●	●	●	●	●	●	●	●	●	●	●
費用収益の見越し・繰延べ		●	●		●				●			●
法人税等の計上	●	●	●	●	●	●	●	●	●	●	●	●

本書の使い方

第1部　攻略テクニック編

巻頭にある「攻略テクニック編」ではまず、第1問対策として重要度の高い仕訳を厳選して取り上げています。これらの仕訳をマスターすれば、仕訳問題5題のうち4題は得点できる実力を身に付けられます。次に、第2問対策として、頻出度の高い計算問題をピックアップしていますので、あわせて確認しておきましょう。

本社建物が台風により著しく損傷したため修繕し、その代金¥26,400（消費税込み）を約束手形を振り出して支払った。なお、消費税率は10%とする。

（修　繕　費）	24,000	（営業外支払手形）	26,400
（仮払消費税）*	2,400		

*　26,400円×$\frac{10\%}{110\%}$＝2,400円

商品仕入、買掛金の支払い以外の目的で約束手形を振り出した場合には「営業外支払手形」で処理します。

各仕訳のポイントをコメントとしてのせています。解答を理解するうえで役立ててください。

問題文の重要な箇所を網掛けで示してありますので、問題を解く際にチェックしなければならないところが一目でわかります。

補足説明として「計算式」を入れています。

消費税額の確定

決算に当たり、仮払消費税期末残高¥4,150,000と仮受消費税期末残高¥5,430,000を相殺し、差額を未払消費税として計上する。

決算時に「仮払消費税」と「仮受消費税」を相殺し、差額を「未払消費税」（負債）で処理します。

第3問対策から第5問対策では、本試験における典型的な問題形式を厳選し、その攻略テクニックについて解説をしています。これらをマスターすれば、いろいろな問題に対応できる実力を身に付けられます。

第4問対策

第4問では個別原価計算による勘定記入や、原価計算表および完成工事原価報告書を作成する問題が出題されます。また、近年、原価計算に関する理論問題が出題されてい…らは少々難しいので、半分ぐらいできればよいと考えてください。

典型的な問題の攻略テクニックを示しています。

一　個別原価計算における勘定記入、原価計算表および完成工事原価報告書の作成　目標！25分

次の資料を参照して、各勘定と工事別原価計算表を完成し、完成工事原価報告書を作成しなさい。

〈資　料〉

1．前月から繰り越してきた未成工事支出金¥1,428,000の内訳は次のとおりである。
　材料費　¥620,000　労務費　¥222,000　外注費　¥450,000
　経　費　¥136,000（うち人件費　¥40,000）

2．工事間接費の配賦は予定配賦法であり、その配賦基準は直接作業時間である。今年度の予定配賦率は1時間当たり¥1,200である。

解答への道

Step…❶ 工事別原価計算表の作成

個別原価計算では、発生した原価を工事指図書別に集計します。これをまとめたものを原価計算表（総括表）といい、個別原価計算においてはまず、この原価計算表を作成し、指図書ごとに原価を集計していきます。このとき、直接費と工事間接費は当月の消費額のみを計上し、前月の消費額は月初未成工事原価として計上することに注意しましょう。

差し引きで求められます

工事別原価計算表

（単位：円）

摘要 ＼ 工事番号	No.811	No.812	No.813	合計
月初未成工事原価	1,428,000	—	—	1,428,000
当月発生工事原価				
材料費	415,200	1,468,800	794,000	2,678,000
労務費	211,600	482,000	428,400	1,122,000
外注費	112,200	362,400	389,400	864,000
経費				
直接経費	8,600	259,200	128,200	396,000
工事間接費	36,000	132,000	48,000	216,000
当月完成工事原価	2,211,600	2,704,400	—	4,916,000
月末未成工事原価		—	1	8000

ここがPOINT

原価計算表の作成においては、資料をそのままうつせば完成することが多いため、きちんと資料を読み取ることが重要です。
本問のように、解答用紙に金額が与えられていることもあるので注意しましょう。

解き方のポイントやあわせて押さえておきたい論点などをのせています。

Step…❷ 未成

頻出問題については適宜、問題の構造を図解していますので、論点相互の関係が一目でわかり、解答テクニックの定着に役立ちます。

原価計算表と未成 になります。

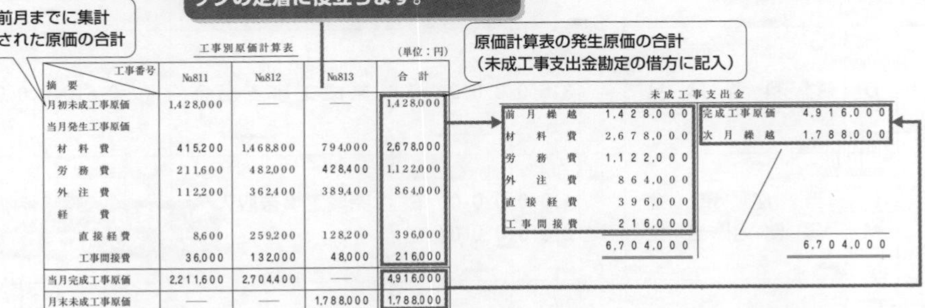

工事別原価計算表

（単位：円）

摘要 ＼ 工事番号	No.811	No.812	No.813	合計
月初未成工事原価	1,428,000	—	—	1,428,000
当月発生工事原価				
材料費	415,200	1,468,800	794,000	2,678,000
労務費	211,600	482,000	428,400	1,122,000
外注費	112,200	362,400	389,400	864,000
経費				
直接経費	8,600	259,200	128,200	396,000
工事間接費	36,000	132,000	48,000	216,000
当月完成工事原価	2,211,600	2,704,400	—	4,916,000
月末未成工事原価	—	—	1,788,000	1,788,000

未成工事支出金

借方	金額	貸方	金額
前月繰越	1,428,000	完成工事原価	4,916,000
材料費	2,678,000	次月繰越	1,788,000
労務費	1,122,000		
外注費	864,000		
直接経費	396,000		
工事間接費	216,000		
	6,704,000		6,704,000

第4問対策

Step…❸ 工事間接費配賦差異の計算

第２部　過去問題編

過去問題は回数別に収録してありますので、時間配分を考えながら過去問演習を行ってください。解答にあたっては巻末に収録されている「解答用紙」を抜き取ってご利用ください。(「サイバーブックストア〈https://bookstore.tac-school.co.jp/〉」よりダウンロードサービスもご利用いただけます)。「攻略テクニック」の実践的な練習として、ぜひチャレンジしてみてください。

第26回　問　題

解　答　86
解答用紙　10

制限時間を示しています。
時間を計って解いてみましょう。

第1問（20点）　次の各取引について仕訳を示しなさい。使用する勘定科目は下記の〈勘定科目群〉から選び、その記号（A～X）と勘定科目を書くこと。なお、解答は次に掲げた（例）に対する解答例にならって記入しなさい。

（例）現金￥100,000を当座預金に預け入れた。

(1)　当期に売買目的でＡ社株式3,000株を１株当たり￥1,100で購入し、手数料は￥57,000であった。Ａ社株式の期末の時価は１株当たり￥900であった。期末の仕訳を示しなさい。

(2)　工事用の建設機械￥5,800,000を約束手形を振り出して購入し、その引取運賃￥140,000については小切手を振り出して支払った。

(3)　材料費については購入時材料費処理法を採用し、仮設材料の消費分の把握については、すくい出

第26回　解　答

問　題　10

第1問　20点　　仕　訳　記号（A～X）も記入のこと　　　　仕訳一組につき４点

予想採点基準を示しています。解き終わったら採点をしてみましょう。

No.	借方 記号	借方 勘定科目	借方 金額	貸方 記号	貸方 勘定科目	貸方 金額
(例)	B	当座預金	100000	A	現金	100000
(1)	W	有価証券評価損	657000	F	有価証券	
(2)	H	機械装置	5940000	T B	営業外支払手形 当座預金	5800000 140000
(3)	D	材料貯蔵品	360000	G	未成工事支出金	360000
(4)	B M	当座預金 貸倒引当金	400000 200000	E	完成工事未収入金	
(5)	N	別段預金	5500000	R	新株式申込証拠金	5500000

別に解答が考えられる場合、「別解」を入れてあります。

別解 (4)（借）B　当座預金　400,000　　（貸）E　完成工事未収入金　600,000
M　貸倒引当金　300,000　　X　貸倒引当金戻入　100,000

第26回 解答への道

問題 10

全体的に標準レベルの問題です。第3問の勘定記入と第4問の計算が少し難しいですが、高得点をめざしましょう。

問題の全体講評を示しています。

第1問

指定された勘定科目と記号を使用して解答しなければ正解にはなりませんので注意してください。
A：易、B：普、C：難となっています。5題中4題以上の正解をめざしましょう。

(1) A　(2) A　(3) A　(4) A　(5) A

A：易しい問題、B：普通の問題、C：難しい問題と問題の難易度を示しています。Aランク・Bランクの問題は確実にできるようにしておきましょう！

(1) 有価証券の評価

売買目的で所有している有価証券は、期末において時

@900円×3,000株（当期末時価）－(@1,100円×3,000株＋57,000円)（帳簿価額）＝ 有価証券評価損

(2) 固定資産の購入（営業外支払手形）

固定資産を購入した際に約束手形を振り出した場合、通常の営業取引で用いる支払手形（負債）と区別して営業外支払手形勘定（負債）で処理します。

(3) すくい出し方式

材料等を工事用に供した時点において、その取得価額の全額を未成工事支出金勘定で処理し、工事の完了時において評価額がある場合、その評価額をその工事原価から控除する方法をすくい出し方式といいます。

第2問

各個別論点による計算問題です。建設業会計と一般会計の両方から出題されるので、出題範囲は少し広いですが、計算式等を覚え一つ一つ確実に解答できるようにしましょう。

(1) A　(2) B　(3) A　(4) B

問題を解くにあたっての注意点、覚えておきたいポイントなどを示しています。

(1) 内部利益の計算

支店が有している材料のうち本店から仕入れた材料には　　　　　の内部利益が加算されています。

内部利益：(82,400円＋32,960円)（本店仕入分）× $\frac{0.03}{1.03}$ ＝ **3,360円**

(2) 工事進行基準

工事の進行具合に合わせて完成工事高を計上します。

① 前期の完成工事高

17,000,000円（請負金額）× $\frac{2{,}601{,}000円〈前期工事原価〉}{14{,}450{,}000円〈総工事原価見積額〉}$ (0.18) ＝ 3,060,000円

② 当期までの完成工事高

17,000,000円（請負金額）× $\frac{11{,}347{,}500円(*)〈当期までの工事原価〉}{15{,}130{,}000円〈変更後総工事原価見積額〉}$ (0.75) ＝ 12,750,000円

(*) 2,601,000円（前期工事原価）＋ 8,746,500円（当期工事原価）＝ 11,347,500円

③ 当期の完成工事高

12,750,000円－3,060,000円＝**9,690,000円**

(3) 消費税（税抜方式）

(仮受消費税)(*)	**153,800**	(仮払消費税)	125,300

目次

第1部／攻略テクニック編

第2部／過去問題編

第1部

攻略テクニック編

建設業経理士 2 級本試験の解き方

建設業経理士２級の本試験は大問が５題で出題されます。配点は、第１問 20 点、第２問 12 点、第３問 14 点、第４問 24 点、第５問 30 点となっています。計 100 点満点中 70 点以上を得点できれば合格ですが、効率よく得点するためには、ある程度の **“戦略”** が必要です。

STEP 1

試験開始の合図があったら、まず１～２分程度で問題全体に目を通してください。第１問から第５問という順番はあくまでも、単純な羅列に過ぎません。自分の得意な分野、簡単な問題から解答し、難しい問題やボリュームのある問題などは、後回しにした方が良いでしょう。いかに自分のペースで解答していくかが大切です。

問題を解く順番（基本スタイル）は以下のとおりです。

問題を解く順番：第１問 → 第５問 → 第４問 → 第３問 → 第２問

この順番をベースにして、解答しづらい問題が出題された場合には、その問題を後回しにするとよいでしょう。

このように、最初に自分がどういう順番で解答するか決定してから、答案を作成するようにしてください。

STEP 2

答案を作成する際には、特に次の点に注意してください。

その１　問題用紙・解答用紙にひととおり目を通してから解く！

全体の構造を把握し、計算の方向性を決めてから、取りかかるようにしてください。また、本試験ではすべての処理が問われるわけではありませんから、何を答えればいいのか、問題が最終的に何を聞いているのか、を意識して、余計なことはせずに、問われていることだけを計算するようにしましょう。

●解答用紙を見てから解き始めることが大切です。解答用紙を見てから解き始めるということは、解答要求事項というゴールを最初に確認してからスタートするということです。

その2 問題文を自分の解きやすいように加工する！

問題文を読みながら、書き込みをしてください。とくに、解答要求や会計処理によって答えが変わるような重要な箇所をチェックしながら読むとよいでしょう。

「第１部　攻略テクニック編」では重要な箇所を　　　（網掛け）で示しているので、問題を解く際にチェックしなければならないところが一目でわかります。

その3 取れるところから取る！

70点以上で合格ですから満点を取る必要はありません。完璧主義は場合によっては考えものです。また、配点（箇所）を意識して記入し、部分点をねらっていくことも大切です。本書をとおして、本試験でどのような問題が出題されても、70点（合格点）を取れる方法を身に付けてください。

それでは、実際の問題を使用して、TAC式の「攻略テクニック」を伝授していきたいと思います。

がんばって
攻略テクニックを
マスターしましょう!

第1問対策

第1問では仕訳問題が5題出題され、各4点の配点となります。ここで出題される内容の多くは第5問にも関係するので、すべての内容を理解することが必要です。なお、本試験では使用できる勘定科目と記号が指定されるので、この指定勘定科目と記号を使用して解答しなければ正解とならないことに注意してください。

仕訳問題の中から出題頻度の高い論点は次のとおりです。

厳選仕訳 ★★★★★★★★★★★

建設仮勘定

工事代金の前払い

自社倉庫の新築のため、宮崎建設株式会社に、工事契約代金の一部¥300,000を小切手を振り出して支払った。

(建設仮勘定)	300,000	(当座預金)	300,000

工事代金の前払分は「建設仮勘定」(資産)で処理します。

材料の払い出し

本社事務所の新築工事に当たり、本社倉庫から手持材料¥120,000を払い出し、消費した。

(建設仮勘定)	120,000	(材料)	120,000

「建設仮勘定」は金銭の支出はもちろん、材料の払い出しの際に使用することもあります。

完成引渡し

埼玉工務店は、かねてから新築工事中であった本社事務所が完成し引渡しを受けたため、工事契約代金¥2,000,000のうち未払額¥500,000を小切手を振り出して支払った。なお、工事契約代金のうち既支払額¥1,500,000は、建設仮勘定に計上してある。

(建物)	2,000,000	(建設仮勘定)	1,500,000
		(当座預金)	500,000

「建設仮勘定」は完成引渡時に消去します。

改良と修繕

改良補修工事代金の支払い

千葉商事は、自社の商品倉庫の改良補修工事を埼玉工務店に依頼し完成引渡しを受けたので、その代金￥1,200,000を小切手を振り出して支払った。この支出のうち、￥750,000は商品倉庫の改良費として資本的支出とされるべきものである。

(建　　　物)	750,000	(当　座　預　金)	1,200,000
(修　繕　費)	450,000		

改良（資本的支出）した分は、固定資産（本問では「建物」）の勘定で処理し、それ以外は修繕（収益的支出）した分として「修繕費」で処理します。

完成引渡し

自社倉庫に係る工事が完了し、建設仮勘定として処理していた￥3,460,000のうち、￥2,650,000は改良費と認め、残額を修繕費として処理する。

(建　　　物)	2,650,000	(建　設　仮　勘　定)	3,460,000
(修　繕　費)	810,000		

「建設仮勘定」を工事完成時に改良（資本的支出）した分（固定資産、本問では「建物」）と修繕（収益的支出）した分（「修繕費」）として処理することもあります。

消費税

材料の購入

A建設工事用の鉄筋￥140,000を千葉商事から購入し、消費税10%とともにその代金を現金で支払った。消費税の会計処理は税抜方式を採用している。

(材　　　料)	140,000	(現　　　金)	154,000
(仮　払　消　費　税)*	14,000		

＊　140,000円×10%＝14,000円

税抜方式の場合、消費税を支払ったときは、「仮払消費税」で処理します。

修繕に対する約束手形の振り出し

本社建物が台風により著しく損傷したため修繕し、その代金¥26,400（消費税込み）を約束手形を振り出して支払った。なお、消費税率は10%とする。

商品仕入、買掛金の支払い以外の目的で約束手形を振り出した場合には「営業外支払手形」で処理します。

（修　繕　費）	24,000	（営業外支払手形）	26,400
（仮払消費税）*	2,400		

＊　26,400円 × $\frac{10\%}{110\%}$ = 2,400円

消費税額の確定

決算に当たり、仮払消費税期末残高¥4,150,000と仮受消費税期末残高¥5,430,000を相殺し、差額を未払消費税として計上する。

決算時に「仮払消費税」と「仮受消費税」を相殺し、差額を「未払消費税」（負債）で処理します。

（仮受消費税）	5,430,000	（仮払消費税）	4,150,000
		（未払消費税）	1,280,000

当座借越

外注費（消費税込み）の支払い

決算日に外注費¥440,000（消費税込み）を支払うため、同額の小切手を振り出した。なお、決算日の当座預金残高は¥400,000であるが、取引銀行とは当座借越契約を結んでいる。また、消費税の会計処理は税抜方式を採用している。消費税率は10%とすること。

振り出した小切手のうち、当座預金残高の不足額を「当座借越」（負債）で処理します。なお、「当座借越」は「短期借入金」（負債）とすることもあります。

（外　注　費）	400,000	（当座預金）	400,000
（仮払消費税）*	40,000	（当座借越）	40,000

＊　440,000円 × $\frac{10\%}{110\%}$ = 40,000円

不渡手形

自己所有手形の不渡り

発注者の鹿児島商会によって裏書された約束手形¥420,000が期日に不渡りとなった。

自己所有の約束手形が不渡りとなった場合「不渡手形」（資産）で処理します。

（不渡手形）	420,000	（受取手形）	420,000

裏書きした手形の不渡り

東京建設株式会社は、かつて裏書譲渡した京都商店振り出しの約束手形¥160,000の取立てが不能となったため、現金を支払ってその手形を引き取った。なお、保証債務の時価を額面の1％計上していた。

（不　渡　手　形）	160,000	（現　　　　金）	160,000
（保　証　債　務）	1,600	（保証債務取崩益）	1,600

現金支払額を「不渡手形」で処理し、二次的債務が消滅するので、金銭債務である「保証債務」を取り崩します。

貸倒れの発生

不渡手形、完成工事未収入金の貸倒れ

東北建設株式会社に対する不渡手形¥500,000の取立てが不能となり、同社に対するすべての債権を放棄することとした。なお、同社に対する債権は不渡手形のほかに完成工事未収入金¥100,000がある。また、貸倒引当金勘定に残高はない。

（貸　倒　損　失）	600,000	（不　渡　手　形）	500,000
		（完成工事未収入金）	100,000

「貸倒引当金」に残高がない場合、「貸倒損失」（費用）で処理します。

消費税を含む完成工事未収入金の貸倒れ

当期に中央商会から受注し、完成した工事に係る完成工事未収入金の一部¥704,000（消費税込み）について貸倒れが発生した。貸倒引当金の期首残高は、¥1,320,000である。なお、消費税の会計処理は税抜方式を採用している。また、消費税率は10%とする。

（貸　倒　損　失）	640,000	（完成工事未収入金）	704,000
（仮受消費税）*	64,000		

＊　704,000円×$\frac{10\%}{110\%}$＝64,000円

貸倒れとなった債権に対する「仮受消費税」（負債）も同時に消去します。また期中に発生した債権の貸倒れは「貸倒引当金」ではなく、「貸倒損失」で処理します。

貸倒引当金の設定

実績率法による貸倒引当金の設定

東京建設株式会社は、期末の完成工事未収入金の残高¥1,800,000に対して過去の実績から2.5%の貸倒引当金を計上した。

（貸倒引当金繰入額）*	45,000	（貸　倒　引　当　金）	45,000

＊　1,800,000円×2.5%＝45,000円

完成工事未収入金に実績率を掛けて「貸倒引当金」を設定します。

財務内容評価法による貸倒引当金の設定

¥1,000,000を貸し付けている大分商会の財務内容を分析した結果、回収不能見込額は¥300,000と算定された。

財務内容を評価し貸付金に対する「貸倒引当金」を設定します。

(貸倒引当金繰入額)	300,000	(貸 倒 引 当 金)	300,000

剰余金の配当および処分

剰余金の処分

前期決算に係る剰余金の配当および処分として、利益剰余金を源泉とする株主配当金¥4,500,000が決定された。なお、決定時点での資本金は¥100,000,000、資本準備金と利益準備金の合計額は¥24,000,000であった。

資本準備金と利益準備金の合計額が資本金の$\frac{1}{4}$に達するまで、配当金の$\frac{1}{10}$を利益準備金として積み立てます。

(繰越利益剰余金)	4,950,000	(未 払 配 当 金)	4,500,000
		(利 益 準 備 金)*	450,000

* 100,000,000円×$\frac{1}{4}$－24,000,000円＝1,000,000円

* 4,500,000円×$\frac{1}{10}$＝450,000円

いずれか小さい方 ∴450,000円

株主配当金の支払い

東京建設株式会社は、剰余金の配当に際して、株主配当金¥400,000を小切手を振り出して支払った。なお、源泉所得税は¥30,000であった。

源泉所得税は、「源泉所得税預り金」(負債)で処理します。

(未 払 配 当 金)	400,000	(当 座 預 金)	370,000
		(源泉所得税預り金)	30,000

材料の購入

材料費処理法

東京建設株式会社は、株式会社大阪商事から鉄筋¥200,000を購入し、工事現場に搬入した。支払は月末の予定である。なお、鉄筋の購入処理については材料費処理法を採用している。

材料費処理法では材料購入時に原価が発生したと考え、「材料費」で処理します。

(材 料 費)	200,000	(工 事 未 払 金)	200,000

出題頻度は高くないのですが、確認しておきたい論点を以下に挙げておきます。

自己振出約束手形の受け取り

大阪建設株式会社は、完成工事未収入金の回収として、額面¥300,000の自社振出の約束手形および額面¥100,000の京都商店振出の約束手形を受け取った。

自己振出の約束手形を受け取った場合、「支払手形」の減少として処理します。

(支払手形)	300,000	(完成工事未収入金)	400,000
(受取手形)	100,000		

有価証券

投資有価証券の購入

経営上の関係を維持する目的で、東京商事株式会社の株式4,000株を1株¥600で買い入れ、手数料¥6,000とともに現金で支払った。

経営上の関係を維持する目的であることから手数料も含めて「投資有価証券」で処理します。

(投資有価証券)*	2,406,000	(現金)	2,406,000

* 600円/株×4,000株+6,000円=2,406,000円

投資有価証券の売却

数年後に上記(投資有価証券の購入)の東京商事株式会社の株式2,000株を1株¥800で売却し、手数料¥2,000が差し引かれ、手取額を当座預金に預け入れた。なお、手数料¥2,000については売却損益に含めて処理すること。

購入時の手数料を含めた単価により売却した「投資有価証券」を算定します。

(当座預金)*1	1,598,000	(投資有価証券)*2	1,203,000
		(投資有価証券売却益)	395,000

*1 800円/株×2,000株−2,000円=1,598,000円
*2 2,406,000円÷4,000株=601.5円/株
601.5円/株×2,000株=1,203,000円

固定資産

固定資産の売却

東京建設株式会社は、第1年度期首に取得した機械（取得価額¥800,000、残存価額10%、耐用年数8年）を定額法で減価償却してきたが、第3年度の期首に¥500,000で売却処分し現金を受け取った。なお、仕訳は直接記入法で行っている。

直接記入法の場合、既償却費は、取得価額から控除されています。

（現　　　　金）	500,000	（機　械　装　置）*	620,000
（機械装置売却損）	120,000		

$$*\quad 800{,}000円-\frac{800{,}000円-800{,}000円\times 10\%}{8年}\times 2=620{,}000円$$

固定資産の除却

機械が不具合のため、期首に除却処分することとした。なお、期首簿価は¥120,000、スクラップ評価額は¥80,000であった（直接記入法）。

除却した固定資産の評価額は「貯蔵品」（資産）で処理します。

（貯　　蔵　　品）	80,000	（機　械　装　置）	120,000
（機械装置除却損）	40,000		

工事進行基準

当期に地元自治体から受注した工事価格¥55,000,000（消費税込み）の工事（工期5年）の工事進捗率は期末現在20%であり、既に¥5,500,000受領している。当社は、工事進行基準を適用し、原価比例法により工事収益を計上することとしている。なお、工事収益に係る消費税は、完成引渡時に計上している。また、消費税率は10%とする。

工事の進行程度に応じて「完成工事高」（収益）を計上します。

（未成工事受入金）	5,500,000	（完　成　工　事　高）*	10,000,000
（完成工事未収入金）	4,500,000		

$$*\quad 55{,}000{,}000円\times\frac{100\%}{110\%}\times 20\%=10{,}000{,}000円$$

第2問対策

第2問では文章を完成させる形式の計算問題が出題されます。出題される論点は多岐に渡っており、出題範囲全般の知識が要求されます。

出題頻度の高い論点は次のとおりです。

なお、解答は［　　］の箇所になります。

本支店会計

期中取引

支店独立会計制度を採用している支店から本店へ現金￥60,000の送金があり、次いで本店は支店の外注代金の未払分を決済するため小切手￥55,000を振り出した場合、本店における支店勘定の残高をこの二つの取引の前と後で比べれば、￥［　　］の違いとなる。

支店の仕訳：	（本　　店）	60,000	（現　　金）	60,000
本店の仕訳：	（現　　金）	60,000	**（支　　店）**	**60,000**
本店の仕訳：	**（支　　店）**	**55,000**	（当座預金）	55,000
支店の仕訳：	（工事未払金）	55,000	（本　　店）	55,000

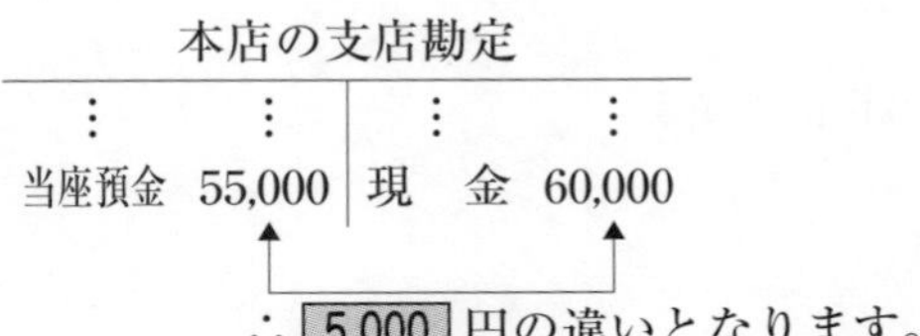

本店の支店勘定

⋮	⋮	⋮	⋮
当座預金	55,000	現　金	60,000

∴ ［5,000］円の違いとなります。

未達取引

支店独立会計制度を採用している支店における本店勘定の貸方残高が、本店における支店勘定の借方残高より¥7,000だけ少なく、この差額の原因が本支店間の送金の未達による場合、本店から支店へ送金の未達額が¥3,000とすれば、支店から本店へ送金の未達額は¥ [　　] である。

未達取引を整理すると、本店の「支店」勘定と支店の「本店」勘定残高は貸借逆で一致します。

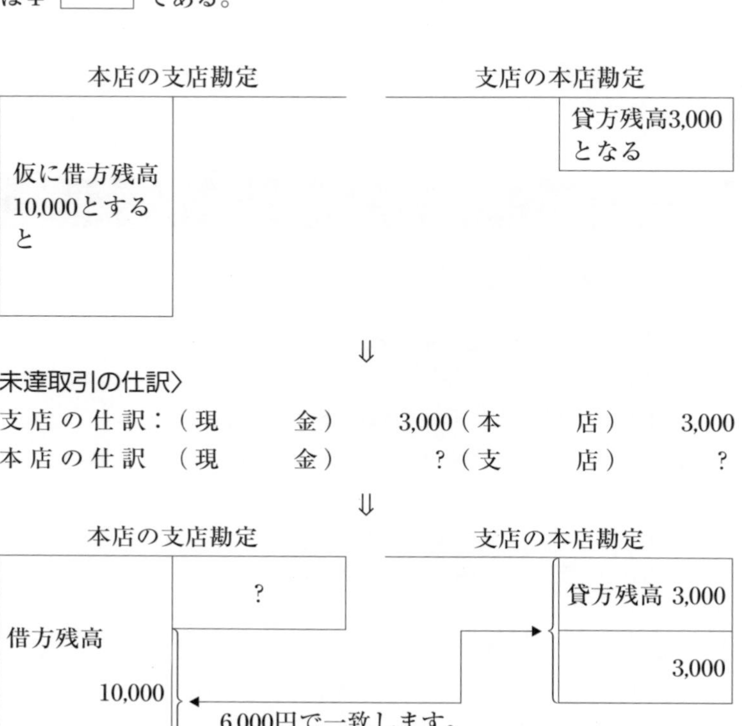

〈未達取引の仕訳〉

支店の仕訳：	（現　　金）	3,000	（本　　店）	3,000
本店の仕訳	（現　　金）	?	（支　　店）	?

⇓

本店の支店勘定　　支店の本店勘定

本店の支店勘定（借方）	本店の支店勘定（貸方）		支店の本店勘定（借方）	支店の本店勘定（貸方）
借方残高 10,000	?			貸方残高 3,000
				3,000

6,000円で一致します。

∴　支店から本店へ送金の未達額は、本店の支店勘定の貸借差額から 4,000 円となります。

本店集中計算制度と支店分散計算制度

支店独立会計制度を採用している十条建設株式会社のA支店からB支店へ¥100,000の送金取引があったとき、本店集中計算制度を採用した場合の本店（本社）におけるB支店勘定の借方残高が¥450,000となれば、支店分散計算制度を採用した場合の本店におけるB支店勘定の借方残高は¥ ☐ となる。

〈本店集中計算制度〉

	借方	金額	貸方	金額
A支店の仕訳：	（本　　店）	100,000	（現　　金）	100,000
本店の仕訳：	（現　　金）	100,000	（A　支　店）	100,000
	（B　支　店）	100,000	（現　　金）	100,000
B支店の仕訳：	（現　　金）	100,000	（本　　店）	100,000

本店のB支店勘定

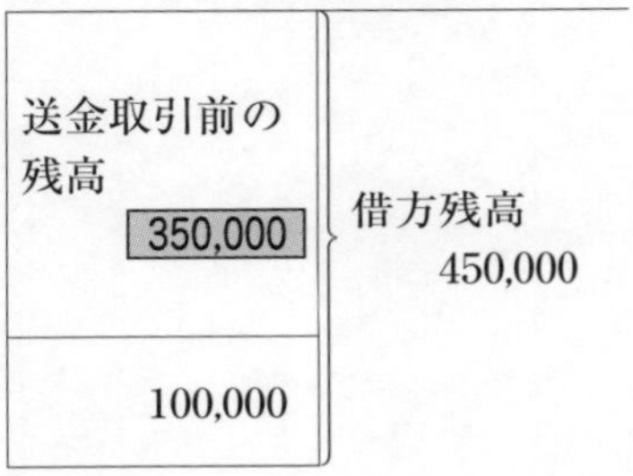

借方	
送金取引前の残高 350,000	借方残高 450,000
100,000	

〈支店分散計算制度〉

	借方	金額	貸方	金額
A支店の仕訳：	（B　支　店）	100,000	（現　　金）	100,000
本店の仕訳：		仕　訳　な　し		
B支店の仕訳：	（現　　金）	100,000	（A　支　店）	100,000

∴　支店分散計算制度を採用した場合、本店は仕訳しないので、本店におけるB支店勘定の残高は、送金取引前の借方残高350,000円となります。

逆算推定

本店から支店に発送した材料¥800が支店に未達であり、支店から本店に送金した現金¥1,200が本店に未達であるとしたときに、未達事項整理前の本店の支店勘定の借方残高は¥2,500、支店の本店勘定の貸方残高は¥ [　　　] である。

〈未達取引の仕訳〉

支店の仕訳：	（材料貯蔵品）	800	（本　　店）	800
本店の仕訳	（現　　金）	1,200	（支　　店）	1,200

本店の支店勘定

未達整理前残高 2,500	1,200
	未達整理後残高 1,300

支店の本店勘定

未達整理後残高 1,300	未達整理前残高 ?
	800

一致

∴　未達整理後の支店の本店勘定の貸方残高は、1,300円となり、貸借差額から、本店勘定の未達整理前残高は **500** 円となります。

貸倒引当金

差額補充法

完成工事未収入金の期末残高¥2,100,000に対して3％の貸倒引当金を設定する場合、貸倒引当金の期末残高¥ [　　　] であれば、貸倒引当金繰入額は、33,000円になる。

差額補充法とは、前期末に設定した貸倒引当金残高と、当期設定額を比べ、不足額を補充、過剰額を控除する方法です。

$\underbrace{2{,}100{,}000\text{円} \times 3\%}_{\text{見積額}} - \underbrace{x}_{\text{期末残高}} = 33{,}000\text{円}$

$x =$ **30,000** 円

銀行勘定調整表

企業残高基準法

銀行勘定調整表を作成するに際して、企業残高基準法を採った場合に、自社預金勘定残高￥800,000、入金通知未達など加算額の合計￥140,000、未取立小切手など減算額の合計￥70,000であったと仮定すれば、銀行残高は￥ [　　] となる。

企業残高基準法とは、自社の預金残高に不一致の原因を加減算し、銀行残高証明の金額とする方法です。

銀行勘定調整表 (単位：円)

自社預金勘定残高	800,000
加算額合計：入金通知未達など	140,000
減算額合計：未取立小切手など	70,000
銀行残高	x ← 870,000円

両者区分調整法による推定

決算整理前の当座預金勘定残高が￥ [　　] であり、この当座預金口座の決算日現在の銀行残高証明における残高が￥750,000であったので、その差異原因を調査したところ、入金通知未達￥60,000および未取立小切手￥30,000と判明した。

両者区分調整法とは、当座預金勘定残高と、銀行残高証明の金額に不一致原因を加減算し、帳簿上あるべき当座預金残高を算定する方法です。

銀行勘定調整表 (単位：円)

当座預金勘定残高	x	銀行残高証明書	750,000
加算：入金通知未達	60,000	加算：未取立小切手	30,000
減算：　なし	0	減算：　なし	0
	780,000		780,000

一致します。

∴　$x=$ 720,000円

入金通知未達分は、企業側の記帳もれとして当座預金勘定残高に加算し、未取立小切手は、銀行に取立依頼した小切手で、銀行側で入金処理がなされていない金額ですから、いずれ入金されることを見越して、銀行残高証明書の金額に加算します。次に、修正後の金額が、企業側と銀行側で一致することから、決算整理前の当座預金残高を推定します。

第2問対策

剰余金の配当および処分

利益剰余金の配当および処分

資本金¥10,000,000、資本準備金¥1,500,000、利益準備金¥800,000を有している株式会社の剰余金の配当及び処分において、社外に支出する金額が株主配当金¥2,200,000の場合、新たに必要な利益準備金の積立額は¥ [　　　] である。

$$\underbrace{10{,}000{,}000\text{円}}_{\text{資本金}} \times \frac{1}{4} - (\underbrace{1{,}500{,}000\text{円}}_{\text{資本準備金}} + \underbrace{800{,}000\text{円}}_{\text{利益準備金}}) = 200{,}000\text{円}$$

$$\underbrace{2{,}200{,}000\text{円}}_{\text{配当金}} \times \frac{1}{10} = 220{,}000\text{円}$$

いずれか少ない方

∴ **200,000**円

利益剰余金の配当を行う場合、資本準備金と利益準備金の合計額が資本金の$\frac{1}{4}$に達するまで、配当金の$\frac{1}{10}$を利益準備金として積み立てます。

資本剰余金と利益剰余金の配当および処分

資本金¥10,000,000、資本準備金¥1,500,000、利益準備金¥500,000を有している倉敷建設株式会社は、その他資本剰余金から¥300,000、その他利益剰余金から¥200,000を剰余金の配当として支出した。この場合、新たに必要な利益準備金の積立額は¥ [　　　] である。

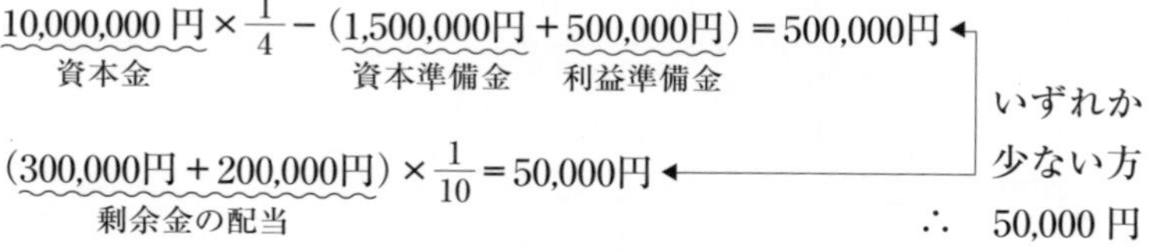

資本準備金積立額：$50{,}000\text{円} \times \frac{300{,}000\text{円}}{300{,}000\text{円} + 200{,}000\text{円}} = 30{,}000\text{円}$

利益準備金積立額：$50{,}000\text{円} \times \frac{200{,}000\text{円}}{300{,}000\text{円} + 200{,}000\text{円}} =$ **20,000**円

資本剰余金の配当を行う場合、資本準備金と利益準備金の合計額が資本金の$\frac{1}{4}$に達するまで、配当金の$\frac{1}{10}$を資本準備金として積み立てます。

工事進行基準

実際工事原価の推定

工事進行基準とは、見積総工事原価と当期実際工事原価から、工事の進捗度を算定し、それをもとに、工事収益を算定する方法です。

伊豆建設株式会社は某社から工場用建物の建設（工期３年）を受注した。その請負代金が￥30,000,000であり、見積総工事原価が￥25,000,000である場合に、当期の実際工事原価が￥［　　　］であれば、工事進行基準を適用し、原価比例法による当期の完成工事高は￥9,000,000である。

$$30{,}000{,}000\text{円〈請負価額〉} \times \frac{x\ \text{円〈当期実際工事原価〉}}{25{,}000{,}000\text{円〈見積総工事原価〉}} = 9{,}000{,}000\text{円〈完成工事高〉}$$

$$x = \boxed{7{,}500{,}000}\ \text{円}$$

工事収益の算定

山口建設株式会社は、当期に発注先と事務所の建築工事（工期５年）の請負契約を締結した。同工事の請負代金は￥2,400,000、見積総工事原価は￥1,440,000、当期の実際工事原価は￥864,000とすると、工事進行基準を適用した場合、原価比例法による当期の工事収益額は￥［　　　］である。

$$2{,}400{,}000\text{円〈請負代金〉} \times \underbrace{\frac{864{,}000\text{円〈当期実際工事原価〉}}{1{,}440{,}000\text{円〈見積総工事原価〉}}}_{\text{工事進捗度}\ (0.6)} = \boxed{1{,}440{,}000}\ \text{円〈工事収益額＝完成工事高〉}$$

第2問対策

第3問対策

第３問では材料費、労務費、工事間接費、部門別原価計算等に関する問題が出題されています。

各論点の一般的な出題形式の問題は次のとおりです。

材料費

東京建設株式会社における×6年６月度のＡ材料の受払状況は、〈資料〉のとおりであった。同社のＡ材料の15日の先入先出法による払出価額と６月度の払出価額合計を先入先出法および移動平均法により計算しなさい。

〈資　料〉

Ａ材料の６月度の受払状況

	摘要	数量	単価
６月１日	前月繰越	100 kg	¥250
４日	払出	80 kg	
８日	受入	120 kg	¥320
15日	払出	60 kg	
20日	払出	50 kg	

解　答

15日の払出価額

先入先出法　¥ 17800

６月度の払出価額合計

先入先出法　¥ 53800

移動平均法　¥ 54100

解答への道

材料の払出価額を算出する問題です。本問では先入先出法、移動平均法による払出価額が求められています。

ここがPOINT

材料の払出価額を算定する問題は、計算用紙等に材料元帳を作成することにより、正確かつ確実に解答できます。

先入先出法

先に受け入れた材料から順次払い出されたものと仮定して払出計算を行います。

材　料　元　帳

×6年		摘　要	受入 数量	受入 単価	受入 金額	払出 数量	払出 単価	払出 金額	残高 数量	残高 単価	残高 金額
6	1	前月繰越	100	250	25,000				100	250	25,000
	4	払　出				80	250	20,000	20	250	5,000
	8	受　入	120	320	38,400				20	250	5,000
									120	320	38,400
❶	15	払　出				20	250	5,000			
						40	320	12,800	80	320	25,600
	20	払　出				50	320	16,000	30	320	9,600

❷（払出欄）

❶　15日の払出価額：

20kg×@250円＋40kg×@320円＝**17,800円**

❷　6月度の払出価額合計：

80kg×@250円（6/4）＋(20kg×@250円＋40kg×@320円)（6/15）＋50kg×@320円（6/20）＝**53,800円**

移動平均法

材料を異なる単価で受け入れるつど、平均単価を計算し、この平均単価をもって払出計算を行います。

材　料　元　帳

×6年		摘　要	受入 数量	受入 単価	受入 金額	払出 数量	払出 単価	払出 金額	残高 数量	残高 単価	残高 金額
6	1	前月繰越	100	250	25,000				100	250	25,000
	4	払　出				80	250	(A)20,000	20	ー	5,000
	8	受　入	120	320	38,400				140	ー	43,400
	15	払　出				60	310	(B)18,600	80	ー	24,800
	20	払　出				50	(*)310	(C)15,500	30	ー	9,300

❸（払出欄）

(A)　80kg × @250円 = 20,000円
　　払出数量　単価

(B)　(5,000円 + 38,400円) ÷ 140kg = @310円
　　6/4残高　6/8受入高　数量　単価

　　60kg × @310円 = 18,600円
　　払出数量　単価

(C)　50kg × @310円(＊) = 15,500円
　　払出数量　単価

（＊）払い出しが続く場合、最後に受け入れた時に計算した平均単価（ここでは6月8日の@310円）を用いて、払出計算を行います。

❸　6月度の払出価額合計：
(A)20,000円 + (B)18,600円 + (C)15,500円 = **54,100円**

ここがPOINT

移動平均法により材料元帳を作成する際に端数が生じた場合は、問題の指示に従いましょう。

労務費

大阪建設株式会社の労務費計算は、予定賃率により行っている。〈資料〉により当月の労務費配賦差異を計算しなさい。なお、配賦差異については、不利差異の場合はA、有利差異の場合はBを記入し、数字の前にはマイナス記号等を記入しないこと。

〈資　料〉
(1) 賃金の支払状況
当月賃金総支払高　　980,000円
（うち 所得税 68,000円、社会保険料 52,000円）
前月末賃金未払高　　134,000円
当月末賃金未払高　　125,000円

(2) 当月工事作業時間
A工事　316時間
B工事　275時間

(3) 予定賃率　1時間当たり　1,470円

解　答

配賦差異　¥ 102230　記号（AまたはB） A

解答への道

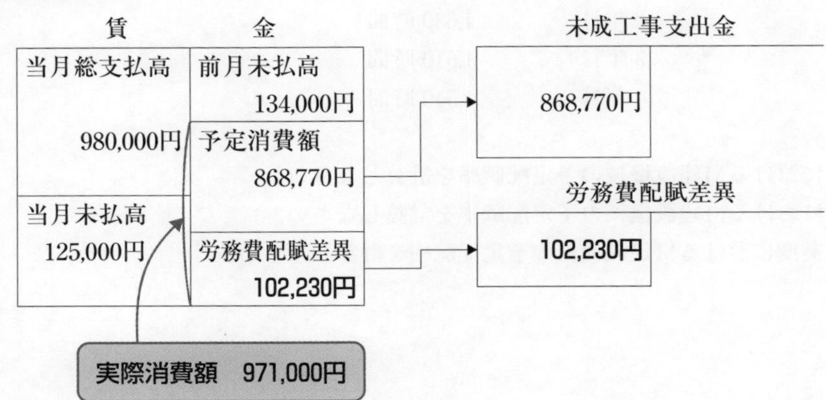

実際消費額：980,000円－134,000円＋125,000円＝971,000円
総支払高　前月未払高　当月未払高

予定消費額：@1,470円×（316時間＋275時間）＝868,770円
A工事　B工事

労務費配賦差異：868,770円－971,000円＝△ **102,230円**（不利差異：**A**）
予　定　実　際

工事間接費

神奈川建設株式会社は、所有する建設機械について各現場で共通に使用しており、各工事原価への賦課については、機械稼動時間に基づく予定配賦法を採用している。以下の〈資料〉に基づき各設問に答えなさい。なお、計算過程で端数が生じた場合は、円位未満を四捨五入すること。

〈資　料〉

1．M建設機械（馬力数800馬力）の年間予算

減価償却費	¥150,000
機械保守費	¥840,000
機械修繕費	¥520,000
機械運搬費	¥380,000

2．建設機械全体の共通予算

共通費総額	¥2,384,000
機械総馬力数	3,200馬力

共通予算は機械馬力数によって個々の機械に負担させる。

3．M建設機械の最大稼動時間　年間220日　1日8時間

4．次期以降のM建設機械の予定稼動時間

1年目（次期）	1,720時間
2年目	1,630時間
3年目	1,610時間
4年目	1,540時間

問1　次期予定操業度におけるM建設機械の予定配賦率を計算しなさい。
問2　長期正常操業度におけるM建設機械の予定配賦率を計算しなさい。
問3　実現可能最大操業度におけるM建設機械の予定配賦率を計算しなさい。

解　答

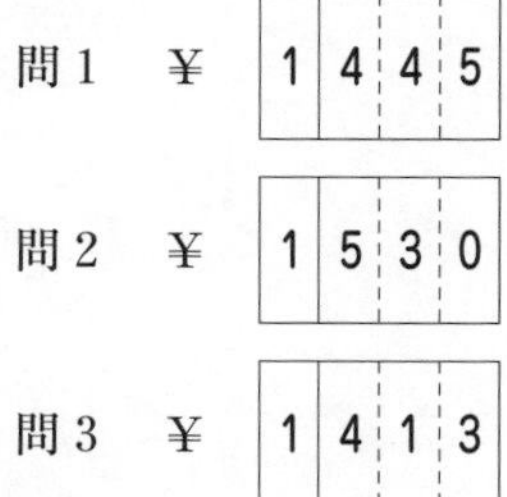

問1　¥ 1,445

問2　¥ 1,530

問3　¥ 1,413

解答への道

本問で問われている予定配賦率は以下の公式で求められます。

$$\text{予定配賦率}=\frac{\text{一定期間の工事間接費予算額}}{\text{同上期間の予定配賦基準数値}}$$

本問は上記公式のうち、「予定配賦基準数値」を問1～問3までのそれぞれの方法で設定し、それによる配賦率の変化を問うものです。

Step…❶ 予定配賦基準数値の設定

予定配賦基準数値にはさまざまありますが、それぞれの言葉の意味を正確に把握しておきましょう。

・実現可能最大操業度

最高の能率でまったく作業が中断されることのない理想的な状態において達成される、理論上の最大限の操業水準から、機械の故障、修繕、段取り、不良材料、工員の欠勤、休暇など不可避的な作業休止時間を差し引いて得られる最大限の操業水準をいいます。

本問では、資料3より、以下のように求められます。

220日×8時間＝1,760時間

・長期正常操業度

販売上予想される、季節的および景気の変動による生産量への影響を長期的（一般的には5年）に平均した操業水準をいいます。

本問では、資料4より、4年間の平均により求められます。

（1,720時間＋1,630時間＋1,610時間＋1,540時間）÷4年＝1,625時間

・次期予定操業度

次の1年間に予想される操業水準をいいます。

本問では、資料4より、1年目（次期）の1,720時間が次期予定操業度となります。

ここがPOINT

工事間接費の配賦基準は他に、直接作業時間基準、車両運転時間基準や、価額基準（直接材料費基準等）、数量基準、売価基準等があります。

Step…❷ 工事間接費予定額の算定

M建設機械の年間予算

150,000円＋840,000円＋520,000円＋380,000円＋596,000円＝2,486,000円

共通予算(M負担分)(＊)

(＊) M 建設機械が負担する共通予算

$\frac{2{,}384{,}000円}{3{,}200馬力}$ ×800馬力(M建設機械)＝596,000円

Step…❸ 予定配賦率の算定

問１　次期予定操業度における予定配賦率

$\frac{2{,}486{,}000円}{1{,}720時間}$ ＝**1,445円/時間**（円位未満四捨五入）

問２　長期正常操業度における予定配賦率

$\frac{2{,}486{,}000円}{(1{,}720時間＋1{,}630時間＋1{,}610時間＋1{,}540時間) \div 4年}$ ＝**1,530円/時間**（円位未満四捨五入）

問３　実現可能最大操業度における予定配賦率

$\frac{2{,}486{,}000円}{220日 \times 8時間}$ ＝**1,413円/時間**（円位未満四捨五入）

部門別原価計算

次の設問に解答しなさい。

問１　部門共通費の配賦基準にかかる下記データに基づいて解答用紙の部門費配分表を完成しなさい。

	A部門	B部門	C部門	D部門	合　計
従 業 員（ 人 ）	11	6	3	4	24
機　　械（ 台 ）	9	3	4	1	17
機械馬力（馬力）	4	4	2	4	14

問２　問１で作成した部門費配分表を基にして、直接配賦法により補助部門費を施工部門に配賦し、解答用紙の部門費振替表を完成しなさい。なお、配賦額に端数が生じた場合は、円位未満を四捨五入すること。

各補助部門の他部門へのサービス提供度合は下記のとおりである。

（単位：％）

	A部門	B部門	C部門	D部門
C 部 門	48	38	ー	14
D 部 門	55	40	5	ー

問 1

部 門 費 配 分 表

(単位：円)

		合 計	配賦基準	施工部門		補助部門	
				A部門	B部門	C部門	D部門
部門個別費計		1,444,711		550,177	441,583	307,578	145,373
部門共通費	労務管理費	376,080	従業員数				
	動力用水光熱費	115,380	機械馬力数×台数				
部門共通費計		491,460					
部門費合計		1,936,171					

問 2

部 門 費 振 替 表

(単位：円)

	合 計	施工部門		補助部門	
		A部門	B部門	C部門	D部門
部門費合計	1,936,171				
C 部 門 費	―				
D 部 門 費	―				
合 計	1,936,171				

解　答

問 1

部門費配分表

(単位：円)

		合　計	配賦基準	施工部門		補助部門	
				A部門	B部門	C部門	D部門
部門個別費計		1,444,711		550,177	441,583	307,578	145,373
部門共通費	労務管理費	376,080	従業員数	172370	94020	47010	62680
	動力用水光熱費	115,380	機械馬力数 × 台数	69228	23076	15384	7692
部門共通費計		491,460		241598	117096	62394	70372
部門費合計		1,936,171		791775	558679	369972	215745

問 2

部門費振替表

(単位：円)

	合　計	施工部門		補助部門	
		A部門	B部門	C部門	D部門
部門費合計	1,936,171	791775	558679	369972	215745
C　部　門　費	—	206496	163476		
D　部　門　費	—	124905	90840		
合　　　計	1,936,171	1123176	812995		

解答への道

問1　部門費配分表の作成

部門共通費を配賦基準に従って各部門に配賦します。

(1)　労務管理費（配賦基準：従業員数）

A部門：376,080円 × $\frac{11人}{24人}$ = **172,370円**

B部門：376,080円 × $\frac{6人}{24人}$ = **94,020円**

C部門：376,080円 × $\frac{3人}{24人}$ = **47,010円**

D部門：376,080円 × $\frac{4人}{24人}$ = **62,680円**

(2)　動力用水光熱費（配賦基準：機械馬力数×台数）

①　配賦基準（機械馬力数×台数）

A部門：4馬力×9台＝36馬力
B部門：4馬力×3台＝12馬力
C部門：2馬力×4台＝8馬力
D部門：4馬力×1台＝4馬力
合　計：60馬力

②　配賦額

A部門：115,380円 × $\frac{36馬力}{60馬力}$ = **69,228円**

B部門：115,380円 × $\frac{12馬力}{60馬力}$ = **23,076円**

C部門：115,380円 × $\frac{8馬力}{60馬力}$ = **15,384円**

D部門：115,380円 × $\frac{4馬力}{60馬力}$ = **7,692円**

(3)　部門共通費計

A部門：172,370円＋69,228円＝**241,598円**
B部門：94,020円＋23,076円＝**117,096円**
C部門：47,010円＋15,384円＝**62,394円**
D部門：62,680円＋7,692円＝**70,372円**

(4)　部門費合計

A部門：550,177円＋241,598円＝**791,775円**
B部門：441,583円＋117,096円＝**558,679円**
C部門：307,578円＋62,394円＝**369,972円**
D部門：145,373円＋70,372円＝**215,745円**

問2　部門費振替表の作成

問１で作成した部門費配分表をもとにして、直接配賦法により補助部門費を施工部門に配賦します。

部門費振替表

（単位：円）

	合計	施工部門		補助部門	
		A部門	B部門	C部門	D部門
部門費合計	1,936,171	791775	558679	369972	215745
C部門費	－	$\times\frac{48\%}{48\%+38\%}$ 206496	$\times\frac{38\%}{48\%+38\%}$ 163476		
D部門費	－	$\times\frac{55\%}{55\%+40\%}$ 124905	$\times\frac{40\%}{55\%+40\%}$ 90840		
合計	1,936,171	1123176	812995		

（(1)：C部門費・D部門費の行、(2)：合計の行）

問１より転記します

縦に合計をとります

(1)　補助部門費の配賦

①　C部門費

A部門：369,972円 × $\frac{48\%}{48\% + 38\%}$ = **206,496円**

B部門：369,972円 × $\frac{38\%}{48\% + 38\%}$ = **163,476円**

②　D部門費

A部門：215,745円 × $\frac{55\%}{55\% + 40\%}$ = **124,905円**

B部門：215,745円 × $\frac{40\%}{55\% + 40\%}$ = **90,840円**

(2)　施工部門費合計

A部門：791,775円＋206,496円＋124,905円＝**1,123,176円**

B部門：558,679円＋163,476円＋ 90,840円＝ **812,995円**

ここがPOINT

補助部門費を施工部門に配賦する方法は他に相互配賦法や階梯式配賦法があります。

第4問対策

第４問では個別原価計算による勘定記入や、原価計算表および完成工事原価報告書を作成する問題が出題されます。また、近年、原価計算に関する理論問題が出題されていますが、こちらは少々難しいので、半分ぐらいできればよいと考えてください。

個別原価計算における勘定記入、原価計算表および完成工事原価報告書の作成 目標！25分

次の資料を参照して、各勘定と工事別原価計算表を完成し、完成工事原価報告書を作成しなさい。

〈資　料〉

１．前月から繰り越してきた未成工事支出金￥1,428,000の内訳は次のとおりである。

材料費　￥620,000　労務費　￥222,000　外注費　￥450,000

経　費　￥136,000（うち人件費　￥40,000）

２．工事間接費の配賦は予定配賦法であり、その配賦基準は直接作業時間である。今年度の予定配賦率は１時間当たり￥1,200である。

３．当月の工事別直接作業時間は次のとおりである。

（単位：時間）

工事番号	No.811	No.812	No.813	合　計
直接作業時間	30	110	40	180

４．工事間接費として各工事に配賦される原価は、すべて経費に属するものである。また、経費中に含まれる工事別人件費は次のとおりである。

（単位：円）

工事番号	No.811	No.812	No.813	合　計
人　件　費	6,000	129,600	82,000	217,600

未成工事支出金

前月繰越		完成工事原価	
材料費	2,678,000	次月繰越	
労務費			
外注費	864,000		
直接経費	396,000		
工事間接費			

工事間接費

諸口	200,000	未成工事支出金	
工事間接費配賦差異			

工事間接費配賦差異

次月繰越		工事間接費	

工事別原価計算表

（単位：円）

摘要＼工事番号	No.811	No.812	No.813	合計
月初未成工事原価	1,428,000	—	—	1,428,000
当月発生工事原価				
材料費	[ ]	1,468,800	794,000	[ ]
労務費	211,600	482,000	[ ]	1,122,000
外注費	112,200	362,400	389,400	864,000
経費				
直接経費	8,600	259,200	128,200	396,000
工事間接費	[ ]	[ ]	[ ]	[ ]
当月完成工事原価	[ ]	[ ]	—	[ ]
月末未成工事原価	—	—	[ ]	[ ]

完成工事原価報告書

（単位：円）

Ⅰ．材料費		[ ]
Ⅱ．労務費		[ ]
Ⅲ．外注費		[ ]
Ⅳ．経費		[ ]
（うち人件費	[ ]）	
完成工事原価		[ ]

解　答

未成工事支出金

前月繰越	1,428,000	完成工事原価	4,916,000
材料費	2,678,000	次月繰越	1,788,000
労務費	1,122,000		
外注費	864,000		
直接経費	396,000		
工事間接費	216,000		
	6,704,000		6,704,000

工事間接費

諸口	200,000	未成工事支出金	216,000
工事間接費配賦差異	16,000		
	216,000		216,000

工事間接費配賦差異

次月繰越	16,000	工事間接費	16,000

工事別原価計算表

（単位：円）

摘要 ＼ 工事番号	No. 811	No. 812	No. 813	合計
月初未成工事原価	1,428,000	—	—	1,428,000
当月発生工事原価				
材料費	415200	1,468,800	794,000	2678000
労務費	211,600	482,000	428400	1,122,000
外注費	112,200	362,400	389,400	864,000
経費				
直接経費	8,600	259,200	128,200	396,000
工事間接費	36000	132000	48000	216000
当月完成工事原価	2211600	2704400	—	4916000
月末未成工事原価	—	—	1788000	1788000

完成工事原価報告書

（単位：円）

Ⅰ．材料費		2504000
Ⅱ．労務費		915600
Ⅲ．外注費		924600
Ⅳ．経費		571800
（うち人件費	175600）	
完成工事原価		4916000

第4問対策

解答への道

Step…❶ 工事別原価計算表の作成

個別原価計算では、発生した原価を工事指図書別に集計します。これをまとめたものを原価計算表（総括表）といい、個別原価計算においてはまず、この原価計算表を作成し、指図書ごとに原価を集計していきます。このとき、直接費と工事間接費は当月の消費額のみを計上し、前月の消費額は月初未成工事原価として計上することに注意しましょう。

差し引きで求められます

工事別原価計算表

（単位：円）

摘要 ＼ 工事番号	No.811	No.812	No.813	合　計
月初未成工事原価	1,428,000	—	—	1,428,000
当月発生工事原価				
材　料　費	**415,200**	1,468,800	794,000	**2,678,000**
労　務　費	211,600	482,000	**428,400**	1,122,000
外　注　費	112,200	362,400	389,400	864,000
経　　　費				
直接経費	8,600	259,200	128,200	396,000
工事間接費	36,000	132,000	48,000	216,000
当月完成工事原価	2,211,600	2,704,400	—	4,916,000
月末未成工事原価	—	—	1,788,000	1,788,000

未成工事支出金勘定（解答用紙）より転記します

なお、工事間接費の予定配賦額は問題の資料2、3から次のようになります。

・予定配賦率：@ 1,200 円

・配賦基準：

（単位：時間）

工事番号	No.811	No.812	No.813	合　計
直接作業時間	30	110	40	180

No.811　@1,200円× 30時間＝ 36,000円

No.812　@1,200円×110時間＝132,000円

No.813　@1,200円× 40時間＝ 48,000円

216,000円

ここがPOINT

原価計算表の作成においては、資料をそのままうつせば完成することが多いため、きちんと資料を読み取ることが重要です。
本問のように、解答用紙に金額が与えられていることもあるので注意しましょう。

Step…❷ 未成工事支出金勘定の作成

原価計算表と未成工事支出金勘定の対応関係は次のようになります。

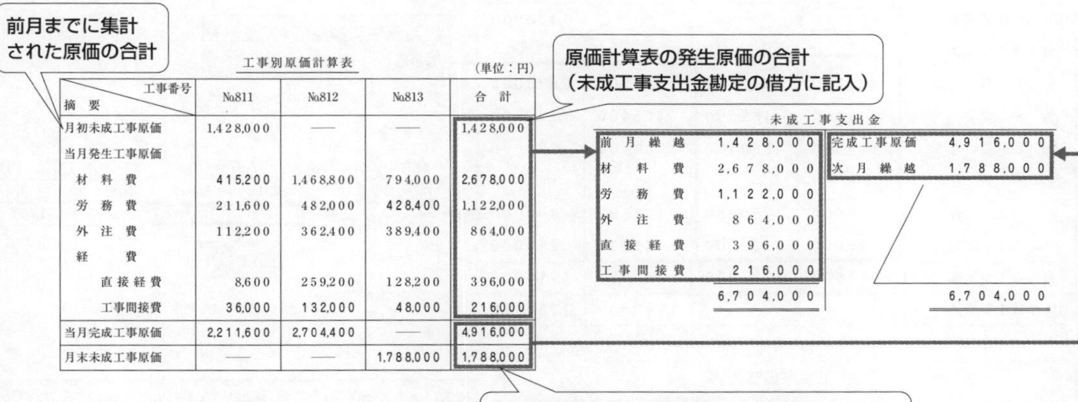

工事別原価計算表 (単位：円)

摘要 ＼ 工事番号	№811	№812	№813	合計
月初未成工事原価	1,428,000	—	—	1,428,000
当月発生工事原価				
材料費	415,200	1,468,800	794,000	2,678,000
労務費	211,600	482,000	428,400	1,122,000
外注費	112,200	362,400	389,400	864,000
経費				
直接経費	8,600	259,200	128,200	396,000
工事間接費	36,000	132,000	48,000	216,000
当月完成工事原価	2,211,600	2,704,400	—	4,916,000
月末未成工事原価	—	—	1,788,000	1,788,000

未成工事支出金

借方		貸方	
前月繰越	1,428,000	完成工事原価	4,916,000
材料費	2,678,000	次月繰越	1,788,000
労務費	1,122,000		
外注費	864,000		
直接経費	396,000		
工事間接費	216,000		
	6,704,000		6,704,000

Step…❸ 工事間接費配賦差異の計算

予定配賦額と実際発生額の差額が工事間接費配賦差異になります。なお、実際発生額は解答用紙における工事間接費勘定の借方、諸口200,000円になります。

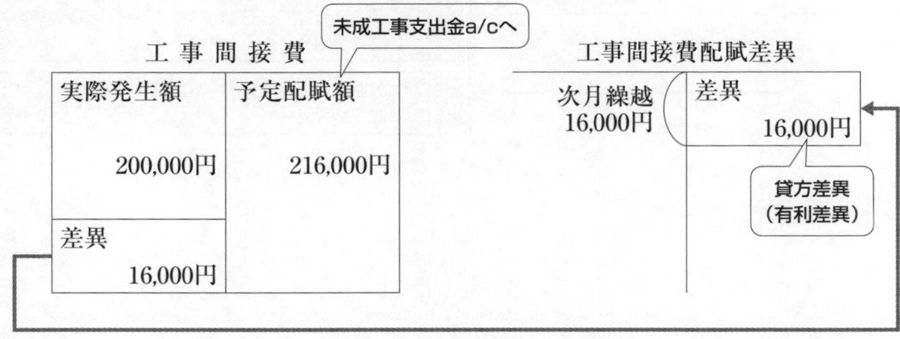

Step…④ 完成工事原価報告書の作成

完成工事原価報告書には、当月完成したすべての工事原価を形態別に集計していきます。このとき月初未成工事原価（前月繰越）の集計も忘れないようにしましょう。

なお、本問において完成した工事は、№811と№812になります。

材料費　620,000円　労務費　222,000円
外注費　450,000円　経　費　136,000円（うち人件費　40,000円）

工事別原価計算表

（単位：円）

摘要＼工事番号	№811	№812	№813	合　計
月初未成工事原価	1,428,000	――	――	1,428,000
当月発生工事原価				
材　料　費	415,200	1,468,800	794,000	2,678,000
労　務　費	211,600	482,000	428,400	1,122,000
外　注　費	112,200	362,400	389,400	864,000
経　　費				
直接経費	8,600	259,200	128,200	396,000
工事間接費	36,000	132,000	48,000	216,000
当月完成工事原価	2,211,600	2,704,400	――	4,916,000
月末未成工事原価	――	――	1,788,000	1,788,000

当月発生工事原価（完成分）の内訳

経費中に含まれる工事別人件費

（単位：円）

工事番号	№811	№812	№813	合　計
人　件　費	6,000	129,600	82,000	217,600

完成分

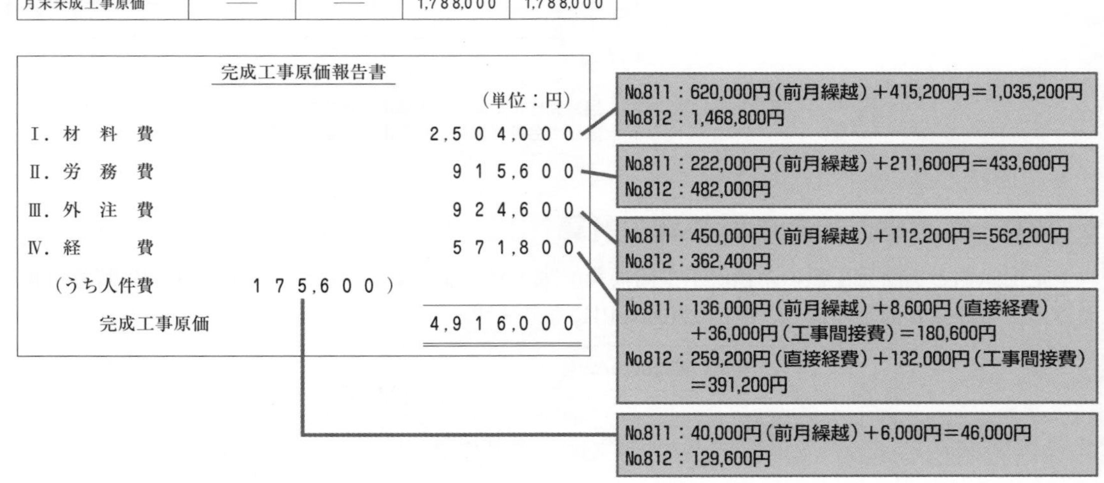

完成工事原価報告書

（単位：円）

Ⅰ．材　料　費		2,504,000
Ⅱ．労　務　費		915,600
Ⅲ．外　注　費		924,600
Ⅳ．経　　費		571,800
（うち人件費	175,600）	
完成工事原価		4,916,000

№811：620,000円（前月繰越）＋415,200円＝1,035,200円
№812：1,468,800円
№811：222,000円（前月繰越）＋211,600円＝433,600円
№812：482,000円
№811：450,000円（前月繰越）＋112,200円＝562,200円
№812：362,400円
№811：136,000円（前月繰越）＋8,600円（直接経費）＋36,000円（工事間接費）＝180,600円
№812：259,200円（直接経費）＋132,000円（工事間接費）＝391,200円
№811：40,000円（前月繰越）＋6,000円＝46,000円
№812：129,600円

第5問対策

第５問では精算表作成の決算問題が出題されます。決算問題を解くうえで、大事なポイントは決算整理仕訳が、きちんとできるかどうかということになります。また、近年の本試験では、仮払金や仮受金などの決算整理事項以外の未修正事項の処理も出題されているので、こちらもできるようにしておきましょう。

精算表の作成

日比谷建設株式会社の〈決算整理事項等〉に基づき、解答用紙の精算表を完成しなさい。なお、工事原価は未成工事支出金を経由して処理する方法によっている。会計期間は１年である。また、決算整理の過程で新たに生じる勘定科目で、精算表上に指定されている科目はそこに記入すること。

〈決算整理事項等〉

⑴　当座預金の期末残高証明書の金額は￥240,000であった。差額原因を調査したところ以下のような内容であった。

①　本社建物の火災保険料￥15,000が自動引落しされていたが、会社に通知されていなかった。

②　機械の修理費用￥26,000の支払いのために振り出した小切手が、期末現在、銀行に提示されていなかった。

③　未収であった工事代金￥210,000が期末に振込み入金されていたが、発注者より連絡を受けていなかった。

⑵　仮払金の期末残高は、以下の内容であることが判明した。

①　前期に完成した工事に関わる手直し費用￥3,000。

②　管理部門の従業員の出張旅費の仮払い￥2,000。当期の費用に計上する。

⑶　仮受金の期末残高は、以下の内容であることが判明した。

①　貯蔵品の売却代金￥9,000。なお、売却損益は生じていない。

②　現場事務所の賃借契約の終了に伴って家主から全額返金された差入保証金￥50,000。

⑷　借入金の前払利息が￥1,000ある。

⑸　受取手形のうち￥168,000が不渡りとなった。不渡手形勘定に振り替えるとともに、不渡手形金額の50%について貸倒引当金を計上する。

⑹　減価償却は定額法によっている。なお、当期中に下記の固定資産に増減取引は発生していない。

①　機械装置

耐用年数を８年、残存価額をゼロとして減価償却費を計上する。

なお、機械装置の減価償却費については、月次原価計算において、月額￥8,000を未成工事支出金に予定計上しており、予定計上額と実際発生額との差額は当期の工事原価に加減する。

②　備　　品

耐用年数を４年、残存価額をゼロとして減価償却費を計上する。

なお、備品の減価償却費は全額を販売費及び一般管理費に計上する。

⑺　退職給付引当金の当期発生額は、管理部門￥70,000、施工部門￥140,000である。
　なお、月次原価計算において、施工部門の退職給付引当金については月額￥12,000を未成工事支出金に予定計上しており、予定計上額と当期発生額との差額は当期の工事原価に加減する。
⑻　完成工事補償引当金を完成工事高に対して0.1%計上する。（差額補充法）
⑼　売上債権の期末残高の１%について貸倒引当金を計上する。（差額補充法）
⑽　未成工事支出金の次期繰越高は￥678,000となった。
⑾　当期の法人税、住民税及び事業税として税引前当期純利益の40%を計上する。ただし、中間納付額が販売費及び一般管理費に￥120,000計上されている。

精　算　表

(単位：円)

勘定科目	残高試算表		整理記入		損益計算書		貸借対照表	
	借方	貸方	借方	貸方	借方	貸方	借方	貸方
現金	139800							
当座預金	19000							
受取手形	920000							
完成工事未収入金	908000							
仮払金	5000							
貸倒引当金		7000						
未成工事支出金	690000							
材料貯蔵品	480000							
機械装置	900000							
機械装置減価償却累計額		165000						
備品	210000							
備品減価償却累計額		48000						
差入保証金	180000							
支払手形		140000						
工事未払金		100000						
借入金		150000						
未成工事受入金		130000						
仮受金		59000						
完成工事補償引当金		6000						
退職給付引当金		130000						
資本金		3000000						
完成工事高		5300000						
完成工事原価	4400000							
販売費及び一般管理費	377200							
支払利息	6000							
	9235000	9235000						
前払利息								
不渡手形								
貸倒引当金繰入額								
未払法人税等								
法人税、住民税及び事業税								
当期純利益								

解答

精算表

(単位：円)

勘定科目	残高試算表		整理記入		損益計算書		貸借対照表	
	借方	貸方	借方	貸方	借方	貸方	借方	貸方
現金	139800						139800	
当座預金	19000		210000	15000			214000	
受取手形	920000			168000			752000	
完成工事未収入金	908000			210000			698000	
仮払金	5000			3000 2000				
貸倒引当金		7000		84000 7500				98500
未成工事支出金	690000		16500 2300	4000 26800			678000	
材料貯蔵品	480000			9000			471000	
機械装置	900000						900000	
機械装置減価償却累計額		165000		16500				181500
備品	210000						210000	
備品減価償却累計額		48000		52500				100500
差入保証金	180000			50000			130000	
支払手形		140000						140000
工事未払金		100000						100000
借入金		150000						150000
未成工事受入金		130000						130000
仮受金		59000	9000 50000					
完成工事補償引当金		6000	3000	2300				5300
退職給付引当金		130000	4000	70000				196000
資本金		3000000						3000000
完成工事高		5300000				5300000		
完成工事原価	4400000		26800		4426800			
販売費及び一般管理費	377200		15000 2000 52500 70000	120000	396700			
支払利息	6000			1000	5000			
	9235000	9235000						
前払利息			1000				1000	
不渡手形			168000				168000	
貸倒引当金繰入額			84000 7500		91500			
未払法人税等				32000				32000
法人税、住民税及び事業税			152000		152000			
			873600	873600	5072000	5300000	4361800	4133800
当期純利益					228000			228000
					5300000	5300000	4361800	4361800

解答への道

(1) 銀行勘定調整表

① 連絡未通知

(販売費及び一般管理費)	15,000	(当 座 預 金)	15,000

② 未取付小切手

仕 訳 な し

決済のために小切手を振り出して取引先に渡していたが、まだ取引先が銀行に呈示（取り付け）していない場合は、不一致となります。これは、銀行側の修正になるので仕訳は必要ありません。

③ 連絡未通知

(当 座 預 金)	210,000	(完成工事未収入金)	210,000

(2) 仮払金の整理

① 完成工事補償引当金の取崩し

前期に完成した工事に関わる手直し費用は、完成した工事に対する補償ということになるので完成工事補償引当金を取り崩します。

(完成工事補償引当金)	3,000	(仮 払 金)	3,000

② 出張旅費（販売費及び一般管理費）の計上

(販売費及び一般管理費)	2,000	(仮 払 金)	2,000

(3) 仮受金の整理

① 貯蔵品の売却

問題の資料より、売却損益が生じていないので、単純に貯蔵品勘定を減額します。

(仮 受 金)	9,000	(材 料 貯 蔵 品)	9,000

② 差入保証金の返金

(仮 受 金)	50,000	(差 入 保 証 金)	50,000

(4) 前払利息の計上

前払利息は、次期における利息ということから、当期の支払利息から減額します。

(前 払 利 息)	1,000	(支 払 利 息)	1,000

(5) 不渡手形

手形が不渡りになった場合は、すぐに貸倒れの処理をせずに、まず不渡手形勘定（資産の勘定）に金額を振り替えます。

(不 渡 手 形)	168,000	(受 取 手 形)	168,000
(貸倒引当金繰入額)(＊)	84,000	(貸 倒 引 当 金)	84,000

(＊) 168,000円 × 50% ＝ 84,000円
（168,000円：不渡手形）

(6) 減価償却費の計上

① 機械装置

機械装置の減価償却については、月額 8,000 円が予定計上（工事原価算入）されています。よって、決算時の実際発生額との差額は、未成工事支出金の算入額を調整する方法で処理します。

(未成工事支出金)(＊)	16,500	(機械装置減価償却累計額)	16,500

（＊）（8,000 円× 12 カ月）－ {(900,000 円－ 0 円)÷ 8 年} ＝△ 16,500 円（計上不足）
（8,000 円× 12 カ月）：予定計上額
{(900,000 円－ 0 円)÷ 8 年}：実際発生額

② 備　品

(販売費及び一般管理費)(＊)	52,500	(備品減価償却累計額)	52,500

（＊）（210,000 円－ 0 円）÷ 4 年＝ 52,500 円

(7) 退職給付引当金の計上

① 管理部門

(販売費及び一般管理費)	70,000	(退職給付引当金)	70,000

② 施工部門

施工部門の繰入額は、月額 12,000 円が予定計上（工事原価算入）されているため、決算時の実際発生額との差額は未成工事支出金の算入額を調整する方法で処理します。

(退職給付引当金)(＊)	4,000	(未成工事支出金)	4,000

（＊）（12,000 円× 12 カ月）－ 140,000 円＝ 4,000 円（超過計上）
（12,000 円× 12 カ月）：予定計上額
140,000 円：実際発生額

(8) 完成工事補償引当金の計上

建設業では完成した後、契約者に対して引き渡した工事について一定額の補償を行う慣行があります。この慣行により積み立てられるのが完成工事補償引当金（負債の勘定）になります。

また、繰入額は工事原価と考え、未成工事支出金勘定で処理します。

(未成工事支出金)(＊)	2,300	(完成工事補償引当金)	2,300

（＊）5,300,000 円× 0.1％－（6,000 円－ 3,000 円）＝ 2,300 円
5,300,000 円：完成工事高
6,000 円：T / B完成工事補償引当金
3,000 円：(2)①より

(9) 貸倒引当金の計上

(貸倒引当金繰入額)(＊)	7,500	(貸倒引当金)	7,500

（＊）{(920,000 円－ 168,000 円)＋(908,000 円－ 210,000 円)} × 1％－ 7,000 円＝ 7,500 円
(920,000 円－ 168,000 円)：受取手形
(908,000 円－ 210,000 円)：完成工事未収入金
7,000 円：T / B貸倒引当金

(10) 完成工事原価の計上

未成工事支出金の決算整理前残高に決算整理事項等を考慮し、振替額を算定します。本問では、次期繰越額が 678,000 円なので、差額の 26,800 円を完成工事原価に振り替えます。

(完成工事原価)	26,800	(未成工事支出金)(＊)	26,800

（＊）690,000 円＋（16,500 円＋ 2,300 円－ 4,000 円）－ 678,000 円＝ 26,800 円
690,000 円：T / B未成工事支出金
16,500 円：(6)①より
2,300 円：(8)より
4,000 円：(7)より
678,000 円：次期繰越

(11) 法人税等の計上

(法人税、住民税及び事業税)	152,000	(販売費及び一般管理費)	120,000
		(未 払 法 人 税 等)	32,000

精　算　表

(単位：円)

勘定科目	残高試算表		整理記入		損益計算書		貸借対照表	
	借 方	貸 方	借 方	貸 方	借 方	貸 方	借 方	貸 方
現　金	139,800							
当座預金	19,000							
受取手形	920,000							
完成工事未収入金	908,000							
完成工事高		5,300,000				5,300,000		
完成工事原価	4,400,000		26,800		4,426,800			
販売費及び一般管理費	377,200		15,000 2,000 52,500 70,000	120,000	396,700			
支払利息	6,000			1,000	5,000			
	9,235,000	9,235,000						
前払利息								
不渡手形								
貸倒引当金繰入額			84,000 7,500		91,500			
未払法人税等								
法人税、住民税及び事業税								
当期純利益								

先に、費用と収益の合計から税引前当期純利益を計算し、法人税等の金額を求めます。

5,300,000円（収益合計）－4,920,000円（費用合計）＝380,000円（税引前当期純利益）

380,000円×40％＝152,000円（法人税等）

精　算　表

(単位：円)

勘定科目	残高試算表		整理記入		損益計算書		貸借対照表	
	借 方	貸 方	借 方	貸 方	借 方	貸 方	借 方	貸 方
現　金	139,800						139,800	
当座預金	19,000		210,000	15,000			214,000	
受取手形	920,000			168,000			752,000	
完成工事未収入金	908,000			210,000			698,000	
完成工事高		5,300,000				5,300,000		
完成工事原価	4,400,000		26,800		4,426,800			
販売費及び一般管理費	377,200		15,000 2,000 52,500 70,000	120,000	396,700			
支払利息	6,000			1,000	5,000			
	9,235,000	9,235,000						
前払利息			1,000				1,000	
不渡手形			168,000				168,000	
貸倒引当金繰入額			84,000 7,500		91,500			
未払法人税等				32,000				32,000
法人税、住民税及び事業税			152,000		152,000			
当期純利益								

法人税等152,000円から、中間納付額120,000円を差し引いて未払法人税等32,000円を計算します。

第5問対策

第2部

過去問題編

第24回 問題

制限時間 120分　解答 62　解答用紙 2

第1問（20点）　次の各取引について仕訳を示しなさい。使用する勘定科目は下記の〈勘定科目群〉から選び、その記号（A～Z）と勘定科目を書くこと。なお、解答は次に掲げた（例）に対する解答例にならって記入しなさい。

（例）現金￥100,000を当座預金に預け入れた。

(1)　数年前に取引関係の強化を目的として、A社株式3,000株を1株￥520で買入れた。その時の手数料は￥45,000であった。当期において、A社株式1,000株を1株￥580で売却し、手数料￥11,600を差し引いた手取り額を当座預金に預け入れた。当期の売却取引の仕訳を示しなさい。

(2)　過年度に完成させた建物の補修を行った。補修に係る支出額￥760,000を約束手形で支払った。なお、前期決算において完成工事補償引当金￥800,000を計上している。

(3)　当期において開催された株主総会で、次の利益処分が決議された。

株主配当金　￥400,000　　利益準備金積立　￥40,000　　別途積立金積立　￥250,000

(4)　工事用機械（取得価額￥930,000、期首減価償却累計額￥490,000）を期末に売却した。売却価額￥300,000は2ヶ月後に支払われる。なお、当期の減価償却費は￥120,000であり、減価償却費の記帳は間接記入法を採用している。

(5)　受注した工事が完成し発注先に引渡した。請負金額は￥3,500,000であり、受注時に受け取っていた￥900,000との差額を約束手形で受け取った。なお、収益認識については、工事完成基準によっている。

〈勘定科目群〉

A	現金	B	当座預金	C	完成工事未収入金	D	受取手形
E	未収入金	F	有価証券	G	減価償却費	H	機械装置
J	投資有価証券	K	支払手形	L	未成工事受入金	M	貸倒引当金
N	減価償却累計額	Q	未払配当金	R	完成工事高	S	完成工事原価
T	固定資産売却損	U	投資有価証券売却益	W	利益準備金	X	完成工事補償引当金
Y	繰越利益剰余金	Z	別途積立金				

第2問（12点）　次の［　　］に入る正しい数値を計算しなさい。

(1)　未成工事支出金に含まれている材料費の期首残高が￥52,000で、期末残高が￥82,000であった。当期の材料仕入高が￥473,000で、材料の期首残高が￥28,000で、期末残高が￥52,000であったとすれば、当期の完成工事原価報告書における材料費は￥［　　］である。

(2)　前期に請負金額￥12,000,000の工事（工期は3年）を受注し、工事収益の認識については前期から工事進行基準を適用している。当該工事の工事原価総額の見積額は￥10,800,000であり、発生した工事原価は前期が￥1,944,000、当期が￥5,832,000である。なお着手前の受入金は￥3,000,000であった。当期の完成工事高は￥［　　］である。

(3) 前期の期首に社債券面総額￥30,000,000（償還期限５年）を額面￥100につき￥97で発行したが、そのうち￥5,000,000を当期の期末に額面￥100 につき￥101で買入償還した。この買入償還による社債償還損は￥ [　　] である。なお、社債発行差金は償還期間にわたり定額法により償却している。

(4) 機械装置Ａは取得原価￥1,000,000、耐用年数５年、残存価額ゼロ、機械装置Ｂは取得原価￥3,200,000、耐用年数８年、残存価額ゼロである。これらを総合償却法で減価償却費の計算（定額法）を行う場合、加重平均法で計算した平均耐用年数は [　　] 年である。

第3問（14点）

次の〈資料〉により、解答用紙の部門費配分表を完成しなさい。なお、解答の記入において端数が生じた場合には、円未満を四捨五入すること。

〈資　料〉

1．部門共通費の配賦基準

労務管理費………従業員数
建物関係費………専有面積
電力費……………電力使用量
福利厚生費………労務費額

2．部門別配賦基準数値

配賦基準＼部門	Ａ部門	Ｂ部門	Ｃ部門	Ｄ部門
労務費額	9,253,000円	7,548,500円	4,383,000円	3,165,500円
従業員数	16人	10人	8人	6人
専有面積	311.6㎡	213.2㎡	155.8㎡	139.4㎡
電力使用量	385kw	330kw	220kw	165kw

第4問（24点）

以下の問に解答しなさい。

問１　次の文章は、下記の〈原価の基礎的分類〉のいずれと最も関係の深い事柄か、記号（Ａ～Ｄ）で解答しなさい。

1．原価は、最終的には、生産物別の原価を算定する必要があるから、その最終生産物の生成に関して、直接的に認識されるか否かの基準によって、直接費と間接費に分類される。
2．一般的な建設工事では、材料費のように工事進捗度に応じて発生するものや、現場事務所経費のように会計期間において工事進捗度と関係なく一定額が固定的に発生するものがある。
3．建設業では、一般的に工事原価を管理するための実行予算の作成に際しては、工事種類（工種）別に原価を区分して集計する方法が採用されている。
4．会計上の取引を第一次的に分類集計する際に最も適切なもので、財務会計における費用の発生を基礎とする分類である。

〈原価の基礎的分類〉

A　発生形態別分類　　B　作業機能別分類　　C　計算対象と関連性分類

D　操業度と関連性分類

問２　次の〈資料〉により、解答用紙の工事別原価計算表を完成しなさい。また、工事間接費配賦差異の月末残高を計算しなさい。なお、その残高が借方の場合は「A」、貸方の場合は「B」を、解答用紙の所定の欄に記入しなさい。

〈資　料〉

1．当月は、繰越工事であるX工事、Y工事及び当月に着工したZ工事を施工し、月末にはX工事とZ工事が完成した。

2．前月から繰り越した工事原価に関する各勘定の前月繰越高は、次のとおりである。

⑴　未成工事支出金

（単位：円）

工事番号	X工事	Y工事
材料費	389,000	501,000
労務費	133,000	164,000
外注費	542,000	623,000
経　費	125,000	142,000

⑵　工事間接費配賦差異　¥9,500（借方残高）

（注）工事間接費配賦差異は月次においては繰り越すこととしている。

3．労務費に関するデータ

⑴　労務費計算は予定賃率を用いており、当会計期間の予定賃率は1時間当たり¥1,000である。

⑵　当月の直接作業時間

X工事　52時間　　Y工事　64時間　　Z工事　115時間

4．当月に発生した工事直接費

（単位：円）

工事番号	X工事	Y工事	Z工事
材 料 費	76,000	116,000	281,000
労 務 費	（各自計算）	（各自計算）	（各自計算）
外 注 費	127,000	228,000	458,000
直接経費	43,000	62,000	94,000

5．工事間接費の配賦方法と実際発生額

⑴　工事間接費については直接原価基準による予定配賦法を採用している。

⑵　当会計期間の直接原価の総発生見込額は¥20,600,000である。

⑶　当会計期間の工事間接費予算額は¥721,000である。

⑷　工事間接費の当月実際発生額は¥58,000である。

⑸　工事間接費はすべて経費である。

第5問
（30点）

次の〈決算整理事項等〉に基づき、解答用紙の精算表を完成しなさい。なお、工事原価は未成工事支出金を経由して処理する方法によっている。会計期間は１年である。また、決算整理の過程で新たに生じる勘定科目で、精算表上に指定されている科目はそこに記入すること。

〈決算整理事項等〉

⑴　当期に受け取った受取手形のうち¥12,000が不渡りとなった。この手形について貸倒引当金を100％設定する。

⑵　仮設材料費の把握についてはすくい出し方式を採用しているが、現場から撤去されて倉庫に戻された評価額¥2,500の仮設材料について未処理である。

⑶　仮払金の期末残高は、以下の内容であることが判明した。

①　管理部門従業員の出張旅費（販売費及び一般管理費）の仮払いが¥6,000あり、精算の結果、実費との差額¥1,000を従業員が立て替えていた。

②　法人税等の中間納付額　¥58,000

⑷　仮受金の期末残高は、以下の内容であることが判明した。

①　完成工事の未収代金回収分　　¥7,000

②　工事契約による前受金　　　¥14,000

⑸　売上債権（上記⑴の不渡手形を除く）の期末残高の２％について貸倒引当金を計上する（差額補充法）。

⑹　減価償却については、以下のとおりである。なお、当期中に固定資産の増減取引は発生していない。

①　機械装置（工事現場用）　　実際発生額¥43,000

なお、月次原価計算において、月額¥3,500を未成工事支出金に予定計上しており、当期の予定計上額と実際発生額との差額は当期の工事原価（未成工事支出金）に加減する。

②　備品（本社用）　　以下の事項により減価償却費を計上する。

取得原価　¥95,000　　　残存価額　ゼロ　　　耐用年数　５年

減価償却方法　定額法

⑺　退職給付引当金については、期末自己都合要支給額を計上している。前期末の自己都合要支給額は¥250,000（管理部門¥85,000 施工部門¥165,000）で、当期末は¥280,000（管理部門¥97,000 施工部門¥183,000）であった。なお、当期中に管理部門から退職者が発生しその退職金¥3,000 の支払いは退職給付引当金で処理されている。

⑻　完成工事高に対して0.1％の完成工事補償引当金を計上する（差額補充法）。

⑼　上記の各調整を行った後の未成工事支出金の次期繰越額は¥411,200 である。

⑽　当期の法人税、住民税及び事業税として税引前当期純利益の40％を計上する。

第25回 問題

制限時間 120分　解答 74　解答用紙 6

第1問（20点）　次の各取引について仕訳を示しなさい。使用する勘定科目は下記の〈勘定科目群〉から選び、その記号（A～Y）と勘定科目を書くこと。なお、解答は次に掲げた（例）に対する解答例にならって記入しなさい。

（例）現金¥100,000を当座預金に預け入れた。

(1) 自家用の材料倉庫を自社の施工部門が建設中で、発生した原価¥5,800,000は受注した工事と同様の会計処理を行っていたが、決算にあたり正しく処理する。

(2) 支払期日の到来していない工事未払金¥2,350,000について、小切手を振り出して支払い、¥7,600の割引を受けた。

(3) 現場作業員の当月の賃金は¥935,000であった。源泉所得税¥39,000、社会保険料の作業員負担分¥19,000を控除して現金で支払った。

(4) 前期に着工したＹ工事については、信頼性を持った総工事原価の見積もりができなかったため、工事進行基準を適用していなかったが、当期に実行予算が作成され、当期より工事進行基準を適用することとした。Ｙ工事の工期は３年、請負金額¥75,000,000、総工事原価見積額¥67,500,000、前期の工事原価発生額¥10,500,000、当期の工事原価発生額¥43,500,000であった。当期の完成工事高及び完成工事原価に関する仕訳を示しなさい。

(5) 運転資金調達のため、手持ちの約束手形¥400,000を銀行で割り引き、割引料¥2,800を差し引いた金額を当座預金に入金した。なお、遡求義務に関しては評価勘定を用いる方法による。

〈勘定科目群〉

A	現金	B	当座預金	C	完成工事未収入金	D	未成工事支出金
E	受取手形	F	有価証券	G	手形割引義務	H	建設仮勘定
J	支払手形	K	工事未払金	L	割引手形	M	手形売却損
N	完成工事原価	Q	貸倒損失	R	手形割引義務見返	S	利益準備金
T	別途積立金	U	仕入割引	W	預り金	X	未成工事受入金
Y	完成工事高						

第2問
（12点）

次の ☐ に入る正しい数値を計算しなさい。

(1) A社を¥5,000,000で買収した。A社の諸資産は¥7,250,000で、諸負債は¥2,750,000であった。この取引により発生したのれんについて、会計基準が定める最長期間で償却した場合の1年分の償却額は¥ ☐ である。

(2) 実地棚卸前の材料元帳の期末残高は、数量が650kgであり、1kg当たり単価¥1,300であった。実地棚卸の結果、数量について40kgの不足が生じていたが、原因は不明であった。1kg当たり単価が¥1,200に下落している場合、材料評価損は¥ ☐ である。

(3) 期末に当座預金勘定残高と銀行の当座預金残高の差異分析をしたところ、次の事実が判明した。①借入金の利息¥96,000が引き落とされていたが、その通知が当社に未達であった、②工事未払金の支払に小切手¥283,000を振り出したが、いまだ取り立てられていなかった、③工事代金の入金¥158,000があったが、その通知が未達であった、④通信料金の自動引き落としが¥13,000あったが未処理であった。このとき、銀行の当座預金残高は当社の当座預金勘定残高より¥ ☐ 多い。

(4) 未収利息の期首残高が¥82,000で、当期の利息の収入額が¥ ☐ で、当期の損益計算書に記載された受取利息が¥385,000であれば、当期末の貸借対照表に記載される未収利息は¥95,300となる。

第3問
（24点）

以下の設問に解答しなさい。

問1　次の支出は、下記の〈区分〉のいずれに属するものか、記号（A～C）で解答しなさい。

1．工事用機械を購入するための借入金の利息の支出
2．入札に応じたが受注できなかった工事の設計料
3．工事現場監督者の人件費

〈区　分〉
A　工事原価として処理する。
B　総原価に含まれるが、ピリオド・コスト（期間原価）として処理する。
C　非原価として処理する。

問２　平成30年12月の工事原価に関する次の〈資料〉に基づいて、解答用紙に示す月次の工事原価明細表を完成しなさい。なお、材料については購入時材料費処理法によっている。

〈資　料〉

1．月初及び月末の各勘定残高　（単位：円）

	月　初	月　末
(1) 未成工事支出金		
材料費	252,000	235,000
労務費	165,000	142,000
外注費	538,000	582,000
経費	158,000	162,000
(経費のうち人件費)	(18,000)	(15,000)
(2) 工事未払金		
材料費	236,000	218,000
労務費	89,000	96,000
外注費	289,000	247,000
動力用水光熱費	7,500	8,000
従業員給料手当	16,000	15,000
法定福利費	600	500
(3) 前払費用		
保険料	8,000	12,500
地代家賃	17,000	18,000

2．当月材料費支払高　766,000

3．当月労務費支払高　865,000

4．当月外注費支払高　2,385,000

5．当月工事関係費用支払高

(1) 動力用水光熱費	68,000
(2) 地代家賃	49,000
(3) 保険料	6,000
(4) 従業員給料手当	114,000
(5) 法定福利費	3,800
(6) 事務用品費	6,200
(7) 通信交通費	22,600
(8) 交際費	53,000

第4問
(14点)

各工事部に共通して補助的なサービスを供与している補助部門は、独立して各々の原価管理を実施している。次の〈資料〉に基づいて、階梯式配賦法により解答用紙の「部門費振替表」を完成しなさい。なお、補助部門費に関する配賦は第１順位を運搬部門とする。また、計算の過程において端数が生じた場合には、円未満を四捨五入すること。

〈資　料〉

(1) 各部門費の合計額

第１工事部　¥785,900　第２工事部　¥682,400　第３工事部　¥937,600

材料管理部門　¥99,000　運搬部門　¥186,000

(2) 各補助部門の他部門へのサービス提供度合

（単位：%）

	第１工事部	第２工事部	第３工事部	材料管理部門	運搬部門
材料管理部門	29	42	27	−	2
運搬部門	30	35	25	10	−

第5問
（30点）

次の〈決算整理事項等〉に基づき、解答用紙の精算表を完成しなさい。なお、工事原価は未成工事支出金を経由して処理する方法によっている。会計期間は１年で、決算日は３月31日である。また、決算整理の過程で新たに生じる勘定科目で、精算表上に指定されている科目はそこに記入すること。

〈決算整理事項等〉

(1) 残高試算表に計上されている有価証券¥75,000の内訳を調べたところ、一時所有の上場株式¥28,000、長期保有目的の社債¥15,000、子会社の株式¥32,000であった。適切な勘定に振り替える。

(2) 仮払金の期末残高は、以下の内容であることが判明した。

① ¥4,200は、過年度の完成工事に関する瑕疵担保責任による補修のための支出である。

② ¥87,000は、法人税等の中間納付額である。

(3) 減価償却については、以下のとおりである。なお、当期中に固定資産の増減取引は発生していない。

① 機械装置（工事現場用）　実際発生額　¥86,000

なお、月次原価計算において、月額¥7,000を未成工事支出金に予定計上している。当期の予定計上額と実際発生額との差額は当期の工事原価（未成工事支出金）に加減する。

② 備品（本社用）　以下の事項により減価償却費を計上する。

取得原価　¥50,000　償却率　0.400　減価償却方法　定率法

(4) 仮受金の期末残高¥52,000は、過年度において貸倒損失として処理した完成工事未収入金の現金回収額であることが判明した。

(5) 売上債権の期末残高の２％について貸倒引当金を計上する（差額補充法）。

(6) 退職給付引当金の当期繰入額は、本社事務職員について¥24,000、現場作業員について¥52,000である。ただし、現場作業員については月次原価計算において、月額¥4,500の退職給付引当金繰入額を未成工事支出金に予定計上しており、当期の予定計上額と実際発生額の差額を当期の工事原価（未成工事支出金）に加減する。

(7) 現場作業員の賃金の未払分¥5,000を工事原価に算入する。

(8) 完成工事高に対して0.2%の完成工事補償引当金を計上する（差額補充法）。

(9) 販売費及び一般管理費の中には、当期の12月１日に支払った向こう３年分の保険料¥36,000が含まれている。１年基準を考慮したうえで、適切な勘定に振り替える。

(10) 上記の各調整を行った後の未成工事支出金の次期繰越額は¥789,300である。

(11) 当期の法人税、住民税及び事業税として税引前当期純利益の40%を計上する。

第26回 問題

解答 86
解答用紙 10

第1問（20点）

次の各取引について仕訳を示しなさい。使用する勘定科目は下記の〈勘定科目群〉から選び、その記号（A～X）と勘定科目を書くこと。なお、解答は次に掲げた（例）に対する解答例にならって記入しなさい。

（例）現金¥100,000を当座預金に預け入れた。

(1) 当期に売買目的でA社株式3,000株を1株当たり¥1,100で購入し、手数料は¥57,000であった。A社株式の期末の時価は1株当たり¥900であった。期末の仕訳を示しなさい。

(2) 工事用の建設機械¥5,800,000を約束手形を振り出して購入し、その引取運賃¥140,000については小切手を振り出して支払った。

(3) 材料費については購入時材料費処理法を採用し、仮設材料の消費分の把握については、すくい出し方式によっている。工事が完了して倉庫に返却された仮設材料の評価額は¥360,000であった。

(4) 前期の決算で、滞留していた完成工事未収入金¥600,000に対して50％の貸倒引当金を設定したが、当期において¥400,000が当座預金に振り込まれ、残額は貸し倒れとなった。

(5) B株式会社は1株当たりの払込金額¥5,500で1,000株発行することとし、払込期日までに全額が取扱銀行に払い込まれた。

〈勘定科目群〉

A	現金	B	当座預金	C	受取手形	D	材料貯蔵品
E	完成工事未収入金	F	有価証券	G	未成工事支出金	H	機械装置
J	支払手形	K	工事未払金	L	資本準備金	M	貸倒引当金
N	別段預金	Q	借入金	R	新株式申込証拠金	S	未成工事受入金
T	営業外支払手形	U	完成工事高	W	有価証券評価損	X	貸倒引当金戻入

第2問（12点）

次の [　　] に入る正しい金額を計算しなさい。

(1) 本店から支店への材料振替価格は、原価に3％の利益を加算した金額としている。支店の期末時点における未成工事支出金に含まれている材料費が¥126,000（うち本店仕入分¥82,400）、材料棚卸高が¥92,000（うち本店仕入分¥32,960）であった。期末において控除される内部利益は¥ [　　] である。

(2) 前期に着工した請負金額¥17,000,000のA工事については、工事進行基準を適用して収益計上している。前期における工事原価発生額は¥2,601,000であり、当期は¥8,746,500であった。工事原価総額の見積額は当初¥14,450,000であったが、当期において見積額を¥15,130,000に変更した。工事進捗度の算定について原価比例法によっている場合、当期の完成工事高は¥ [　　] である。

(3) 消費税の会計処理については税抜方式を採用している。期末における仮受消費税¥ [　　] で仮払消費税¥125,300であるときに、未払消費税は¥28,500である。

(4) 期末において資本金¥100,000、資本準備金¥15,000、利益準備金¥8,000である場合において、利益剰余金を財源として株主配当金を¥25,000支払うこととした場合、利益準備金繰入額は¥ [ ] となる。

第3問
(14点)

次の〈資料〉に基づき、解答用紙に示す各勘定口座に適切な勘定科目あるいは金額を記入しなさい。なお、記入すべき勘定科目については、下記の〈勘定科目群〉から選び、その記号（A～H）で解答しなさい。

〈資　料〉

1．工事原価の状況

（単位：円）

	材料費	労務費	外注費	経費
工事原価期首残高	92,000	47,000	137,000	37,000
工事原価次期繰越額	112,000	62,000	145,000	43,000
当期の工事原価発生額	463,000	97,000	595,000	92,000

2．完成工事のうち請負金の支払が次期以降のものが¥452,000あった。

〈勘定科目群〉

A　完成工事高　　B　完成工事未収入金　　C　支払利息　　D　未成工事支出金
E　完成工事原価　F　損益　　G　販売費及び一般管理費　　H　未成工事受入金

第4問
(24点)

以下の問に解答しなさい。

問1　次のような業務に関連する原価計算は、（A）原価計算制度であるか、（B）特殊原価調査であるか、記号（AまたはB）で解答しなさい。

1．自社の作業員が施工している作業を外注したほうが良いかどうかの意思決定資料の作成
2．複数の工事現場を担当している施工管理者の人件費を、各工事に予定賃率で配賦する工事原価の集計
3．建設機械の買い替えに関する経済計算
4．施工中の工事に関して期末に行う総工事原価の算定

問2　2018年12月の工事原価に関する次の〈資料〉に基づいて、当月の完成工事原価報告書を完成しなさい。また、工事間接費配賦差異勘定の月末残高を計算しなさい。なお、その残高が借方の場合は（A）、貸方の場合は（B）を解答用紙の所定の欄に記入しなさい。

〈資　料〉

1．当月の工事状況は次のとおりである。なお、収益の認識は工事完成基準を適用している。

工事番号	１００１	１１０１	１２０１	１２０２
着工	前月以前	前月	当月	当月
竣工	当月	当月	当月	来月以降

2．前月から繰り越した工事原価に関する各勘定残高は、次のとおりである。

(1)　未成工事支出金

(単位：円)

工事番号	１００１	１１０１
材料費	216,000	118,000
労務費	294,000	171,000
外注費	680,000	396,000
経　費	110,000	64,000
計	1,300,000	749,000

(2)　工事間接費配賦差異　　A部門　¥3,600（借方残高）　　B部門　¥5,000（貸方残高）

注．工事間接費配賦差異は月次においては繰り越すこととしている。

3．材料の棚卸・受払に関するデータ（材料消費単価の決定方法は移動平均法による）

日付	摘要	数量	単価
1日	前月繰越	1800kg	@¥100
3日	１００１工事に投入	100kg	
5日	１１０１工事に投入	1200kg	
7日	仕入	1500kg	@¥120
10日	１２０１工事に投入	1000kg	
14日	仕入	1500kg	@¥110
18日	１２０２工事に投入	1000kg	

4．当月に発生した工事直接費

(単位：円)

工事番号	１００１	１１０１	１２０１	１２０２
材料費	(各自計算)	(各自計算)	(各自計算)	(各自計算)
労務費	52,000	115,000	186,000	62,000
外注費	92,000	134,000	325,000	108,000
直接経費	31,000	56,000	65,000	28,000

5．当月のA部門およびB部門において発生した工事間接費の配賦（予定配賦法）

(1)　A部門の配賦基準は直接材料費基準であり、当会計期間の予定配賦率は5％である。

(2)　B部門の配賦基準は直接作業時間基準であり、当会計期間の予定配賦率は1時間当たり¥1,800である。

当月の工事別直接作業時間　　(単位：時間)

工事番号	１００１	１１０１	１２０１	１２０２
作業時間	12	24	42	16

(3)　工事間接費の当月実際発生額　　A部門　¥16,950　　B部門　¥172,200

(4)　工事間接費は経費として処理している。

第5問
（30点）

次の〈決算整理事項等〉に基づき、解答用紙の精算表を完成しなさい。なお、工事原価は未成工事支出金を経由して処理する方法によっている。会計期間は１年である。また、決算整理の過程で新たに生じる勘定科目で、精算表上に指定されている科目はそこに記入すること。

〈決算整理事項等〉

⑴　期末における現金の帳簿残高は¥7,800であるが、実際の手許有高は¥6,400であった。原因の調査をしたところ、本社において郵便切手¥1,200を現金購入していたが未処理であることが判明した。それ以外の原因は不明である。

⑵　材料貯蔵品の期末実地棚卸により、棚卸減耗損¥800が発生していることが判明した。棚卸減耗損については全額工事原価として処理する。

⑶　仮払金の期末残高は、以下の内容であることが判明した。

①　¥9,000は借入金利息の３か月分であり、うち１か月分は前払いである。

②　¥52,000は法人税等の中間納付額である。

⑷　減価償却については、以下のとおりである。なお、当期中に固定資産の増減取引は発生していない。

①　機械装置（工事現場用）　　実際発生額　¥82,000

なお、月次原価計算において、月額¥7,200を未成工事支出金に予定計上している。当期の予定計上額と実際発生額との差額は当期の工事原価（未成工事支出金）に加減する。

②　備品（本社用）　　以下の事項により減価償却費を計上する。

取得原価　¥75,000　　残存価額　ゼロ　　耐用年数　５年　　減価償却方法　定額法

⑸　仮受金の期末残高¥57,000は、前期に完成した工事の未収代金回収分であることが判明した。

⑹　売上債権の期末残高に対して２％の貸倒引当金を計上する（差額補充法）。

⑺　完成工事高に対して0.2％の完成工事補償引当金を計上する（差額補充法）。

⑻　営業用に作成したパンフレット代の未払分¥6,000を計上する。

⑼　上記の各調整を行った後の未成工事支出金の次期繰越額は¥967,900である。

⑽　当期の法人税、住民税及び事業税として税引前当期純利益の40％を計上する。

第27回 問題

解答 98
解答用紙 14

第1問（20点）　次の各取引について仕訳を示しなさい。使用する勘定科目は下記の〈勘定科目群〉から選び、その記号（A～X）と勘定科目を書くこと。なお、解答は次に掲げた（例）に対する解答例にならって記入しなさい。

（例）現金¥100,000を当座預金に預け入れた。

(1)　長期で保有していた非上場株式1,000株（1株当たり¥300で取得）について、当期末における1株当たり純資産は¥120であったので、評価替えをする。

(2)　株主総会で次の利益処分を決議した。

株主配当金　¥2,000,000　　利益準備金　¥200,000　　別途積立金　¥1,800,000

(3)　当期において、建物の修繕工事を行い、その代金¥2,000,000を全額、建物勘定で処理していたが、このうち、¥500,000は原状回復のための支出であった。

(4)　前期に完成した工事に係る完成工事未収入金¥1,500,000が回収不能となった。貸倒引当金の残高は¥30,000である。

(5)　工事未払金¥3,000,000について、決済日よりも早く現金で支払い、¥15,000の割引を受けた。

〈勘定科目群〉

A	現金	B	当座預金	C	受取手形	D	完成工事未収入金
E	建物	F	投資有価証券	G	工事未払金	H	未成工事受入金
J	未払配当金	K	貸倒引当金	L	資本準備金	M	利益準備金
N	別途積立金	Q	繰越利益剰余金	R	完成工事高	S	修繕費
T	貸倒損失	U	仕入割引	W	売上割引	X	投資有価証券評価損

第2問 （12点）

次の □ に入る正しい金額を計算しなさい。

(1) 未払利息の期首残高は￥80,000、当期における利息の支払額は￥120,000、当期の損益計算書上の支払利息が￥ □ であれば、当期末の貸借対照表に記載される未払利息は￥60,000である。

(2) 工事用機械（取得価額￥3,600,000、残存価額ゼロ、耐用年数９年）を７年間定額法で償却してきたが、８年目の期首において￥500,000で売却した。このときの固定資産売却損は￥ □ である。

(3) 本店は、名古屋支店を独立会計単位として取り扱っており、本店における名古屋支店勘定は￥160,000の借方残である。名古屋支店で使用している乗用車に係る減価償却費￥20,000は本店で計算し、名古屋支店の負担とした。本店における名古屋支店勘定は￥ □ の借方残である。

(4) 前期に請負金額￥50,000,000の工事（工期は５年）を受注し、前期より工事進行基準を適用している。当該工事の前期における総見積原価は￥40,000,000であったが、当期末において原材料の高騰を受けて、総見積原価を￥42,000,000に変更した。前期における工事原価の発生額は￥4,000,000であり、当期は￥6,500,000である。工事進捗度の算定を原価比例法によっている場合、当期の完成工事高は￥ □ である。

第3問 （14点）

20×1年３月の材料Ｍの受払の状況は次の〈資料〉のとおりである。これに基づき、下記の設問に解答しなさい。なお、材料の払出単価の計算の過程で端数が生じた場合、円未満を四捨五入すること。

〈資　料〉

材　料　元　帳

材料Ｍ　　20×1年３月　　（数量：㎥、単価及び金額：円）

月	日	摘　要	受入 数量	受入 単価	受入 金額	払出 数量	払出 単価	払出 金額	残高 数量	残高 単価	残高 金額
3	1	前月繰越	600	100	60,000				600	100	60,000
	2	払出（X工事）				300		（A）	300		
	5	受入（A商事）	900	140	126,000				1,200		
	12	払出（Y工事）				200		（B）	1,000		
	17	払出（X工事）				500		（C）	500		
	23	受入（B商事）	750	160	120,000				1,250		
	30	払出（X工事）				600		（D）	650		
	31	**次月繰越**									

問１　材料Ｍの払出単価の計算を移動平均法で行う場合、（A）～（D）の金額を計算しなさい。

問２　材料Ｍの払出単価の計算を先入先出法で行う場合、20×1年３月のＸ工事の材料費を計算しなさい。

以下の問に解答しなさい。

問１　次の支出は、原価計算制度によれば、下記の〈区分〉のいずれに属するものか、記号（A～C）で解答しなさい。

1．コンクリート工事外注費
2．本社経理部職員の人件費
3．社債発行費償却
4．仮設材料費

〈区　分〉
A　プロダクト・コスト（工事原価）
B　ピリオド・コスト（期間原価）
C　非原価

問２　次の〈資料〉に基づき、解答用紙の部門費振替表を完成しなさい。

〈資　料〉
1．補助部門費の配賦方法
請負工事について、第１工事部、第２工事部及び第３工事部で施工している。また、共通して補助的なサービスを提供している機械部門、仮設部門及び材料管理部門が独立して各々の原価管理を実施し、発生した補助部門費についてはサービス提供度合に基づいて、直接配賦法により施工部門に配賦している。
2．補助部門費を配賦する前の各部門の原価発生額は次のとおりである。

（単位：円）

第１工事部	第２工事部	第３工事部	機械部門	仮設部門	材料管理部門
2,500,000	1,750,000	1,250,000	50,000	?	35,000

3．各補助部門の各工事部へのサービス提供度合は次のとおりである。

（単位：%）

	第１工事部	第２工事部	第３工事部	合計
機 械 部 門	60	25	15	100
仮 設 部 門	50	?	?	100
材料管理部門	40	40	20	100

第5問
（30点）

次の〈決算整理事項等〉に基づき、解答用紙の精算表を完成しなさい。なお、工事原価は未成工事支出金を経由して処理する方法によっている。会計期間は１年である。また、決算整理の過程で新たに生じる勘定科目で、精算表上に指定されている科目はそこに記入すること。

〈決算整理事項等〉

(1) 当座預金の期末残高証明書を入手したところ、期末帳簿残高と差異があった。差額原因を調査したところ以下の内容であった。

① 本社事務員の携帯電話代¥1,500が引き落とされていたが、その通知は当社に未達であった。

② 完成済の工事代金¥8,000が期末に振り込まれていたが、発注者より連絡がなかったため、当社で未記帳であった。

(2) 仮払金の期末残高は、以下の内容であることが判明した。

① ¥5,000は本社事務員の出張仮払金であった。精算の結果、実費との差額¥800が当該本社事務員より現金にて返金された。

② ¥36,000は法人税等の中間納付額である。

(3) 減価償却については、以下の事項により計上する。なお、当期中に固定資産の増減取引は発生していない。

① 建物（本社用）
取得原価　¥456,000　　残存価額　ゼロ　　耐用年数　38年　　減価償却方法　定額法

② 機械装置（工事現場用）
取得原価　¥60,000（当期首取得）　　残存価額　ゼロ　　耐用年数　６年
償却率　0.333　　減価償却方法　定率法

(4) 仮受金の期末残高¥23,000は、前期に完成した工事の未収代金回収分であることが判明した。

(5) 売上債権の期末残高に対して1.5%の貸倒引当金を計上する（差額補充法）。

(6) 完成工事高に対して0.2%の完成工事補償引当金を計上する（差額補充法）。

(7) 退職給付引当金の当期繰入額は本社事務員について¥8,000、現場作業員について¥32,000である。

(8) 完成工事に係る仮設撤去費の未払分¥3,000を計上する。

(9) 上記の各調整を行った後の未成工事支出金の次期繰越額は¥10,640である。

(10) 当期の法人税、住民税及び事業税として税引前当期純利益の30%を計上する。

第28回 問題

解答 110
解答用紙 18

第1問（20点）　次の各取引について仕訳を示しなさい。使用する勘定科目は下記の〈勘定科目群〉から選び、その記号（A～X）と勘定科目を書くこと。なお、解答は次に掲げた（例）に対する解答例にならって記入しなさい。

（例）現金¥100,000を当座預金に預け入れた。

⑴　工事未払金¥3,000,000について小切手を振り出して支払った。この時の当座預金残高は¥1,800,000であるが、取引銀行と借越限度額¥10,000,000の当座借越契約を締結している。当座借越の処理については、二勘定制による。

⑵　乙建材社は、甲建設株式会社に対する完成工事未収入金¥5,000,000が決済日よりも早く小切手の振出しにより支払われたため、¥3,500の割引を行った。

⑶　当期に売買目的でA社株式8,000株を1株当たり¥600で購入し、手数料¥12,000とともに小切手を振り出して支払った。

⑷　当期首にY社を買収した際に発生したのれん¥2,000,000について、会計基準が定める最長期間で償却する。

⑸　前期に着工したP工事については、信頼性を持った総工事原価の見積もりができなかったため、工事進行基準を適用していなかったが、当期に実行予算が作成され、当期より工事進行基準を適用することとした。P工事の工期は5年、請負金額¥25,000,000、総工事原価見積額¥21,250,000、前期の工事原価発生額¥2,000,000、当期の工事原価発生額¥6,500,000であった。当期の完成工事高及び完成工事原価に関する仕訳を示しなさい。

〈勘定科目群〉

A　現金	B　当座預金	C　当座借越	D　完成工事未収入金
E　未成工事支出金	F　有価証券	G　工事未払金	H　未成工事受入金
J　建物	K　のれん	L　資本金	M　利益準備金
N　別途積立金	Q　繰越利益剰余金	R　完成工事高	S　完成工事原価
T　のれん償却費	U　仕入割引	W　売上割引	X　有価証券評価損

第2問
（12点）

次の ☐ に入る正しい金額を計算しなさい。

(1) 本店は、支店への材料振替価格を、原価に３％の利益を加算した金額としている。支店における期末棚卸資産には未成工事支出金に含まれている材料費￥325,000（うち本店仕入分￥154,500）、材料棚卸高￥56,000（うち本店仕入分￥25,750）があった。これらに含まれている内部利益は￥ ☐ である。

(2) 機械装置Ａは取得原価￥1,500,000、耐用年数５年、残存価額ゼロ、機械装置Ｂは取得原価￥5,800,000、耐用年数８年、残存価額ゼロ、機械装置Ｃは取得原価￥600,000、耐用年数３年、残存価額ゼロである。これらを総合償却法で減価償却費の計算（定額法）を行う場合、加重平均法で計算した平均耐用年数は ☐ 年である。なお、小数点以下は切り捨てるものとする。

(3) 甲建設株式会社の賃金支払期間は前月21日から当月20日までであり、当月25日に支給される。当月の賃金支給総額は￥2,530,000であり、所得税￥230,000、社会保険料￥163,200を控除して、現金にて支給された。前月賃金未払高が￥863,000で、当月賃金未払高が￥723,000であったとすれば、当月の労務費は￥ ☐ である。

(4) 当社の当座預金勘定の決算整理前の残高は￥964,000であるが、銀行の当座預金残高は￥1,042,800であった。両者の差異分析をした結果、次の事実が判明した。

① 取立を依頼しておいた約束手形￥28,000が取立済となっていたが、その通知が当社に未達であった。

② 工事未払金の支払に小切手￥12,000を振り出したが、いまだ取り立てられていなかった。

③ 工事代金の入金￥34,000があったが、その通知が当社に未達であった。

④ 備品購入代金の決済のために振り出した小切手￥4,800が相手先に未渡しであった。

このとき、修正後の当座預金勘定の残高は￥ ☐ である。

第3問 （14点）

現場技術者に対する従業員給料手当等の人件費（工事間接費）に関する次の〈資料〉に基づいて、下記の問に解答しなさい。

〈資　料〉

⑴　当会計期間（20×1年４月１日～20×2年３月31日）の人件費予算額

①	従業員給料手当	￥64,350,000
②	法定福利費	￥7,326,000
③	福利厚生費	￥3,524,000

⑵　当会計期間の現場管理延べ予定作業時間　23,000時間

⑶　当月（20×2年３月）の工事現場別実際作業時間

A工事	280時間
B工事	170時間
その他の工事	1,450時間

⑷　当月の人件費実際発生額　総額　￥6,130,000

問１　当会計期間の人件費に関する予定配賦率を計算しなさい。なお、計算過程において端数が生じた場合は、円未満を四捨五入すること。

問２　当月のA工事への予定配賦額を計算しなさい。

問３　当月の人件費に関する配賦差異を計算しなさい。なお、配賦差異については、借方差異の場合は「A」、貸方差異の場合は「B」を解答用紙の所定の欄に記入しなさい。

第4問 （24点）

以下の問に解答しなさい。

問１　次の文章は、下記の〈工事原価計算の種類〉のいずれと最も関係の深い事柄か、記号（A～E）で解答しなさい。

1．建設業では、工事原価を材料費、労務費、外注費、経費に区分して計算し、これにより制度的な財務諸表を作成している。

2．「原価計算基準」にいう原価の本質の定義から判断すれば、工事原価と販売費及び一般管理費などの営業費まで含めて原価性を有するものと考えられる。

3．建設資材を量産している企業では、一定期間に発生した原価をその期間中の生産量で割って、製品の単位当たり原価を計算する。

4．建設会社が請け負う工事については、一般的に、１つの生産指図書に指示された生産活動について費消された原価を集計・計算する方法が採用される。

〈工事原価計算の種類〉

A　事前原価計算　B　総原価計算　C　形態別原価計算　D　個別原価計算
E　総合原価計算

問2　次の〈資料〉により、解答用紙の工事別原価計算表を完成しなさい。また、工事間接費配賦差異の月末残高を計算しなさい。なお、その残高が借方の場合は「A」、貸方の場合は「B」を、解答用紙の所定の欄に記入しなさい。

〈資　料〉

1．当月は、繰越工事であるNo.100工事とNo.110工事、当月に着工したNo.200工事を施工し、月末にはNo.100工事とNo.200工事が完成した。

2．前月から繰り越した工事原価に関する各勘定の前月繰越高は、次のとおりである。

⑴　未成工事支出金　（単位：円）

工事番号	No.100	No.110
材料費	432,000	720,000
労務費	352,000	563,000
外注費	840,000	1,510,000
経　費	144,000	254,000

⑵　工事間接費配賦差異　¥3,500（貸方残高）

（注）工事間接費配賦差異は月次においては繰り越すこととしている。

3．労務費に関するデータ

⑴　労務費計算は予定賃率を用いており、当会計期間の予定賃率は1時間当たり¥1,200である。

⑵　当月の直接作業時間

No.100工事 138時間　No.110工事 216時間　No.200工事 314時間

4．当月の工事別直接原価額　（単位：円）

工事番号	No.100	No.110	No.200
材料費	238,000	427,000	543,000
労務費	（資料により各自計算）		
外注費	532,000	758,000	1,325,000
経　費	84,400	95,800	195,200

5．工事間接費の配賦方法と実際発生額

⑴　工事間接費については直接原価基準による予定配賦法を採用している。

⑵　当会計期間の直接原価の総発生見込額は¥72,300,000である。

⑶　当会計期間の工事間接費予算額は¥2,169,000である。

⑷　工事間接費の当月実際発生額は¥160,000である。

⑸　工事間接費はすべて経費である。

第5問
(30点)

次の〈決算整理事項等〉に基づき、解答用紙の精算表を完成しなさい。なお、工事原価は未成工事支出金を経由して処理する方法によっている。会計期間は１年である。また、決算整理の過程で新たに生じる勘定科目で、精算表上に指定されている科目はそこに記入すること。

〈決算整理事項等〉

(1) 期末における現金の帳簿残高は¥52,000であるが、実際の手許有高は¥45,000であった。原因を調査したところ、本社において事務用文房具¥3,000を現金購入していたが未処理であることが判明した。それ以外の原因は不明である。

(2) 仮設材料費の把握についてはすくい出し方式を採用しているが、現場から撤去されて倉庫に戻された評価額¥1,500の仮設材料について未処理である。

(3) 仮払金の期末残高は、以下の内容であることが判明した。

① ¥6,000は借入金利息の３か月分であり、うち１か月分は前払いである。

② ¥28,000は法人税等の中間納付額である。

(4) 減価償却については、以下のとおりである。なお、当期中に固定資産の増減取引は②の備品の一部のみである。

① 機械装置（工事現場用）　実際発生額　¥58,000

なお、月次原価計算において、月額¥5,000を未成工事支出金に予定計上している。当期の予定計上額と実際発生額との差額は当期の工事原価（未成工事支出金）に加減する。

② 備品（本社用）　以下の事項により減価償却費を計上する。

取得原価¥36,000　残存価額 ゼロ　耐用年数　３年　減価償却方法　定額法

このうち、¥12,000は期中取得しており、取得から半年が経過している。

(5) 仮受金の期末残高は、以下の内容であることが判明した。

① 完成工事の未収代金回収分¥6,000

② 工事契約による前受金　¥4,000

(6) 当期末の売上債権のうち貸倒が懸念される債権¥5,000に対して回収不能と見込まれる¥1,450について、個別に貸倒引当金を計上する。また、この貸倒懸念債権を除く売上債権については、期末残高に対して1.0%の貸倒引当金を計上する（差額補充法）。

(7) 完成工事高に対して0.2%の完成工事補償引当金を計上する（差額補充法）。

(8) 退職給付引当金の当期繰入額は本社事務員について¥5,000　現場作業員について¥27,000である。

(9) 販売費及び一般管理費の中に保険料¥6,000（１年分）があり、うち４か月分は未経過分である。

(10) 上記の各調整を行った後の未成工事支出金の次期繰越額は¥72,100である。

(11) 当期の法人税、住民税及び事業税として税引前当期純利益の30%を計上する。

MEMO

第29回 問題

解答 122
解答用紙 22

第1問
（20点）

次の各取引について仕訳を示しなさい。使用する勘定科目は下記の〈勘定科目群〉から選び、その記号（A～X）と勘定科目を書くこと。なお、解答は次に掲げた（例）に対する解答例にならって記入しなさい。

（例）現金¥100,000を当座預金に預け入れた。

(1) 工事未払金¥8,000,000を決済日よりも早く小切手を振り出して支払い、¥15,000の割引を受けた。

(2) 当期に売買目的で所有していたA社株式10,000株（売却時の1株当たり帳簿価額¥300）のうち、5,000株を1株当たり280円で売却し、代金は当座預金に預け入れた。

(3) 新本社の建物（建築費総額¥5,800,000）が当期末に完成した。手付金¥1,200,000を差し引いた残額¥4,600,000を小切手を振り出して支払った。

(4) 株主総会において、利益剰余金を財源として株主配当金を¥300,000支払うこととした。純資産の内訳は、資本金¥1,000,000、資本準備金¥150,000、利益準備金¥50,000、繰越利益剰余金¥2,500,000である。

(5) 当期首に社債（償還期限5年）を発行した。この社債発行に際して生じた社債募集広告費などの支出¥600,000は、小切手を振り出して支払った。当該支出に関して繰延経理した場合、当期の決算における仕訳を示しなさい。

〈勘定科目群〉

A	現金	B	当座預金	C	有価証券	D	建物
E	建設仮勘定	F	社債発行費	G	社債	H	未成工事受入金
J	工事未払金	K	未払配当金	L	受取配当金	M	資本準備金
N	利益準備金	Q	繰越利益剰余金	R	社債利息	S	社債発行費償却
T	売上割引	U	仕入割引	W	有価証券売却益	X	有価証券売却損

第2問
（12点）

次の [ ] に入る正しい金額を計算しなさい。

(1) 当期首において、建設機械（取得原価¥3,000,000、耐用年数５年、残存価額ゼロ、見積総生産量15,000単位）を取得した。当年度における実際生産量は4,000単位である。生産高比例法による場合と定額法による場合の、当年度における減価償却費の差額は¥ [ ] である。

(2) 甲工事（工期５年、請負金額¥18,000,000、見積総工事原価¥15,840,000）については、成果の確実性が認められないため、前期までは工事完成基準を適用していたが、当期に成果の確実性を事後的に獲得したため、当期より工事進行基準を適用することとした。甲工事の前期までの工事原価発生額は¥1,508,000、当期の工事原価発生額は¥5,620,000であった。なお、工事着手時に請負金額の30%を受領している。工事進捗度の算定について原価比例法によっている場合、当期末の完成工事未収入金の残高は¥ [ ] である。

(3) 乙建設㈱は、20×1年４月１日に得意先の丙商店に対する貸付のために現金¥7,800,000を支出し、その見返りに同商店振出しの約束手形¥8,000,000（支払期日20×5年３月31日）を受け取った。償却原価法（定額法）による場合、当該貸付金の20×3年３月31日における貸借対照表価額は¥ [ ] である。

(4) 前払利息の期首残高は¥5,000で、当期における利息の支払額は¥350,000である。当期の損益計算書に記載された支払利息が¥340,000のとき、当期末の貸借対照表に記載される前払利息は¥ [ ] となる。

第3問
（24点）

以下の問に答えなさい。

問１　次に示すような工事間接費は、どのような配賦基準を選択することが最も適切であるか、記号（A～E）で解答しなさい。

1．労務作業量に比例して発生する費用
2．タワークレーンの稼働時間に関連して発生する費用
3．労務副費のような費用
4．材料副費のような費用

〈配賦基準の種類〉
A　機械運転時間　　B　直接作業時間　　C　材料費額　　D　労務費額　　E　外注費額

問２　20×3年９月の工事原価に関する下記の〈資料〉により、次の問に解答しなさい。

1．当月の完成工事原価報告書を完成しなさい。

2．当月末の未成工事支出金勘定残高を計算しなさい。

3．当月末の現場共通費配賦差異勘定残高を計算しなさい。なお、月次で発生する原価差異は、そのまま翌月に繰り越す処理をしている。また、その残高が借方差異の場合は「A」、貸方差異の場合は「B」を、解答用紙の所定の欄に記入しなさい。

〈資　料〉

1．当月の工事状況は次のとおりである。なお、収益の認識は工事完成基準を適用している。

工事番号	着工	竣工
No.201	20×2年10月	20×3年９月
No.202	20×2年12月	20×3年12月予定
No.212	20×3年４月	20×3年９月
No.213	20×3年９月	20×3年９月

2．前月から繰り越した工事原価に関する各勘定の内訳は、次のとおりである。

(1)　未成工事支出金

（単位：円）

工事番号	No.201	No.202	No.212
材料費	1,230,000	850,000	380,000
労務費	560,000	235,000	143,000
外注費	3,800,000	1,380,000	520,000
経　費	231,000	104,000	39,000

(2)　現場共通費配賦差異　　甲部門　¥13,400　（借方残高）
乙部門　¥8,320　（貸方残高）

3．当月に発生した工事原価

(1)　工事直接費

（単位：円）

工事番号	No.201	No.202	No.212	No.213
材料費	30,000	120,000	50,000	250,000
労務費	81,000	42,000	40,000	134,000
外注費	382,000	127,000	69,000	652,000
直接経費	57,000	26,000	22,000	18,000

(2)　現場共通費　　甲部門　¥119,400
乙部門　¥　73,200

4．現場共通費の予定配賦

(1)　甲部門費の配賦基準は直接作業時間であり、当月の予定配賦率は１時間当たり¥1,200である。当月の工事別直接作業時間は次の通りである。

（単位：時間）

工事番号	No.201	No.202	No.212	No.213	合計
直接作業時間	40	20	15	30	105

(2)　乙部門費の配賦基準は直接材料費法であり、当月の予定配賦率は15％である。

(3)　現場共通費はすべて経費に属するものである。

(4)　予定配賦計算の過程で端数が生じた場合は、円未満を四捨五入すること。

第4問
(14点)

P建設株式会社は、各工事現場の管理のために、3台の車両（1号車、2号車、3号車）を使用している。これら車両に係る費用を各工事に配賦するために、車両走行距離を基準とした予定配賦法を採用している。次の〈資料〉に基づき、下記の問に解答しなさい。

〈資　料〉

(1) 当会計期間の車両関係費予算

1号車　減価償却費	¥860,000
2号車　減価償却費	¥540,000
3号車　減価償却費	¥1,085,000
車両修繕管理費	¥642,000
車両保険料その他	¥137,000

(2) 当会計期間の車両走行距離（予定）　25,000km

(3) 当月の工事現場別車両利用実績

甲工事	630km
乙工事	420km
丙工事	150km
その他の工事	180km

(4) 当月の車両関係費実際発生額　¥198,000

問1　当会計期間の車両関係費予定配賦率を計算しなさい。なお、計算過程において端数が生じた場合は、円未満を四捨五入すること。

問2　当月の丙工事への予定配賦額を計算しなさい。

問3　当月の車両関係費に関する配賦差異を計算しなさい。なお、配賦差異については、有利差異の場合は「A」、不利差異の場合は「B」を解答用紙の所定の欄に記入しなさい。

第5問（30点）

次の〈決算整理事項等〉に基づき、解答用紙の精算表を完成しなさい。なお、工事原価は未成工事支出金を経由して処理する方法によっている。会計期間は1年である。また、決算整理の過程で新たに生じる勘定科目で、精算表上に指定されている科目はそこに記入すること。

〈決算整理事項等〉

(1) 当座預金の期末残高証明書を入手したところ、期末帳簿残高と差異があった。原因を調査したところ以下の内容であった。

① 備品購入代金の決済のために振り出した小切手¥1,500が相手先に未渡しであった。

② 工事未払金の決済のため材料仕入先に対して振り出していた小切手¥6,500がまだ銀行に提示されていなかった。

(2) 材料貯蔵品の期末棚卸により棚卸減耗¥2,500が判明した。これを工事原価に算入する。

(3) 仮払金の期末残高は、以下の内容であることが判明した。

① ¥6,500は管理部門従業員の出張旅費の仮払いであった。なお、実費との差額¥800については従業員が立て替えていた。

② ¥32,000は法人税等の中間納付額であった。

(4) 減価償却については、以下のとおりである。なお、当期中に固定資産の増減取引は発生していない。

① 機械装置（工事現場用）　実際発生額　¥84,000

なお、月次原価計算において、月額¥7,500を未成工事支出金に予定計上している。当期の予定計上額と実際発生額との差額は当期の工事原価（未成工事支出金）に加減する。

② 備品（本社用）以下の事項により減価償却費を計上する。

取得原価¥32,000　残存価額　ゼロ　耐用年数　8年　減価償却方法　定率法

償却率　0.250

(5) 仮受金の期末残高は、以下の内容であることが判明した。

① 当期中に完成した工事の未収代金の回収分が¥14,000であった。

② 当期末に着手した工事の手付金が¥10,000であった。

(6) 売上債権の期末残高に対して1.2%の貸倒引当金を計上する（差額補充法）。なお、当期末の売上債権のうち貸倒が懸念される債権¥15,000については、回収不能と見込まれる¥7,500を個別に貸倒引当金として計上する。

(7) 完成工事高に対して0.2%の完成工事補償引当金を計上する（差額補充法）。

(8) 退職給付引当金の当期繰入額は本社事務員について¥7,000　現場作業員について¥18,000である。

(9) 上記の各調整を行った後の未成工事支出金の次期繰越額は¥63,600である。

(10) 当期の法人税、住民税及び事業税として税引前当期純利益の30%を計上する。

MEMO

第30回 問題

解答 132
解答用紙 26

第1問（20点）　次の各取引について仕訳を示しなさい。使用する勘定科目は下記の〈勘定科目群〉から選び、その記号（A～X）と勘定科目を書くこと。なお、解答は次に掲げた（例）に対する解答例にならって記入しなさい。

（例）現金￥100,000を当座預金に預け入れた。

(1)　1株当たりの払込金額￥3,600で新株を2,000株発行することとし、払込期日までに全額が取扱銀行に払い込まれた。

(2)　決算に当たり、期末における消費税の仮払分の残高は￥158,000であり、仮受分の残高は￥140,000であった。

(3)　建設用機械（取得価額￥600,000、前期末減価償却累計額￥480,000）を当期首に売却した。売却価額￥150,000は現金で受け取った。なお、減価償却費の記帳は直接記入法を採用している。

(4)　前期に着工したS工事については、前期より工事進行基準を適用している。S工事の工期は4年、請負金額￥45,000,000、総工事原価見積額￥37,500,000、前期の工事原価発生額￥7,500,000、当期の工事原価発生額￥11,250,000であった。なお、当期において得意先との交渉により、請負金額を￥5,000,000増額することができた。当期の完成工事高に関する仕訳を示しなさい。

(5)　A工務店から融資の申込を受け、小切手￥1,000,000を振り出した。借用証書の代りに同工務店振出しの約束手形を受け取った。

〈勘定科目群〉

A	現金	B	当座預金	C	別段預金	D	受取手形
E	完成工事未収入金	F	機械装置	G	仮払消費税	H	未収消費税
J	手形貸付金	K	支払手形	L	減価償却累計額	M	仮受消費税
N	未払消費税	Q	借入金	R	資本金	S	利益準備金
T	新株式申込証拠金	U	完成工事高	W	固定資産売却益	X	固定資産売却損

第2問（12点）

次の □ に入る正しい数値を計算しなさい。

(1) 本店は、大阪支店を独立会計単位として取り扱っている。ただし、支店の固定資産については、本店の管理下におき、本店でまとめて記録している。大阪支店における本店勘定が¥50,000の借方残高であるとき、大阪支店は支店用の乗用車を購入し、その代金¥500,000を支払うため小切手を振り出した。この取引後の大阪支店における本店勘定は¥ □ の借方残高である。

(2) 次の３つの機械装置を償却単位とする総合償却を実施する。機械装置Ａ（取得原価¥1,300,000、耐用年数５年、残存価額ゼロ）、機械装置Ｂ（取得原価¥2,800,000、耐用年数７年、残存価額ゼロ）、機械装置Ｃ（取得原価¥600,000、耐用年数３年、残存価額ゼロ）この償却単位に定額法を適用し、加重平均法で計算した平均耐用年数は □ 年である。なお、小数点以下は切り捨てるものとする。

(3) 期末に当座預金勘定残高と銀行の当座預金残高の差異分析を行ったところ、次の事実が判明した。①決算日に現金¥20,000を預け入れたが、銀行の閉店後であったため、翌日の入金として取り扱われていた。②Ｓ社への材料代の支払のため小切手¥35,000を作成したが、Ｓ社にまだ渡していなかった。③電気代¥12,000が引き落とされていたが、その通知が当社に未達であった。決算日現在における銀行の当座預金残高が¥331,000のとき、未達事項整理前の当座預金勘定の残高は¥ □ である。

(4) 材料元帳の期末残高は数量が1,200kg、単価は１kg当たり¥320であった。実地棚卸の結果、棚卸減耗48kgが判明した。この材料の期末における取引価格が１kg当たり¥280である場合、材料評価損は¥ □ である。

第3問（14点）

次の〈資料〉に基づき、解答用紙に示す各勘定口座に適切な勘定科目あるいは金額を記入し、「完成工事原価報告書」を作成しなさい。なお、記入すべき勘定科目については、下記の〈勘定科目群〉から選び、その記号（Ａ～Ｈ）で解答しなさい。

〈資　料〉

１．工事原価期首残高

材料費	¥13,000	労務費	¥34,000
外注費	¥76,000	経費	¥11,000（うち、人件費は¥1,000）

２．工事原価次期繰越額

材料費	¥ 31,000	労務費	¥53,000
外注費	¥181,000	経費	¥45,000（うち、人件費は¥5,000）

３．経費のうち人件費は¥100,000である。

〈勘定科目群〉

Ａ	完成工事高	Ｂ	完成工事未収入金	Ｃ	支払利息	Ｄ	未成工事支出金
Ｅ	完成工事原価	Ｆ	損益	Ｇ	販売費及び一般管理費	Ｈ	未成工事受入金

第4問
（24点）

以下の問に解答しなさい。

問１　次に示すような営業費は、下記の〈営業費の種類〉のいずれに属するものか、記号（A～C）で解答しなさい。

１．物流費
２．広告宣伝費
３．経理部における事務用品費
４．市場調査費

〈営業費の種類〉
A　注文獲得費　　B　注文履行費　　C　全般管理費

問２　次の〈資料〉に基づき、解答用紙の部門費振替表を完成しなさい。なお、配賦方法については、直接配賦法によること。

〈資　料〉
１．補助部門費の配賦基準と配賦データ

補助部門	配賦基準	甲工事部	乙工事部	丙工事部
機械部門	馬力数×時間	20×30時間	15×20時間	30×10時間
車両部門	運搬量	?	?	?
仮設部門	セット×日数	3×5日	?	2×5日

２．各補助部門の原価発生額は次のとおりである。

（単位：円）

機械部門	車両部門	仮設部門
1,440,000	?	960,000

第5問
（30点）

次の〈決算整理事項等〉に基づき、解答用紙の精算表を完成しなさい。なお、工事原価は未成工事支出金を経由して処理する方法によっている。会計期間は１年である。また、決算整理の過程で新たに生じる勘定科目で、精算表上に指定されている科目はそこに記入すること。

〈決算整理事項等〉

(1) 期末における現金の帳簿残高は￥12,500であるが、実際の手元有高は￥9,500であった。調査の結果、不足額のうち￥2,500は郵便切手の購入代金の記帳漏れであった。それ以外の原因は不明である。

(2) 仮設材料費の把握についてはすくい出し方式を採用しているが、現場から撤去されて倉庫に戻された評価額￥1,200の仮設材料について未処理であった。

(3) 仮払金の期末残高は、以下の内容であることが判明した。
　① ￥1,800は借入金利息の３か月分であり、うち１か月は前払いである。
　② ￥26,600は法人税等の中間納付額である。

(4) 減価償却については、以下のとおりである。なお、当期中に固定資産の増減取引は発生していない。
　① 機械装置（工事現場用）　実際発生額　￥62,000
　　なお、月次原価計算において、月額￥5,000を未成工事支出金に予定計上している。当期の予定計上額と実際発生額との差額は当期の工事原価（未成工事支出金）に加減する。
　② 備品（本社用）　以下の事項により減価償却費を計上する。
　　取得原価　￥48,000　　残存価額　ゼロ　　耐用年数　３年　　減価償却方法　定額法

(5) 仮受金の期末残高は、以下の内容であることが判明した。
　① 当期中に完成した工事の未収代金の回収分　￥10,000
　② 当期末に施工中の工事代金　￥8,000
　③ 現場で発生したスクラップの売却代金　￥5,000

(6) 売上債権の期末残高に対して1.2%の貸倒引当金を計上する（差額補充法）。

(7) 完成工事高に対して0.2%の完成工事補償引当金を計上する（差額補充法）。

(8) 退職給付引当金の当期繰入額は本社事務員については￥3,600、現場作業員については￥9,400である。

(9) 上記の各調整を行った後の未成工事支出金の次期繰越額は￥137,900である。

(10) 当期の法人税、住民税及び事業税として税引前当期純利益の30%を計上する。

第31回 問　題

解　答 146
解答用紙 32

第1問
（20点）

次の各取引について仕訳を示しなさい。使用する勘定科目は下記の〈勘定科目群〉から選び、その記号（A～X）と勘定科目を書くこと。なお、解答は次に掲げた（例）に対する解答例にならって記入しなさい。

（例）現金￥100,000を当座預金に預け入れた。

⑴　社債（額面￥10,000,000）を￥100につき￥98で買い入れ、端数利息￥50,000とともに小切手を振り出して支払った。

⑵　本社建物の補修工事を行い、その代金￥1,850,000は約束手形を振り出して支払った。この代金のうち￥500,000は改良のための支出と認められ、残りは原状回復のための支出であった。

⑶　取締役会の決議により、資本準備金￥5,000,000を資本金に組み入れ、株式1,000株を株主に無償交付した。

⑷　甲工事（工期は５年、請負金額￥550,000,000、総工事原価見積額￥473,000,000）は、前期より着工し、工事進行基準を適用している。当期末において、実行予算の見直しを行い、追加の工事原価見積額￥5,000,000を認識した。前期の工事原価発生額￥70,950,000、当期の工事原価発生額￥72,450,000であった。当期の完成工事高に関する仕訳を示しなさい。

⑸　過年度において顧客に引き渡した建物について、保証に基づき当期に補修工事を行った。当該補修工事に係る支出額￥260,000は小切手で支払った。なお、前期決算において￥580,000を引当計上している。

〈勘定科目群〉

A	現金	B	当座預金	C	受取手形	D	完成工事未収入金
E	建物	F	建設仮勘定	G	投資有価証券	H	営業外支払手形
J	工事未払金	K	社債	L	修繕引当金	M	完成工事補償引当金
N	資本金	Q	資本準備金	R	完成工事高	S	完成工事原価
T	完成工事補償引当金繰入額	U	社債利息	W	有価証券利息	X	修繕費

第2問
(12点)

次の [　　] に入る正しい金額を計算しなさい。

(1) 自己所有の工事用機械（取得価額¥5,200,000、減価償却累計額¥2,800,000）と交換に他社の中古の工事用機械を取得し、交換差金¥300,000は小切手を振り出して支払った。当該中古工事用機械の取得原価は¥ [　　] である。

(2) 社債¥20,000,000を額面¥100につき¥99.8で買入償還し、端数利息¥50,000とともに現金で支払った。このとき、社債償還益は¥ [　　] である。

(3) 本店の大阪支店勘定残高は¥2,900（借方）、大阪支店の本店勘定残高は¥2,360（貸方）である。決算にあたり、以下の未達事項を整理した結果、本店の大阪支店勘定の残高と大阪支店の本店勘定の残高はそれぞれ¥ [　　] となり一致した。

① 本店は、大阪支店の得意先の完成工事未収入金¥450を回収したが、その連絡は大阪支店に未達である。

② 大阪支店から本店に送金した¥250は未達である。

③ 本店は、大阪支店の負担すべき旅費¥210および交際費¥180を立替払いしたが、その連絡が大阪支店に未達である。

④ 本店から大阪支店に発送した材料¥350は未達である。

(4) 消費税の会計処理については税抜方式を採用している。期末における仮払消費税¥ [　　] および仮受消費税¥352,000であるとき、未払消費税は¥86,000である。

第3問
(14点)

次の〈資料〉に基づき、当社の９月の原価計算期間における、Ａ材料の材料費を計算しなさい。なお、単価の決定方法については、解答用紙に指定した各方法によること。

〈資　料〉

９月Ａ材料受払データ

		数量（kg）	単価（円）
9月 1日	前月繰越	200	140
5日	甲建材より仕入	800	190
9日	No.101工事へ払出	400	
12日	乙建材より仕入	400	180
14日	No.102工事へ払出	300	
16日	No.101工事へ払出	300	
18日	甲建材より仕入	600	150
20日	No.102工事へ払出	500	
24日	No.103工事へ払出	100	
28日	No.101工事へ払出	150	

第4問（24点）

以下の設問に解答しなさい。

問１　我が国の『原価計算基準』では、原価は次の４つの本質を有するものとしている。次の文章の [　　] に入れるべき最も適当な用語を下記の〈用語群〉の中から選び、記号（A～H）で解答しなさい。

1．原価は、[ア] の消費である。

2．原価は、[イ] において作り出された一定の [ウ] に転嫁される価値である。

3．原価は、[イ] 目的に関連したものである。

4．原価は、[エ] である。原則として偶発的、臨時的な価値の喪失を含めるべきではない。

〈用語群〉

A　生産	B　経営	C　財務	D　給付
E　市場価値	F　経済価値	G　標準的なもの	H　正常的なもの

問２　次の〈資料〉に基づき、解答用紙の工事別原価計算表を完成しなさい。また、工事間接費配賦差異の月末残高を計算しなさい。なお、その残高が借方の場合は「A」、貸方の場合は「B」を、解答用紙の所定の欄に記入しなさい。

〈資　料〉

1．当月は、No.301とNo.302の前月繰越工事および当月より着手したNo.401とNo.402の工事を施工し、月末にはNo.302とNo.401の工事が完成した。いずれも工事完成基準により収益を認識している。

2．前月から繰り越した工事原価に関する各勘定の前月繰越高は、次のとおりである。

(1)　未成工事支出金　　　　　　　（単位：円）

工事番号	No.301	No.302
材料費	203,000	580,000
労務費	182,000	324,000
外注費	650,000	910,000
経　費	121,000	192,000

(2)　工事間接費配賦差異　　¥2,500（借方残高）

（注）工事間接費配賦差異は月次においては繰り越すこととしている。

3．労務費に関するデータ

(1)　労務費計算は予定賃率を用いており、当会計期間の予定賃率は１時間当たり¥1,500である。

(2)　当月の直接作業時間

No.301　126時間　　No.302　205時間　　No.401　295時間　　No.402　316時間

4．当月に発生した工事直接費　（単位：円）

工事番号	No.301	No.302	No.401	No.402
材料費	414,000	539,000	491,000	562,000
労務費	（資料により各自計算）			
外注費	670,000	873,000	1,296,000	972,000
直接経費	127,000	230,500	170,500	242,000

5．工事間接費の配賦方法と実際発生額

(1) 工事間接費については直接原価基準による予定配賦法を採用している。

(2) 当会計期間の直接原価の総発生見込額は¥81,500,000である。

(3) 当会計期間の工事間接費予算額は¥3,260,000である。

(4) 工事間接費の当月実際発生額は¥323,000である。

(5) 工事間接費はすべて経費である。

第5問（30点）

次の〈決算整理事項等〉に基づき、解答用紙の精算表を完成しなさい。なお、工事原価は未成工事支出金を経由して処理する方法によっている。会計期間は1年である。また、決算整理の過程で新たに生じる勘定科目で、精算表上に指定されている科目はそこに記入すること。

〈決算整理事項等〉

(1) 当座預金の期末残高証明書を入手したところ、期末帳簿残高と差異があった。差額原因を調査したところ以下の内容であった。

① 決算日に現金¥8,500を預け入れたが、銀行の閉店後であったため、翌日入金として扱われた。

② 消耗品購入代金の決済のために振り出した小切手¥13,500が相手先に未渡しであった。

③ 借入金の利息¥1,200が当座預金から引き落とされていたが、その通知が当社に未達であった。

(2) 材料貯蔵品の期末実地棚卸により判明した棚卸減耗¥800を工事原価に算入する。

(3) 仮払金の期末残高は、以下の内容であることが判明した。

① ¥5,000は管理部門従業員の出張旅費の仮払いである。なお、実費との差額¥1,200は現金で返金を受けた。

② ¥27,900は法人税等の中間納付額である。

(4) 減価償却については、以下のとおりである。なお、当期中に固定資産の増減取引は発生していない。

① 機械装置（工事現場用）　実際発生額　¥28,000

なお、月次原価計算において、月額¥2,500を未成工事支出金に予定計上している。当期の予定計上額と実際発生額との差額は当期の工事原価（未成工事支出金）に加減する。

② 備品（本社用）

取得原価　¥60,000（前期首取得）　残存価額　ゼロ　耐用年数　4年

償却率　0.500　減価償却方法　定率法

(5) 仮受金の期末残高¥18,000は、前期に完成した工事の未収代金回収分であることが判明した。

⑹　売上債権の期末残高に対して1.2%の貸倒引当金を計上する（差額補充法）。

⑺　完成工事高に対して0.2%の完成工事補償引当金を計上する（差額補充法）。

⑻　退職給付引当金の当期繰入額は本社事務員について¥2,800、現場作業員について¥8,700である。

⑼　上記の各調整を行った後の未成工事支出金の次期繰越額は¥241,060である。

⑽　当期の法人税、住民税及び事業税として税引前当期純利益の30%を計上する。

MEMO

第32回 問題

解答 158
解答用紙 36

第1問（20点） 次の各取引について仕訳を示しなさい。使用する勘定科目は下記の〈勘定科目群〉から選び、その記号（A～X）と勘定科目を書くこと。なお、解答は次に掲げた（例）に対する解答例にならって記入しなさい。

（例）現金￥100,000を当座預金に預け入れた。

(1) 甲社は株主総会の決議により、資本金￥12,000,000を減資した。

(2) 乙社は、確定申告時において法人税を現金で納付した。対象事業年度の法人税額は￥3,800,000であり、期中に中間申告として￥1,500,000を現金で納付済である。

(3) 丙工務店は、自己所有の中古のクレーン（簿価￥1,500,000）と交換に、他社のクレーンを取得し交換差金￥100,000を小切手を振り出して支払った。

(4) 前期に貸倒損失として処理済の完成工事未収入金￥520,000が現金で回収された。

(5) 前期に着工した請負金額￥28,000,000のA工事については、工事進行基準を適用して収益計上している。前期における工事原価発生額は￥1,666,000であり、当期は￥9,548,000であった。工事原価総額の見積額は当初￥23,800,000であったが、当期において見積額を￥24,920,000に変更した。工事進捗度の算定について原価比例法によっている場合、当期の完成工事高に関する仕訳を示しなさい。

〈勘定科目群〉

A	現金	B	当座預金	C	受取手形	D	完成工事未収入金
E	未成工事支出金	F	仮払法人税等	G	機械装置	H	工事未払金
J	貸倒引当金	K	未払法人税等	L	資本金	M	その他資本剰余金
N	利益準備金	Q	完成工事高	R	完成工事原価	S	貸倒損失
T	貸倒引当金戻入益	U	償却債権取立益	W	固定資産売却益	X	法人税、住民税及び事業税

第2問（12点）

次の □ に入る正しい金額を計算しなさい。

(1) 当月の賃金支給総額は¥31,530,000であり、所得税¥1,600,000、社会保険料¥4,215,000を控除して現金にて支給される。前月末の未払賃金残高が¥9,356,000で、当月の労務費が¥32,210,000であったとすれば、当月末の未払賃金残高は¥ □ である。

(2) 期末にX銀行の当座預金の残高証明書を入手したところ、¥1,280,000であり、当社の勘定残高とは¥ □ の差異が生じていた。そこで、差異分析を行ったところ、次の事実が判明した。

① 決算日に現金¥5,000を預け入れたが、銀行の閉店後であったため、翌日の入金として取り扱われていた。

② 備品購入代金の決済のため振り出した小切手¥15,000が、相手先に未渡しであった。

③ 借入金の利息¥2,000が引き落とされていたが、その通知が当社に未達であった。

④ 材料の仕入先に対して振り出していた小切手¥18,000がまだ銀行に呈示されていなかった。

(3) 工事用機械（取得価額¥12,500,000、残存価額ゼロ、耐用年数８年）を20×1年期首に取得し定額法で償却してきたが、20×5年期末において¥5,000,000で売却した。このときの固定資産売却損益は¥ □ である。

(4) 前期に倉庫（取得価額¥3,500,000、減価償却累計額¥2,500,000）を焼失した。同倉庫には火災保険が付してあり、査定中となっていたが、当期に保険会社から正式な査定を受け、現金¥ □ を受け取ったため、保険差益¥200,000を計上した。

第3問（14点）

現場技術者に対する従業員給料手当（工事間接費）に関する次の〈資料〉に基づいて、下記の問に解答しなさい。

〈資　料〉

(1)	当会計期間の従業員給料手当予算額		¥78,660,000
(2)	当会計期間の現場管理延べ予定作業時間		34,200時間
(3)	当月の工事現場管理実際作業時間	No.101工事	350時間
		No.201工事	240時間
		その他の工事	2,100時間
(4)	当月の従業員給料手当実際発生額	総額	¥6,200,000

問１　当会計期間の予定配賦率を計算しなさい。なお、計算過程において端数が生じた場合は、円未満を四捨五入すること。

問２　当月のNo.201工事への予定配賦額を計算しなさい。

問３　当月の配賦差異を計算しなさい。なお、配賦差異については、借方差異の場合は「Ａ」、貸方差異の場合は「Ｂ」を解答用紙の所定の欄に記入しなさい。

以下の問に解答しなさい。

問1　以下の文章の□に入れるべき最も適当な用語を下記の〈用語群〉の中から選び、記号（A～G）で解答しなさい。

部門共通費の配賦基準は、その性質によって、[1]配賦基準（動力使用量など）、[2]配賦基準（作業時間など）、[3]配賦基準（建物専有面積など）に分類することができる。また、その単一性によって、単一配賦基準、複合配賦基準に分類することができ、複合配賦基準の具体的な例としては、[4]などがある。

〈用語群〉

A　規模　　B　運搬回数　　C　サービス量　　D　重量×運搬回数　　E　費目一括
F　従業員数　　G　活動量

問2　20×2年９月の工事原価に関する次の〈資料〉に基づいて、当月（９月）の完成工事原価報告書を完成しなさい。また、工事間接費配賦差異勘定の月末残高を計算しなさい。なお、その残高が借方の場合は「A」、貸方の場合は「B」を解答用紙の所定の欄に記入しなさい。

〈資　料〉

1．当月の工事状況（収益の認識は工事完成基準による）

工事番号	No.701	No.801	No.901	No.902
着工	7月	8月	9月	9月
竣工	9月	9月	9月	12月（予定）

2．前月から繰り越した工事原価に関する各勘定残高

⑴　未成工事支出金　（単位：円）

工事番号	No.701	No.801
材料費	218,000	171,000
労務費	482,000	591,000
外注費	790,000	621,000
経費	192,000	132,000
合計	1,682,000	1,515,000

⑵　工事間接費配賦差異　甲部門　¥5,600（借方残高）　乙部門　¥2,300（貸方残高）
（注）工事間接費配賦差異は月次においては繰り越すこととしている。

3．当月における材料の棚卸・受払に関するデータ（材料消費単価の決定方法は先入先出法による）

日付	摘要	数量（Kg）	単価（円）
9月1日	前月繰越	800	220
9月2日	No.801工事に払出	400	
9月5日	X建材より仕入	1,600	250
9月9日	No.901工事に払出	1,200	
9月15日	No.701工事に払出	600	
9月22日	Y建材より仕入	1,200	180
9月26日	No.901工事に払出	400	
9月27日	No.902工事に払出	500	

4．当月に発生した工事直接費　（単位：円）

工事番号	No.701	No.801	No.901	No.902
材料費	（各自計算）	（各自計算）	（各自計算）	（各自計算）
労務費	450,000	513,000	819,000	621,000
外注費	1,120,000	2,321,000	1,523,000	820,000
直接経費	290,000	385,000	302,000	212,000

5．当月の甲部門および乙部門において発生した工事間接費の配賦（予定配賦法）

(1) 甲部門の配賦基準は直接材料費基準であり、当会計期間の予定配賦率は３％である。

(2) 乙部門の配賦基準は直接作業時間基準であり、当会計期間の予定配賦率は１時間当たり￥2,200である。

当月の工事別直接作業時間　（単位：時間）

工事番号	No.701	No.801	No.901	No.902
作業時間	15	32	124	29

(3) 工事間接費の当月実際発生額　甲部門　￥20,000　乙部門　￥441,000

(4) 工事間接費は経費として処理している。

第5問
（30点）

次の〈決算整理事項等〉に基づき、解答用紙の精算表を完成しなさい。なお、工事原価は未成工事支出金を経由して処理する方法によっている。会計期間は１年である。また、決算整理の過程で新たに生じる勘定科目で、精算表上に指定されている科目はそこに記入すること。なお、計算過程において端数が生じた場合には円未満を切り捨てること。

〈決算整理事項等〉

(1) 期末における現金帳簿残高は¥23,500であるが、実際の手元有高は¥22,800であった。原因は不明である。

(2) 仮設材料費の把握はすくい出し方式を採用しているが、現場から撤去されて倉庫に戻された評価額¥1,200について未処理である。

(3) 仮払金の期末残高は、以下の内容であることが判明した。

① ¥900は借入金利息の３か月分であり、うち１か月は前払いである。

② ¥31,700は法人税等の中間納付額である。

(4) 減価償却については、以下のとおりである。なお、当期中の固定資産の増減取引は③のみである。

① 機械装置（工事現場用）　実際発生額　¥45,000

なお、月次原価計算において、月額¥3,500を未成工事支出金に予定計上している。当期の予定計上額と実際発生額との差額は当期の工事原価（未成工事支出金）に加減する。

② 備品（本社用）　以下の事項により減価償却費を計上する。

取得原価　¥60,000　残存価額　ゼロ　耐用年数　３年　減価償却方法　定額法

③ 建設仮勘定　適切な科目に振替えた上で、以下の事項により減価償却費を計上する。

当期首に完成した本社事務所

取得原価　¥48,000　残存価額　ゼロ　耐用年数　24年　減価償却方法　定額法

(5) 仮受金の期末残高¥12,000は、前期に完成した工事の未収代金回収分であることが判明した。

(6) 売上債権の期末残高に対して1.2％の貸倒引当金を計上する（差額補充法）。

(7) 完成工事高に対して0.2％の完成工事補償引当金を計上する（差額補充法）。

(8) 賞与引当金の当期繰入額は本社事務員について¥5,000、現場作業員について¥13,500である。

(9) 退職給付引当金の当期繰入額は本社事務員について¥3,200、現場作業員について¥9,300である。

(10) 上記の各調整を行った後の未成工事支出金の次期繰越額は¥112,300である。

(11) 当期の法人税、住民税及び事業税として税引前当期純利益の30％を計上する。

MEMO

第33回 問題

解答 168
解答用紙 40

第1問
(20点)

次の各取引について仕訳を示しなさい。使用する勘定科目は下記の〈勘定科目群〉の中から選び、その記号（A～X）と勘定科目を書くこと。なお、解答は次に掲げた（例）に対する解答例にならって記入しなさい。

（例）現金¥100,000を当座預金に預け入れた。

(1) 株主総会において、別途積立金¥1,800,000を取り崩すことが決議された。

(2) 本社事務所の新築工事が完成し引渡しを受けた。契約代金¥21,000,000のうち、契約時に¥7,000,000を現金で支払っており、残額は小切手を振り出して支払った。

(3) 社債（額面総額：¥5,000,000、償還期間：5年、年利：1.825%、利払日：毎年9月と3月の末日）を¥100につき¥98で5月1日に買入れ、端数利息とともに小切手を振り出して支払った。

(4) 機械（取得原価：¥8,200,000、減価償却累計額：¥4,920,000）を焼失した。同機械には火災保険が付してあり査定中である。

(5) 前期に完成し引き渡した建物に欠陥があったため、当該補修工事に係る外注工事代¥500,000（代金は未払い）が生じた。なお、完成工事補償引当金の残高は¥1,500,000である。

〈勘定科目群〉

A	現金	B	当座預金	C	投資有価証券	D	建物
E	建設仮勘定	F	工事未払金	G	機械装置減価償却累計額	H	完成工事補償引当金
J	機械装置	K	別途積立金	L	繰越利益剰余金	M	社債
N	社債利息	Q	外注費	R	完成工事補償引当金繰入	S	有価証券利息
T	支払利息	U	火災未決算	W	保険差益	X	火災損失

第2問
（12点）

次の [　　] に入る正しい数値を計算しなさい。

(1) 材料元帳の期末残高は数量が3,200個であり、単価は￥150であった。実地棚卸の結果、棚卸減耗50個が判明した。この材料の期末における取引価格が単価￥ [　　] である場合、材料評価損は￥25,200である。

(2) 前期に請負金額￥80,000,000のＡ工事（工期は５年）を受注し、収益の認識については前期より工事進行基準を適用している。当該工事の前期における総見積原価は￥60,000,000であったが、当期末において、総見積原価を￥56,000,000に変更した。前期における工事原価の発生額は￥9,000,000であり、当期は￥10,600,000である。工事進捗度の算定を原価比例法によっている場合、当期の完成工事高は￥ [　　] である。

(3) 次の４つの機械装置を償却単位とする総合償却を実施する。
機械装置Ａ（取得原価：￥2,500,000、耐用年数：５年、残存価額：￥250,000）
機械装置Ｂ（取得原価：￥5,200,000、耐用年数：９年、残存価額：￥250,000）
機械装置Ｃ（取得原価：￥600,000、耐用年数：３年、残存価額：￥90,000）
機械装置Ｄ（取得原価：￥300,000、耐用年数：３年、残存価額：￥30,000）
この償却単位に定額法を適用し、加重平均法で計算した平均耐用年数は [　　] 年である。なお、小数点以下は切り捨てるものとする。

(4) 甲社（決算日は３月31日）は、就業規則において、賞与の支給月を６月と12月の年２回、支給対象期間をそれぞれ12月１日から翌５月末日、６月１日から11月末日と定めている。当期末において、翌６月の賞与支給額を￥12,000,000と見込み、賞与引当金を￥ [　　] 計上する。

第3問
（14点）

次の〈資料〉に基づき、適切な部門および金額を記入し、解答用紙の「部門費振替表」を作成しなさい。配賦方法は「階梯式配賦法」とし、補助部門費に関する配賦は第１順位を運搬部門、第２順位を機械部門、第３順位を仮設部門とする。また、計算の過程において端数が生じた場合には、円未満を四捨五入すること。

〈資　料〉

(1) 各部門費の合計額

工事第１部	￥5,435,000	工事第２部	￥8,980,000	工事第３部	￥2,340,000
運搬部門	￥185,000	機械部門	￥425,300	仮設部門	￥253,430

(2) 各補助部門の他部門へのサービス提供度合

（単位：％）

	工事第１部	工事第２部	工事第３部	仮設部門	機械部門	運搬部門
運搬部門	25	40	28	5	2	−
機械部門	32	35	25	8	−	−
仮設部門	30	40	30	−	−	−

第4問
(24点)

以下の問に解答しなさい。

問1　次の費用あるいは損失は、原価計算制度によれば、下記の〈区分〉のいずれに属するものか、記号（A～C）で解答しなさい。

1．鉄骨資材の購入と現場搬入費
2．本社経理部職員の出張旅費
3．銀行借入金利子
4．資材盗難による損失
5．工事現場監督者の人件費

〈区　分〉
A　プロダクト・コスト（工事原価）
B　ピリオド・コスト（期間原価）
C　非原価

問2　次の〈資料〉により、解答用紙の「工事別原価計算表」を完成しなさい。また、工事間接費配賦差異の月末残高を計算しなさい。なお、その残高が借方の場合は「A」、貸方の場合は「B」を、解答用紙の所定の欄に記入しなさい。

〈資　料〉
1．当月は、繰越工事であるNo.501工事とNo.502工事、当月に着工したNo.601工事とNo.602工事を施工し、月末にはNo.501工事とNo.601工事が完成した。
2．前月から繰り越した工事原価に関する各勘定の前月繰越高は、次のとおりである。
(1)　未成工事支出金　(単位：円)

工事番号	No.501	No.502
材料費	235,000	580,000
労務費	329,000	652,000
外注費	650,000	1,328,000
経　費	115,000	218,400

(2)　工事間接費配賦差異　　¥3,500（借方残高）
（注）工事間接費配賦差異は月次においては繰り越すこととしている。
3．労務費に関するデータ
(1)　労務費計算は予定賃率を用いており、当会計期間の予定賃率は1時間当たり¥2,100である。
(2)　当月の直接作業時間
No.501　153時間　　No.502　253時間　　No.601　374時間　　No.602　192時間

4．当月の工事別直接原価額　（単位：円）

工事番号	No.501	No.502	No.601	No.602
材料費	258,000	427,000	544,000	175,000
労務費	（資料により各自計算）			
外注費	765,000	958,000	2,525,000	419,000
経費	95,700	113,700	195,600	62,800

5．工事間接費の配賦方法と実際発生額

(1) 工事間接費については直接原価基準による予定配賦法を採用している。

(2) 当会計期間の直接原価の総発生見込額は¥56,300,000である。

(3) 当会計期間の工事間接費予算額は¥2,252,000である。

(4) 工事間接費の当月実際発生額は¥341,000である。

(5) 工事間接費はすべて経費である。

第5問
（30点）

次の〈決算整理事項等〉に基づき、解答用紙の精算表を完成しなさい。なお、工事原価は未成工事支出金を経由して処理する方法によっている。会計期間は１年である。また、決算整理の過程で新たに生じる勘定科目で、精算表上に指定されている科目はそこに記入すること。

〈決算整理事項等〉

(1) 期末における現金の帳簿残高は¥19,800であるが、実際の手許有高は¥18,400であった。原因を調査したところ、本社において事務用文房具¥800を現金購入していたが未処理であることが判明した。それ以外の原因は不明である。

(2) 材料貯蔵品の期末実地棚卸により、棚卸減耗損¥1,000が発生していることが判明した。棚卸減耗損については全額工事原価として処理する。

(3) 仮払金の期末残高は、以下の内容であることが判明した。

① ¥3,000は本社事務員の出張仮払金であった。精算の結果、実費との差額¥500が本社事務員より現金にて返金された。

② ¥25,000は法人税等の中間納付額である。

(4) 減価償却については、以下のとおりである。なお、当期中に固定資産の増減取引はない。

① 機械装置（工事現場用）　実際発生額　¥56,000

なお、月次原価計算において、月額¥4,500を未成工事支出金に予定計上している。当期の予定計上額と実際発生額との差額は当期の工事原価に加減する。

② 備品（本社用）　以下の事項により減価償却費を計上する。

取得原価　¥90,000　残存価額　ゼロ　耐用年数　３年　減価償却方法　定額法

(5) 有価証券（売買目的で所有）の期末時価は¥153,000である。

(6) 仮受金の期末残高は、以下の内容であることが判明した。

① ¥7,000は前期に完成した工事の未収代金回収分である。

② ¥21,000は当期末において着工前の工事に係る前受金である。

(7) 売上債権の期末残高に対して1.2%の貸倒引当金を計上する（差額補充法）。

(8) 完成工事高に対して0.2%の完成工事補償引当金を計上する（差額補充法）。

(9) 退職給付引当金の当期繰入額は本社事務員について¥2,800、現場作業員について¥8,600である。

(10) 上記の各調整を行った後の未成工事支出金の次期繰越額は¥132,000である。

(11) 当期の法人税、住民税及び事業税として税引前当期純利益の30%を計上する。

MEMO

第34回　問　題

解答 180
解答用紙 44

第1問
（20点）

次の各取引について仕訳を示しなさい。使用する勘定科目は下記の〈勘定科目群〉から選び、その記号（A～X）と勘定科目を書くこと。なお、解答は次に掲げた（例）に対する解答例にならって記入しなさい。

（例）現金￥100,000を当座預金に預け入れた。

(1) 当期に売買目的で所有していたA社株式12,000株（売却時の１株当たり帳簿価額￥500）のうち、3,000株を１株当たり￥520で売却し、代金は当座預金に預け入れた。

(2) 本社事務所の新築のため外注工事を契約し、契約代金￥20,000,000のうち￥5,000,000を前払いするため約束手形を振り出した。

(3) 前期の決算で、滞留していた完成工事未収入金￥1,600,000に対して50％の貸倒引当金を設定していたが、当期において全額貸倒れとなった。

(4) 株主総会の決議により資本準備金￥12,000,000を資本金に組み入れ、株式500株を交付した。

(5) 前期に着工したＰ工事は、工期４年、請負金額￥35,000,000、総工事原価見積額￥28,700,000であり、工事進行基準を適用している。当期において、資材高騰の影響等により、総工事原価見積額を￥2,000,000増額したことに伴い、同額の追加請負金を発注者より獲得することとなった。前期の工事原価発生額￥4,592,000、当期の工事原価発生額￥6,153,000であるとき、当期の完成工事高に関する仕訳を示しなさい。

〈勘定科目群〉

A	現金	B	当座預金	C	有価証券	D	完成工事未収入金
E	受取手形	F	前払費用	G	建設仮勘定	H	建物
J	貸倒引当金	K	未払金	L	営業外支払手形	M	資本金
N	資本準備金	Q	完成工事高	R	完成工事原価	S	貸倒損失
T	貸倒引当金繰入額	U	貸倒引当金戻入	W	有価証券売却益	X	有価証券売却損

第2問
（12点）

次の □ に入る正しい金額を計算しなさい。

(1) 当月の賃金について、支給総額¥4,260,000から源泉所得税等¥538,000を控除し、現金にて支給した。前月賃金未払高が¥723,000で、当月賃金未払高が¥821,000であったとすれば、当月の労務費は¥ □ である。

(2) 本店における支店勘定は期首に¥152,000の借方残高であった。期中に、本店から支店に備品¥85,000を発送し、支店から本店に¥85,000の送金があり、支店が負担すべき交際費¥15,000を本店が立替払いしたとすれば、本店の支店勘定は期末に¥ □ の借方残高となる。

(3) 期末に当座預金勘定残高と銀行の当座預金残高の差異分析を行ったところ、次の事実が判明した。①銀行閉店後に現金¥10,000を預け入れたが、翌日の入金として取り扱われていた。②工事代金の未収分¥32,000の振込みがあったが、その通知が当社に届いていなかった、③銀行に取立依頼した小切手¥43,000の取立てが未完了であった、④通信代¥9,000が引き落とされていたが、その通知が当社に未達であった。このとき、当座預金勘定残高は、銀行の当座預金残高より¥ □ 多い。

(4) A社を¥5,000,000で買収した。買収直前のA社の資産・負債の簿価は、材料¥800,000、建物¥2,200,000、土地¥500,000、工事未払金¥1,200,000、借入金¥1,800,000であり、土地については時価が¥1,200,000であった。この取引により発生したのれんについて、会計基準が定める最長期間で償却した場合の1年分の償却額は¥ □ である。

第3問
（14点）

次の〈資料〉に基づき、解答用紙に示す各勘定口座に適切な勘定科目あるいは金額を記入し、完成工事原価報告書を作成しなさい。なお、記入すべき勘定科目については、下記の〈勘定科目群〉から選び、その記号（A～G）で解答しなさい。

〈資　料〉

（単位：円）

	材料費	労務費	外注費	経費（うち、人件費）
工事原価期首残高	186,000	765,000	1,735,000	94,000（9,000）
工事原価次期繰越額	292,000	831,000	2,326,000	111,000（12,000）
当期の工事原価発生額	863,000	3,397,000	9,595,000	595,000（68,000）

〈勘定科目群〉

A　完成工事高　　B　未成工事受入金　　C　支払利息　　D　未成工事支出金
E　完成工事原価　　F　損益　　G　販売費及び一般管理費

次の各問に解答しなさい。

問1　当月に、次のような費用が発生した。No.101工事の工事原価に算入すべき項目については「A」、工事原価に算入すべきでない項目については「B」を解答用紙の所定の欄に記入しなさい。

1．No.101工事現場の安全管理講習会費用
2．No.101工事を管轄する支店の総務課員給与
3．本社営業部員との懇親会費用
4．No.101工事現場での資材盗難による損失
5．No.101工事の外注契約書印紙代

問2　次の〈資料〉に基づき、解答用紙の部門費振替表を完成しなさい。なお、配賦方法については、直接配賦法によること。

〈資　料〉

1．補助部門費の配賦基準と配賦データ

補助部門	配賦基準	A工事	B工事	C工事
仮設部門	セット×日数	?	?	?
車両部門	運搬量	135t/km	?	115t/km
機械部門	馬力数×時間	10×40時間	12×50時間	?

2．各補助部門の原価発生額は次のとおりである。

（単位：円）

仮設部門	車両部門	機械部門
?	1,200,000	1,440,000

第5問
(30点)

次の〈決算整理事項等〉に基づき、解答用紙の精算表を完成しなさい。なお、工事原価は未成工事支出金を経由して処理する方法によっている。会計期間は1年である。また、決算整理の過程で新たに生じる勘定科目で、精算表上に指定されている科目はそこに記入すること。

〈決算整理事項等〉

(1) 期末における現金帳簿残高は¥17,500であるが、実際の手元有高は¥10,500であった。調査の結果、不足額のうち¥5,500は郵便切手の購入代金の記帳漏れであった。それ以外の原因は不明である。

(2) 仮設材料費の把握はすくい出し方式を採用しているが、現場から撤去されて倉庫に戻された評価額¥1,500について未処理であった。

(3) 仮払金の期末残高は、次の内容であることが判明した。
 ① ¥5,000は過年度の完成工事に関する補修費であった。
 ② ¥23,000は法人税等の中間納付額である。

(4) 減価償却については、次のとおりである。なお、当期中の固定資産の増減取引は③のみである。
 ① 機械装置（工事現場用）　実際発生額　¥60,000
 なお、月次原価計算において、月額¥5,500を未成工事支出金に予定計上している。当期の予定計上額と実際発生額との差額は当期の工事原価（未成工事支出金）に加減する。
 ② 備品（本社用）　次の事項により減価償却費を計上する。
 取得原価　¥45,000　残存価額　ゼロ　耐用年数　3年　減価償却方法　定額法
 ③ 建設仮勘定　適切な科目に振り替えた上で、次の事項により減価償却費を計上する。
 当期首に完成した本社事務所（取得原価 ¥36,000　残存価額 ゼロ　耐用年数 24年　減価償却方法 定額法）

(5) 仮受金の期末残高は、次の内容であることが判明した。
 ① ¥9,000は前期に完成した工事の未収代金回収分である。
 ② ¥16,000は当期末において未着手の工事に係る前受金である。

(6) 売上債権の期末残高に対して1.2%の貸倒引当金を計上する（差額補充法）。

(7) 完成工事高に対して0.2%の完成工事補償引当金を計上する（差額補充法）。

(8) 退職給付引当金の当期繰入額は、本社事務員について¥3,200、現場作業員について¥8,400である。

(9) 上記の各調整を行った後の未成工事支出金の次期繰越額は¥102,100である。

(10) 当期の法人税、住民税及び事業税として、税引前当期純利益の30%を計上する。

第35回　問　題

解　答　194
解答用紙　50

第1問
（20点）

次の各取引について仕訳を示しなさい。使用する勘定科目は下記の〈勘定科目群〉から選び、その記号（A～Y）と勘定科目を書くこと。なお、解答は次に掲げた（例）に対する解答例にならって記入しなさい。

（例）現金¥100,000を当座預金に預け入れた。

(1) 甲社は、株主総会において、繰越利益剰余金を財源として、株主配当金¥3,000,000を支払うことを決議した。なお、同社の資本金は¥100,000,000で、資本準備金は¥15,000,000であり、利益準備金は¥8,000,000である。

(2) 当期首に社債（額面総額¥20,000,000　償還期限５年　利率年５％　利払日９月30日　３月31日の年２回）を額面¥100につき¥98.5で発行し、全額の払込みを受け、当座預金とした。この社債発行に際して生じた社債募集広告費などの支出¥150,000は、小切手を振り出して支払い、繰延経理することとしている。この社債発行に係る仕訳を示しなさい。

(3) 前々期首に取得した機械装置（取得価額¥5,000,000　耐用年数５年　残存価額ゼロ　定額法）を当期首において¥3,500,000で売却し、代金は小切手で受け取った。

(4) 夏季賞与の支給に備えて、¥10,000,000を前期末に引当計上していたが、当期において¥11,000,000を当座預金にて支給した。

(5) 材料費については購入時材料費処理法を採用し、仮設材料の消費分の把握については、すくい出し方式によっている。工事が完了し倉庫に返却された仮設材料の評価額は¥180,000であった。

〈勘定科目群〉

A	現金	B	当座預金	C	材料貯蔵品	D	未成工事支出金
E	投資有価証券	F	賞与引当金	G	機械装置	H	社債
J	未払配当金	K	資本金	L	資本準備金	M	利益準備金
N	繰越利益剰余金	Q	完成工事高	R	賞与	S	社債発行費
T	受取配当金	U	減価償却費	W	固定資産売却益	X	固定資産売却損
Y	賞与引当金繰入額						

第2問
（12点）

次の ＿＿ に入る正しい数値を計算しなさい。

⑴ 前々期に着工したA工事（工期７年　請負金額¥50,000,000　総工事原価見積額¥40,500,000）について、工事進行基準を適用している。前期において、労務費高騰等の影響から¥2,000,000を総工事原価見積額に反映させている。また、当期において、発注者との交渉により追加請負金¥5,000,000を獲得することとなった。前期までの工事原価発生額¥8,500,000で、当期の工事原価発生額¥7,650,000であるとき、当期の完成工事高は¥ ＿＿ である。

⑵ 前払利息の期首残高が¥3,000で当期の損益計算書に記載された支払利息が¥148,000であり、当期における利息の支払額が¥150,000であれば、当期末の貸借対照表に記載される前払利息は¥ ＿＿ となる。

⑶ B社は数年前にC社株式5,000株を経済関係を良好にする目的で１株¥300で買い入れ、手数料¥13,000とともに小切手を振り出して支払った。当期においてこのうち2,000株を１株¥420で売却し、これに伴う手数料¥6,000を差引後の手取額を当座預金に預け入れた。この取引に伴う損益は¥ ＿＿ である。

⑷ 以下の３つの機械装置を償却単位とする総合償却を実施する。
機械装置A（取得原価¥6,300,000　耐用年数７年　残存価額ゼロ）
機械装置B（取得原価¥3,800,000　耐用年数５年　残存価額ゼロ）
機械装置C（取得原価¥1,500,000　耐用年数３年　残存価額ゼロ）
この償却単位に定額法を適用し、加重平均法で計算した平均耐用年数は ＿＿ 年である。なお、小数点以下は切り捨てるものとする。

第3問
（14点）

P社は、複数の工事現場を監督するために2名（甲及び乙）の専任要員を雇用している。このコストについては、現場監督作業時間を基準とした予定配賦法を採用している。現場監督者に係る給与手当に関する次の〈資料〉に基づいて、下記の問に解答しなさい。

〈資　料〉

⑴	当会計期間（１年）の現場監督者給与手当予算額	監督者甲	¥8,650,000
		監督者乙	¥6,575,000
⑵	当会計期間（１年）の現場監督延べ予定作業時間		3,500時間
⑶	当月の工事現場別現場監督実際作業時間	No.350工事	75時間
		No.351工事	93時間
		その他の工事	124時間
⑷	当月の現場監督者給与手当実際発生額	総額	¥1,268,000

問１　当会計期間の予定配賦率を計算しなさい。なお、計算過程において端数が生じた場合は、円未満を四捨五入すること。

問２　当月のNo.351工事への予定配賦額を計算しなさい。

問３　当月の現場監督者給料手当に関する配賦差異を計算しなさい。なお、配賦差異については、借方差異の場合は「A」、貸方差異の場合は「B」を解答用紙の所定の欄に記入しなさい。

次の問に解答しなさい。

問１　20×1年４月の工事原価に関する次の〈資料〉に基づいて、解答用紙に示す月次の工事原価明細表を完成しなさい。

〈資　料〉　（単位：円）

１．月初及び月末の各勘定残高

		（月初）	（月末）
(1)	材料	56,000	63,000
(2)	未成工事支出金		
	材料費	152,000	183,000
	労務費	224,000	209,000
	外注費	1,232,000	1,105,000
	経費	117,000	185,000
	（経費のうち人件費）	17,000	18,000
(3)	工事未払金		
	賃金	236,000	218,000
	外注費	289,000	247,000
	事務用品費	7,500	8,000
(4)	前払費用		
	保険料	8,000	12,500
	地代家賃	17,000	18,000

２．当月材料仕入高

(1)	総仕入高	845,000
(2)	値引・返品高	32,000
(3)	仕入割引高	15,000

３．当月工事関係費用支払高（材料費を除く）

(1)	賃金	542,000
(2)	外注費	765,000
(3)	動力用水光熱費	62,000
(4)	地代家賃	31,000
(5)	保険料	9,000
(6)	従業員給料手当	132,000
(7)	法定福利費	39,000
(8)	福利厚生費	12,000
(9)	通信交通費	19,000
(10)	事務用品費	38,000

問２　次の各文章は、下記の〈工事原価計算の種類〉のいずれと最も関係の深い事柄か、記号（A～D）で解答しなさい。

1．建設資材を量産している企業では、一定期間に発生した原価をその期間中の生産量で割って、製品の単位当たり原価を計算する。
2．１つの生産指図書に指示された生産活動について費消された原価を集計・計算する方法である。建設会社が請け負う工事については、一般的にこの方法が採用される。
3．建設業では、工事原価を材料費、労務費、外注費、経費に区分して計算し、制度的な財務諸表を作成している。
4．建設業において、指名獲得あるいは受注活動で重視され、見積原価、予算原価などを算定する原価計算である。

〈工事原価計算の種類〉
A　形態別原価計算　　B　事前原価計算　　C　総合原価計算　　D　個別原価計算

第5問（30点）　次の〈決算整理事項等〉に基づき、解答用紙の精算表を完成しなさい。なお、工事原価は未成工事支出金を経由して処理する方法によっている。会計期間は１年（４月１日から3月31日）である。また、決算整理の過程で新たに生じる勘定科目で、精算表上に指定されている科目はそこに記入すること。

〈決算整理事項等〉
(1)　当座預金の期末残高証明書を入手したところ、期末帳簿残高と差異があった。差額原因を調査したところ次の内容であることが判明した。
①　事務用品の購入代金の決済のために振り出した小切手￥2,300が相手先に未渡しであった。
②　完成済の工事代金￥12,000が期末日に振り込まれていたが、発注者より連絡がなく、当社で未記帳であった。
(2)　材料貯蔵品の期末棚卸により棚卸減耗￥500が判明した。
(3)　仮払金の期末残高は、次の内容であることが判明した。
①　￥4,000は本社事務員の出張仮払金であった。精算の結果、実費との差額￥300が事務員より現金にて返金された。
②　￥28,000は法人税等の中間納付額である。
(4)　固定資産は、次の事項により減価償却費を計上する。なお、当期中に固定資産の増減取引は②の一部のみである。
①　機械装置（工事現場用）　　実際使用量　6,150単位
取得原価　￥600,000　　耐用年数　５年　　残存価額　ゼロ
減価償却方法　生産高比例法　　見積総使用量　30,000単位
なお、月次原価計算において、毎月500単位を未成工事支出金に予定計上している。当期の予定計上額と実際発生額との差額は当期の工事原価（未成工事支出金）に加減する。
②　備品（本社用）
取得原価　￥120,000　　耐用年数　４年　　残存価額　ゼロ　　減価償却方法　定額法
なお、このうち￥20,000は当期10月１日に取得したものである。

(5) 仮受金の期末残高は、次の内容であることが判明した。

① ¥9,000は前期に完成した工事の未収代金回収分である。

② ¥10,000は当期中の工事契約による前受金である。なお、当該工事は当期において完成し、引き渡しているが未処理となっている。

(6) 売上債権の期末残高に対して1.2%の貸倒引当金を計上する（差額補充法）。

(7) 完成工事高に対して0.2%の完成工事補償引当金を計上する（差額補充法）。

(8) 退職給付引当金の当期繰入額は本社事務員について¥2,800で、現場作業員について¥7,600である。

(9) 販売費及び一般管理費の中に保険料¥12,000（１年分）があり、うち３か月分は未経過分である。

(10) 上記の各調整を行った後の未成工事支出金の次期繰越額は¥126,100である。

(11) 当期の法人税、住民税及び事業税として税引前当期純利益の30%を計上する。

第2部

解答・解答への道編

この解答例は、当社編集部で作成したものです。

第24回 解答

問題 2

第1問 20点　仕　訳　記号（A～Z）も必ず記入のこと　　仕訳一組につき４点

No.	借方 記号	借方 勘定科目	借方 金額	貸方 記号	貸方 勘定科目	貸方 金額
(例)	B	当座預金	100000	A	現金	100000
(1)	B	当座預金	568400	J	投資有価証券	535000
				U	投資有価証券売却益	33400
(2)	X	完成工事補償引当金	760000	K	支払手形	760000
(3)	Y	繰越利益剰余金	690000	Q	未払配当金	400000
				W	利益準備金	40000
				Z	別途積立金	250000
(4)	N	減価償却累計額	490000	H	機械装置	930000
	G	減価償却費	120000			
	E	未収入金	300000			
	T	固定資産売却損	20000			
(5)	D	受取手形	2600000	R	完成工事高	3500000
	L	未成工事受入金	900000			

解答
第24回

●数字…予想配点

(1) ¥ 419000 ❸

(2) ¥ 6480000 ❸

(3) ¥ 140000 ❸

(4) 7 年 ❸

第3問 14点

●数字…予想配点

部門費配分表

(単位：円)

費目	合計金額	A部門	B部門	C部門	D部門
部門個別費					
(細目省略)					
個別費計	667400	289300	153000	128600	96500
部門共通費					
労務管理費	116400	❷ 46560	29100	23280	17460
建物関係費	258000	98040	❷ 67080	49020	43860
電力費	186400	65240	55920	❷ 37280	27960
福利厚生費	82000	31160	25420	14760	❷ 10660
共通費計	642800	❷ 241000	177520	124340	99940
部門費合計	1310200	530300	330520	❷ 252940	❷ 196440

第4問 24点

●数字…予想配点

問1

記号（A～D）

1	2	3	4
C	D	B	A

各❶

問2

工事別原価計算表

（単位：円）

摘要	X工事	Y工事	Z工事	計
月初未成工事原価	❷ 1189000	1430000	——	2619000
当月発生工事原価				
材料費	76000	116000	❷ 281000	473000
労務費	❷ 52000	64000	115000	231000
外注費	127000	228000	❷ 458000	813000
直接経費	43000	62000	94000	❷ 199000
工事間接費	10430	❷ 16450	33180	60060
当月完成工事原価	1497430	——	981180	❷ 2478610
月末未成工事原価	——	❷ 1916450	——	1916450

工事間接費配賦差異月末残高 ¥ 7440 ❷ 記号（AまたはB） A ❷

第5問 30点

❸数字…予想配点

精算表

（単位：円）

勘定科目	残高試算表		整理記入		損益計算書		貸借対照表	
	借方	貸方	借方	貸方	借方	貸方	借方	貸方
現金預金	256000						256000	
受取手形	442000			12000			430000	
完成工事未収入金	602000			7000			595000	
貸倒引当金		19500		12000 1000				❸32500
未成工事支出金	398000		1000 18000	2500 800 2500			411200	
材料貯蔵品	54500		2500				❸57000	
仮払金	64000			6000 58000				
機械装置	328000						328000	
機械装置減価償却累計額		82000		1000				❸83000
備品	95000						95000	
備品減価償却累計額		57000		19000				76000
支払手形		178000						178000
工事未払金		365000						365000
借入金		139700						139700
未成工事受入金		209000		14000				❸223000
仮受金		21000	7000 14000					
完成工事補償引当金		5300	800					4500
退職給付引当金		247000		15000 18000				❸280000
資本金		500000						500000
繰越利益剰余金		80000						80000
完成工事高		4500000				4500000		
完成工事原価	3980000		2500		❸3982500			
販売費及び一般管理費	178000		7000 19000 15000		❸219000			
受取利息		1000				1000		
雑収入		5000				5000		
支払利息	12000				12000			
	6409500	6409500						
貸倒引当金繰入額			12000 1000		13000			
不渡手形			12000				12000	
未払金				1000				❸1000
未払法人税等				53800				❸53800
法人税、住民税及び事業税			111800		111800			
			223600	223600	4338300	4506000	2184200	2016500
当期（純利益）					❸167700			167700
					4506000	4506000	2184200	2184200

第24回 解答への道　問題 2

全体的に標準レベルの問題です。確実に高得点をめざしましょう。

第1問　指定された勘定科目と記号を使用して解答しなければ正解にはなりませんので注意してください。
A：易、B：普、C：難となっています。5題中4題以上の正解をめざしましょう。

(1) A　(2) A　(3) A　(4) A　(5) A

⑴ 有価証券の売却

取引関係を強化するために購入した株式1,605,000円（3,000株×520円＋45,000円）は投資有価証券勘定（資産）で処理されています。また、売却代金は手数料11,600円を差し引いた金額を当座預金とします。

（当座預金）(＊1)	568,400	（投資有価証券）(＊2)	535,000
		（投資有価証券売却益）	33,400

（＊1）580円×1,000株－11,600円＝568,400円

（＊2）（1,605,000円÷3,000株）×1,000株＝535,000円

⑵ 補修（完成工事補償引当金の取り崩し）

完成し、引き渡した建物について補修を行った場合、完成工事補償引当金勘定（負債）を取り崩して処理します。

⑶ 剰余金の配当と処分

剰余金のうち、株主総会の決議によって配当と処分が決定した金額は、繰越利益剰余金勘定（純資産）から問題文の指示により、未払配当金勘定（負債）、利益準備金勘定（純資産）、別途積立金勘定（純資産）に振り替えます。

⑷ 固定資産の売却

取得原価から減価償却累計額、および当期の減価償却費を控除した金額（帳簿価額）320,000円（＊）と売却価額300,000円の差額が固定資産売却損20,000円になります。

（＊）930,000円（取得原価）－（490,000円（期首の減価償却累計額）＋120,000円（当期の減価償却費））＝320,000円

⑸ 工事完成基準（未成工事受入金）

工事完成基準を適用しているため、工事が完成し発注先に引き渡した時点で完成工事高勘定（収益）を計上します。また、受注時に受け取っていた金額は未成工事受入金勘定（負債）に計上されています。

第2問

各個別論点による計算問題です。建設業会計と一般会計の両方から出題されるので、出題範囲は少し広いですが、計算式等を覚え一つ一つ確実に解答できるようにしましょう。

(1) 材料費

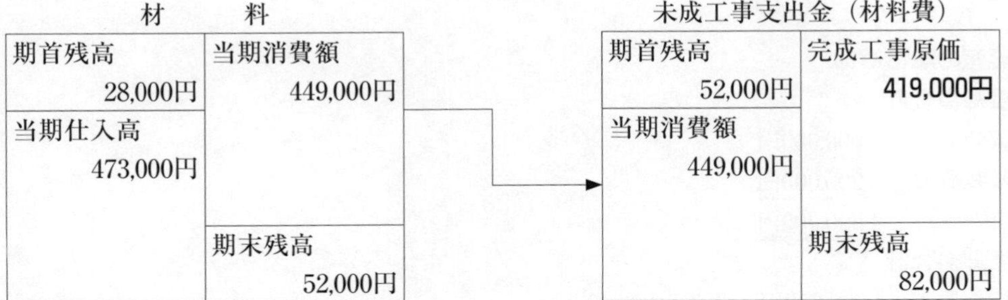

材　　料

期首残高 28,000円	当期消費額 449,000円
当期仕入高 473,000円	
	期末残高 52,000円

未成工事支出金（材料費）

期首残高 52,000円	完成工事原価 **419,000円**
当期消費額 449,000円	
	期末残高 82,000円

(2) 工事進行基準

工事の進行具合に合わせて完成工事高を計上します。

① 前期の完成工事高

$$\underset{\text{請負金額}}{12{,}000{,}000\text{円}} \times \frac{1{,}944{,}000\text{円}\langle\text{前期工事原価}\rangle}{10{,}800{,}000\text{円}\langle\text{総工事原価見積額}\rangle}(0.18) = 2{,}160{,}000\text{円}$$

② 当期までの完成工事高

$$\underset{\text{請負金額}}{12{,}000{,}000\text{円}} \times \frac{7{,}776{,}000\text{円}(*)\langle\text{当期までの工事原価}\rangle}{10{,}800{,}000\text{円}\langle\text{総工事原価見積額}\rangle}(0.72) = 8{,}640{,}000\text{円}$$

(＊) $\underset{\text{前期工事原価}}{1{,}944{,}000\text{円}} + \underset{\text{当期工事原価}}{5{,}832{,}000\text{円}} = 7{,}776{,}000\text{円}$

③ 当期の完成工事高

8,640,000円 − 2,160,000円 = **6,480,000円**

(3) 社債の買入償還

① 社債発行時（額面総額5,000,000円分）

(現　金　預　金)	4,850,000	(社　　　　債)(＊)	4,850,000

(＊) $@97\text{円} \times \frac{5{,}000{,}000\text{円}}{100\text{円}}(50{,}000\text{口}) = 4{,}850{,}000\text{円}$

② 決算時（額面総額5,000,000円分）

(社　債　利　息)(＊)	30,000	(社　　　　債)	30,000

(＊) $(\underset{\text{額面総額}}{5{,}000{,}000\text{円}} - \underset{\text{払込金額}}{4{,}850{,}000\text{円}}) \times \frac{12\text{カ月}}{60\text{カ月}} = 30{,}000\text{円}$

③　買入償還時（額面総額5,000,000円分）

（社　　　　　債）（＊1）	4,910,000	（現　金　預　金）（＊2）	5,050,000
（社 債 償 還 損）	140,000		

（＊1）4,850,000円〈払込金額〉＋30,000円×２年〈前期期首～当期末〉〈償却額〉＝4,910,000円

（＊2）@101円×$\frac{5,000,000円}{@100円}$（50,000口）＝5,050,000円

⑷　固定資産の総合償却

①　要償却額合計

機械装置Ａ：1,000,000円

機械装置Ｂ：3,200,000円

4,200,000円

②　年償却額合計

機械装置Ａ：1,000,000円÷５年＝200,000円

機械装置Ｂ：3,200,000円÷８年＝400,000円

600,000円

③　平均耐用年数

4,200,000円〈①〉÷600,000円〈②〉＝ **7年**

部門別計算に関する問題です。計算量は少々多いですが、難易度は高くありませんので、全問正解をめざしましょう。

1．部門共通費の配賦　※円未満四捨五入

⑴　労務管理費

$$116,400円 \times \frac{16人}{16人+10人+8人+6人} = \mathbf{46,560円}（A部門）$$

$$116,400円 \times \frac{10人}{16人+10人+8人+6人} = \mathbf{29,100円}（B部門）$$

$$116,400円 \times \frac{8人}{16人+10人+8人+6人} = \mathbf{23,280円}（C部門）$$

$$116,400円 \times \frac{6人}{16人+10人+8人+6人} = \mathbf{17,460円}（D部門）$$

⑵　建物関係費

$$258,000円 \times \frac{311.6㎡}{311.6㎡+213.2㎡+155.8㎡+139.4㎡} = \mathbf{98,040円}（A部門）$$

$$258,000円 \times \frac{213.2㎡}{311.6㎡+213.2㎡+155.8㎡+139.4㎡} = \mathbf{67,080円}（B部門）$$

$$258{,}000円 \times \frac{155.8m^2}{311.6m^2 + 213.2m^2 + 155.8m^2 + 139.4m^2} = \mathbf{49{,}020円}\ (C部門)$$

$$258{,}000円 \times \frac{139.4m^2}{311.6m^2 + 213.2m^2 + 155.8m^2 + 139.4m^2} = \mathbf{43{,}860円}\ (D部門)$$

(3) 電力費

$$186{,}400円 \times \frac{385kW}{385kW + 330kW + 220kW + 165kW} = \mathbf{65{,}240円}\ (A部門)$$

$$186{,}400円 \times \frac{330kW}{385kW + 330kW + 220kW + 165kW} = \mathbf{55{,}920円}\ (B部門)$$

$$186{,}400円 \times \frac{220kW}{385kW + 330kW + 220kW + 165kW} = \mathbf{37{,}280円}\ (C部門)$$

$$186{,}400円 \times \frac{165kW}{385kW + 330kW + 220kW + 165kW} = \mathbf{27{,}960円}\ (D部門)$$

(4) 福利厚生費

$$82{,}000円 \times \frac{9{,}253{,}000円}{9{,}253{,}000円 + 7{,}548{,}500円 + 4{,}383{,}000円 + 3{,}165{,}500円} = \mathbf{31{,}160円}\ (A部門)$$

$$82{,}000円 \times \frac{7{,}548{,}500円}{9{,}253{,}000円 + 7{,}548{,}500円 + 4{,}383{,}000円 + 3{,}165{,}500円} = \mathbf{25{,}420円}\ (B部門)$$

$$82{,}000円 \times \frac{4{,}383{,}000円}{9{,}253{,}000円 + 7{,}548{,}500円 + 4{,}383{,}000円 + 3{,}165{,}500円} = \mathbf{14{,}760円}\ (C部門)$$

$$82{,}000円 \times \frac{3{,}165{,}500円}{9{,}253{,}000円 + 7{,}548{,}500円 + 4{,}383{,}000円 + 3{,}165{,}500円} = \mathbf{10{,}660円}\ (D部門)$$

2．共通費計

A部門：46,560円（労務管理費）+ 98,040円（建物関係費）+ 65,240円（電力費）+ 31,160円（福利厚生費）= **241,000円**

B部門：29,100円（労務管理費）+ 67,080円（建物関係費）+ 55,920円（電力費）+ 25,420円（福利厚生費）= **177,520円**

C部門：23,280円（労務管理費）+ 49,020円（建物関係費）+ 37,280円（電力費）+ 14,760円（福利厚生費）= **124,340円**

D部門：17,460円（労務管理費）+ 43,860円（建物関係費）+ 27,960円（電力費）+ 10,660円（福利厚生費）= **99,940円**

3．部門費合計

A部門：289,300円（個別費計）+ 241,000円（共通費計）= **530,300円**

B部門：153,000円（個別費計）+ 177,520円（共通費計）= **330,520円**

C部門：128,600円（個別費計）+ 124,340円（共通費計）= **252,940円**

D部門：96,500円（個別費計）+ 99,940円（共通費計）= **196,440円**

標準的な個別原価計算による工事別原価計算表を作成する問題です。確実に高得点が取れるようにしましょう。

問1　制度的原価の基礎的分類

A　発生形態別分類

原価の発生形態とは、原価を構成する経済財の消費がどのような形態または特性で生ずるかということであり、建設業における原価はこの分類基準により、「材料費」「労務費」「経費」「外注費」に分類されています。また、この分類基準は、会計上の取引を第一次的に分類集計する際に最も適切なもので、財務会計における費用の発生を基礎とする分類ともいわれています。よって、**この分類に最も関係深い事柄は「4」ということになります。**

B　作業機能別分類

作業機能別分類とは、原価が企業経営を遂行した上で、どのような機能のために発生したかによる分類であり、建設業独特の分類としては、原価を工事種類（工種）別に区分することなどがあげられます。よって、**この分類に最も関係深い事柄は「3」ということになります。**

C　計算対象との関連性分類

原価は最終生産物（建設業においては各工事）の生成に関して、工事直接費（直接原価）と工事間接費（間接原価）に分類することができます。すなわちこれは、特定の工事に対して発生する原価を計算できるかできないかという事ですから、**この分類に最も関係深い事柄は「1」ということになります。**

D　操業度との関連性分類

操業度の増減に応じて比例的に増減する原価を変動費といい、操業度の増減にかかわらず変化しない原価を固定費といいます。

よって、**この分類に最も関係深い事柄は「2」ということになります。**　（概説　第1章）

問2　工事別原価計算表の作成

(1)　当月労務費の計算

X工事：@1,000円× 52時間＝ **52,000円**

Y工事：@1,000円× 64時間＝ **64,000円**

Z工事：@1,000円×115時間＝ **115,000円**

231,000円

(2)　当会計期間の工事間接費予定配賦率

721,000円 ÷ 20,600,000円 ＝ 0.035（3.5％）

工事間接費予算額　直接原価の総発生見込額

(3) 当月の工事間接費予定配賦額

X工事：3.5％×（76,000円（材料費）＋52,000円（労務費）＋127,000円（外注費）＋43,000円（直接経費））＝**10,430円**

Y工事：3.5％×（116,000円（材料費）＋64,000円（労務費）＋228,000円（外注費）＋62,000円（直接経費））＝**16,450円**

Z工事：3.5％×（281,000円（材料費）＋115,000円（労務費）＋458,000円（外注費）＋94,000円（直接経費））＝**33,180円**

60,060円

(4) 工事間接費配賦差異の月末残高

60,060円（予定配賦額）－58,000円（実際発生額）－9,500円（前月繰越・借方）＝**△7,440円（借方・A）**

(5) 工事別原価計算表

① 当月完成工事原価

X工事：1,189,000円（前月繰越）(＊)＋76,000円（材料費）＋52,000円（労務費）＋127,000円（外注費）＋43,000円（直接経費）＋10,430円（工事間接費）

＝**1,497,430円**

(＊) 389,000円（材料費）＋133,000円（労務費）＋542,000円（外注費）＋125,000円（直接経費）＝**1,189,000円**

Z工事：281,000円（材料費）＋115,000円（労務費）＋458,000円（外注費）＋94,000円（直接経費）＋33,180円（工事間接費）＝**981,180円**

② 月末未成工事原価

Y工事：1,430,000円（前月繰越）(＊)＋116,000円（材料費）＋64,000円（労務費）＋228,000円（外注費）＋62,000円（直接経費）＋16,450円（工事間接費）

＝**1,916,450円**

(＊) 501,000円（材料費）＋164,000円（労務費）＋623,000円（外注費）＋142,000円（直接経費）＝**1,430,000円**

精算表の作成問題です。退職給付引当金の計算において、今までと違った方法で出題されたので、少々難しかったと思います。ただしその他は本試験において毎回出題され、なおかつ出題論点も類似しているので確実に高得点を取るようにしましょう。

(1) 不渡手形の計上と当該手形に対する貸倒引当金の計上

① 不渡手形の計上

(不渡手形)	12,000	(受取手形)	12,000

② 不渡手形に対する貸倒引当金の計上

(貸倒引当金繰入額)(＊)	12,000	(貸倒引当金)	12,000

(＊) 12,000円（不渡手形）×100％＝12,000円

(2) 仮設材料の評価（すくい出し方式）

(材料貯蔵品)	2,500	(未成工事支出金)	2,500

(3) 仮払金

①

(販売費及び一般管理費) 旅費交通費	7,000	(仮払金)	6,000
		(未払金)	1,000

② ⑽の法人税等の計上で処理します。

(4) 仮受金

①

(仮受金)	7,000	(完成工事未収入金)	7,000

②

(仮受金)	14,000	(未成工事受入金)	14,000

(5) 貸倒引当金の計上

(貸倒引当金繰入額)(＊)	1,000	(貸倒引当金)	1,000

(＊)（442,000円（受取手形）－12,000円（(1)①）＋602,000円（完成工事未収入金）－7,000円（(4)①））× 2％－19,500円（T/B貸倒引当金）＝1,000円

(6) 減価償却費の計上（予定計算）

① 機械装置

機械装置の減価償却費については、工事現場用であり月額3,500円が予定計上（工事原価算入）されているため、決算時の実際発生額との差額は、当期の工事原価（未成工事支出金）に加減します。

(未成工事支出金)(＊) 減価償却費	1,000	(機械装置減価償却累計額)	1,000

(＊)（3,500円／月×12カ月）（予定計上額）－43,000円（実際発生額）＝△1,000円（計上不足）

② 備品

(販売費及び一般管理費)(*) 減価償却費	19,000	(備品減価償却累計額)	19,000

(*) 95,000円÷5年=19,000円

(7) 退職給付引当金

退職給付引当金については管理部門、施工部門ともに期末の要支給額(設定額)で、資料が与えられているため、当期末の要支給額から前期末の要支給額を差し引いて繰入額を求めます。

① 管理部門

(販売費及び一般管理費)(*) 退職給付引当金繰入額	15,000	(退職給付引当金)	15,000

(*) 97,000円(当期末要支給額)-(85,000円(前期末要支給額)-3,000円(期中取崩額))=15,000円

② 施工部門

(未成工事支出金)(*) 退職給付引当金繰入額	18,000	(退職給付引当金)	18,000

(*) 183,000円(当期末要支給額)-165,000円(前期末要支給額)=18,000円

(8) 完成工事補償引当金の計上

(完成工事補償引当金)	800	(未成工事支出金)(*) 完成工事補償引当金戻入額	800

(*) (4,500,000円(完成工事高)×0.1%)-5,300円(T/B完成工事補償引当金)=△800円(戻入額)

(9) 完成工事原価

未成工事支出金の決算整理前残高に決算整理事項等を考慮し、振替額を算定します。本問では、次期繰越額が411,200円なので、差額の2,500円を完成工事原価に振り替えます。

(完成工事原価)	2,500	(未成工事支出金)(*)	2,500

(*) 398,000円(T/B未成工事支出金)-2,500円((2))+1,000円((6)①)+18,000円((7)②)-800円((8))-411,200円(次期繰越)=2,500円

(10) 法人税等の計上

(法人税、住民税及び事業税)(*)	111,800	(仮払金)	58,000
		(未払法人税等)	53,800

(*) (4,506,000円(収益合計)-4,226,500円(費用合計))×40%=111,800円

第25回　解　答

問　題 ▶ 6

第1問 20点　仕　訳　記号（A～Y）も必ず記入のこと　　仕訳一組につき４点

No.	借方 記号	借方 勘定科目	借方 金額	貸方 記号	貸方 勘定科目	貸方 金額
(例)	B	当座預金	100000	A	現金	100000
(1)	H	建設仮勘定	5800000	D	未成工事支出金	5800000
(2)	K	工事未払金	2350000	B U	当座預金 仕入割引	2342400 7600
(3)	D	未成工事支出金	935000	W A	預り金 現金	58000 877000
(4)	C N	完成工事未収入金 完成工事原価	60000000 54000000	Y D	完成工事高 未成工事支出金	60000000 54000000
(5)	B M	当座預金 手形売却損	397200 2800	L	割引手形	400000

第2問 12点

●数字…予想配点

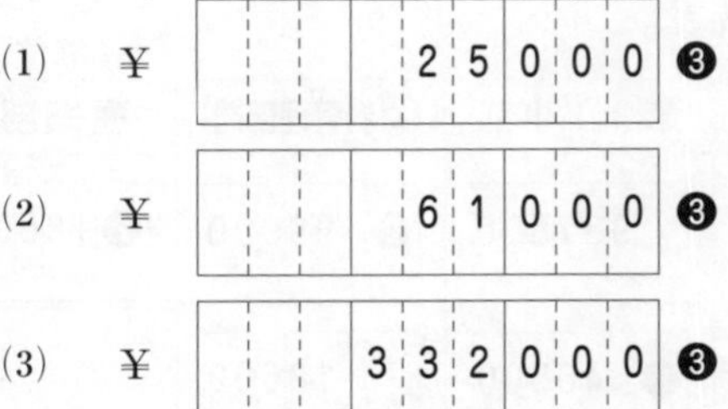

(1) ¥ 25,000 ❸

(2) ¥ 61,000 ❸

(3) ¥ 332,000 ❸

(4) ¥ 371,700 ❸

第3問 24点

●数字…予想配点

第25回

問1

記号（A～C）

1	2	3
C	B	A

各❶

問2

工事原価明細表
平成30年12月

（単位：円）

	当月発生工事原価		当月完成工事原価	
Ⅰ．材料費	748,000	❸	765,000	
Ⅱ．労務費	872,000		895,000	❸
Ⅲ．外注費	2,343,000		2,299,000	❸
Ⅳ．経　費	316,500		312,500	❸
（うち人件費）	（116,700）	❸	（119,700）	
工事原価	4,279,500	❸	4,271,500	❸

第4問 14点

●数字…予想配点

部門費振替表

(単位：円)

摘　　要	合　　計	第１工事部	第２工事部	第３工事部	(材料管理部門)	(運搬部門)
部門費合計		785,900	682,400	937,600	❷ 99,000	❷ 186,000
(運搬部門費)	(186,000)	❷ 55,800	65,100	❷ 46,500	18,600	
(材料管理部門費)	(117,600)	34,800	❷ 50,400	32,400		
合　　計		876,500	❷ 797,900	❷ 1,016,500		

第5問 30点

●数字…予想配点

精　算　表

（単位：円）

勘定科目	残高試算表		整理記入		損益計算書		貸借対照表	
	借方	貸方	借方	貸方	借方	貸方	借方	貸方
現金	4300						4300	
当座預金	82500						82500	
受取手形	874000						874000	
完成工事未収入金	1286000						1286000	
貸倒引当金		39200		4000				❸43200
有価証券	75000			47000			28000	
未成工事支出金	783000		2000 5000 2900	2000 1600			789300	
材料貯蔵品	45800						45800	
仮払金	91200			4200 87000				
前払費用	2000		12000				14000	
機械装置	420000						420000	
機械装置減価償却累計額		286000		2000				❸288000
備品	50000						50000	
備品減価償却累計額		32000		7200				39200
投資有価証券	22000		15000				37000	
支払手形		706200						706200
工事未払金		627000		5000				632000
借入金		356000						356000
未成工事受入金		236000						236000
仮受金		52000	52000					
完成工事補償引当金		7600	4200	2900				6300
退職給付引当金		487000	2000	24000				❸509000
資本金		500000						500000
繰越利益剰余金		120000						120000
完成工事高		3150000				3150000		
完成工事原価	2746000		1600		❸2747600			
販売費及び一般管理費	116000		7200 24000	32000	❸115200			
受取利息配当金		5200				5200		
支払利息	6400				6400			
	6604200	6604200						
長期前払費用			20000				❸20000	
償却債権取立益				52000		❸52000		
貸倒引当金繰入額			4000		4000			
子会社株式			32000				❸32000	
未払法人税等				46600				❸46600
法人税、住民税及び事業税			133600		133600			
			317500	317500	3006800	3207200	3682900	3482500
当期（純利益）					❸200400			200400
					3207200	3207200	3682900	3682900

第25回　解答への道　問題 6

全体的に標準レベルの問題です。確実に高得点をめざしましょう。

第1問

指定された勘定科目と記号を使用して解答しなければ正解にはなりませんので注意してください。
A：易、B：普、C：難となっています。5題中4題以上の正解をめざしましょう。

(1) A　(2) A　(3) A　(4) A　(5) A

(1) 訂正仕訳（建設仮勘定）

期中に行っていた仕訳（現金預金で処理していた場合）

（未成工事支出金）	5,800,000	（現金預金）	5,800,000

自家用の材料倉庫の建設に係る費用は建設仮勘定（資産）で処理するため、訂正を行います。

① 期中仕訳の逆仕訳

（現金預金）	5,800,000	（未成工事支出金）	5,800,000

② 正しい仕訳

（建設仮勘定）	5,800,000	（現金預金）	5,800,000

③ 訂正仕訳

①＋②が本問の解答になります。

(2) 仕入割引

工事未払金の早期決済による割引額7,600円は仕入割引勘定（収益）で処理します。

(3) 賃金の支払い

現場作業員に賃金を支払う時に控除した源泉所得税および社会保険料自己負担分の総額を、預り金勘定（負債）で処理し、残額を現金で支払います。

(4) 工事進行基準

当期より工事進行基準を適用することとしたため、前期と当期を合わせた進行具合により完成工事高を計上します。

① 完成工事高

$$\underset{\text{請負金額}}{75{,}000{,}000\text{円}} \times \frac{10{,}500{,}000\text{円}\langle\text{前期工事原価}\rangle + 43{,}500{,}000\text{円}\langle\text{当期工事原価}\rangle}{67{,}500{,}000\text{円}\langle\text{総工事原価見積額}\rangle}(0.8) = 60{,}000{,}000\text{円}$$

② 完成工事原価

$$\underset{\text{前期}}{10{,}500{,}000\text{円}} + \underset{\text{当期}}{43{,}500{,}000\text{円}} = 54{,}000{,}000\text{円}$$

(5) 手形の割引き（評価勘定）

割り引いた手形金額400,000円を評価勘定である割引手形勘定に計上するとともに、割引料は手形売却損勘定（費用）で処理します。

各個別論点による計算問題です。建設業会計と一般会計の両方から出題されるので、出題範囲は少し広いですが、計算式等を覚え一つ一つ確実に解答できるようにしましょう。

(1) B　(2) A　(3) A　(4) A

(1) のれんの償却

① 買収時

(諸　資　産)	7,250,000	(諸　負　債)	2,750,000
(の　れ　ん)	500,000	(現金預金など)	5,000,000

② のれんの償却

500,000円 ÷ 20年 = **25,000円**
（20年：会計基準が定める最長期間）

(2) 材料評価損

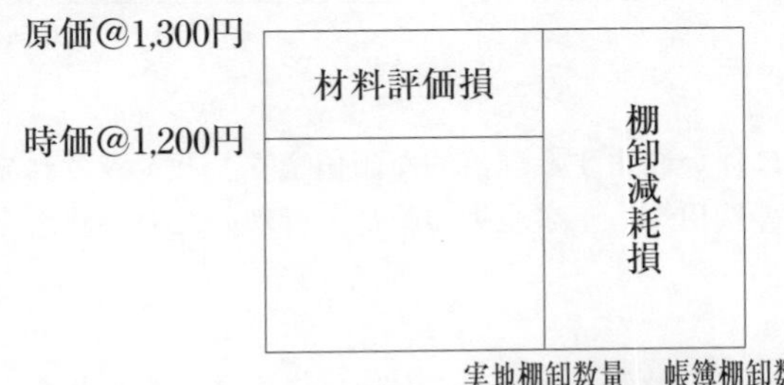

(＊) 実地棚卸数量：650kg － 40kg = 610kg
（650kg：帳簿棚卸数量　40kg：棚卸減耗）

材料評価損：(@1,300円 − @1,200円) × 610kg = **61,000円**

(3) 銀行勘定調整表

当社の当座預金残高を仮に100,000円と仮定して銀行勘定調整表を作成し、解答を求めます。

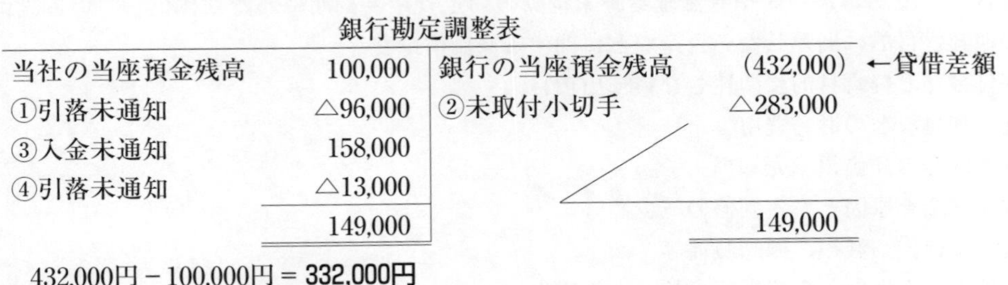

銀行勘定調整表

当社の当座預金残高	100,000	銀行の当座預金残高	(432,000) ←貸借差額
①引落未通知	△96,000	②未取付小切手	△283,000
③入金未通知	158,000		
④引落未通知	△13,000		
	149,000		149,000

432,000円 − 100,000円 = **332,000円**
（432,000円：銀行　100,000円：当社）

(4) 受取利息

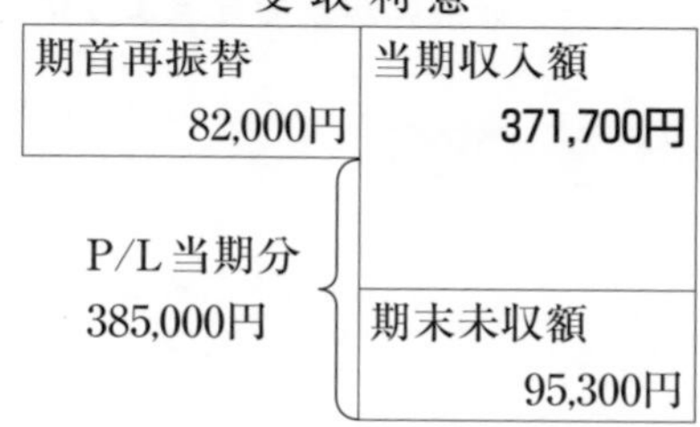

工事原価明細表を作成する問題です。経費とその中に含まれる人件費の計算が少々面倒ですが、それ以外は標準的な内容なので、少しでも高得点が取れるようにがんばりましょう。

問1 原価と非原価

A 工事原価

工事原価とは「受注した建設工事の完成に伴い発生する経済的な価値犠牲」と定義されています。具体的には建物等の建築物を作るための費用や、工事現場の維持・管理のための費用をいいます。

B 期間原価（ピリオド・コスト）

期間費用とは、一定期間の収益に関連させて集計する原価のことをいいます。すなわち、一会計期間に発生した費用のことであり、販売費及び一般管理費のことをいいます。

C 非原価（原価外項目）

非原価（原価外項目）とは、上記の工事原価や販売費及び一般管理費に含めない費用または損失をいいます。具体的には次のようなものがあります。

(1) 経営目的に関連しないもの

① 投資資産である不動産や有価証券、未稼動の固定資産、長期にわたり休止している設備、その他経営目的に関連しない資産などに関する減価償却費等

② 寄付金など経営目的に関連しない支出項目

③ 支払利息などの財務費用

④ 有価証券の評価損や売却損

(2) 異常な状態を原因とする価値の減少

① 異常な仕損、減損、棚卸減耗等

② 火災や風水害などの偶発的事故による損失

③ 予期し得ない陳腐化等によって固定資産に著しい減価を生じた場合の臨時償却費

④ 延滞金、違約金、罰課金、損害賠償金

⑤ 偶発債務損失

⑥ 訴訟費

⑦ 臨時多額の退職手当

⑧ 固定資産売却損及び除却損

⑨ 異常な貸倒損失

(3) 税法上特に認められている損金算入項目

(4) その他の利益剰余金に課する項目

（概説　第1章）

以上を本問にあてはめると、以下のようになります。

1.「工事用機械を購入するための借入金の利息の支出」

これは、支払利息となるので、**C非原価**の(1)－③に該当します。

2.「入札に応じたが受注できなかった工事の設計料」

これは、受注できなかったことにより、一会計期間に発生した費用となるため、**B期間原価**に該当します。

3.「工事現場監督者の人件費」

これは、工事現場の維持・管理のための費用になるので、**A工事原価**に該当します。

問2　工事原価明細表の作成

(1) 当月発生工事原価

① 材料費

766,000円（支払高）－236,000円（月初未払）＋218,000円（月末未払）＝**748,000円**

② 労務費

865,000円（支払高）－89,000円（月初未払）＋96,000円（月末未払）＝**872,000円**

③ 外注費

2,385,000円（支払高）－289,000円（月初未払）＋247,000円（月末未払）＝**2,343,000円**

④ 経費

6,200円（事務用品費）＋22,600円（通信交通費）＋53,000円（交際費）＋(68,000円（動力用水光熱費）－7,500円（月初未払）＋8,000円（月末未払）)

＋(114,000円（従業員給料手当）－16,000円（月初未払）＋15,000円（月末未払）)＋(3,800円（法定福利費）－600円（月初未払）＋500円（月末未払）)

＋(6,000円（保険料）＋8,000円（月初前払）－12,500円（月末前払）)＋(49,000円（地代家賃）＋17,000円（月初前払）－18,000円（月末前払）)＝**316,500円**

⑤ 経費のうち人件費

(114,000円（従業員給料手当）－16,000円（月初未払）＋15,000円（月末未払）)＋(3,800円（法定福利費）－600円（月初未払）＋500円（月末未払）)＝**116,700円**

(2) 当月完成工事原価

① 材料費

252,000円（月初有高）＋748,000円（(1)①）－235,000円（月末有高）＝**765,000円**

② 労務費

165,000円（月初有高）＋872,000円（(1)②）－142,000円（月末有高）＝**895,000円**

③ 外注費

538,000円（月初有高）＋2,343,000円（(1)③）－582,000円（月末有高）＝**2,299,000円**

④　経費

158,000円 + 316,500円 − 162,000円 = **312,500円**
（月初有高）（(1)④）（月末有高）

⑤　経費のうち人件費

18,000円 + 116,700円 − 15,000円 = **119,700円**
（月初有高）（(1)⑤）（月末有高）

部門別計算に関する問題です。補助部門費の配賦順位には注意する必要がありますが、難易度は高くありませんので、全問正解をめざしましょう。

〈補助部門費の配賦（階梯式配賦法）〉

運搬部門の配賦が第1順位のため、先に運搬部門費を他部門へ配賦します。

(1)　運搬部門

$$186{,}000円 \times \frac{30\%}{30\% + 35\% + 25\% + 10\%} = \mathbf{55{,}800円}（第1工事部）$$

$$186{,}000円 \times \frac{35\%}{30\% + 35\% + 25\% + 10\%} = \mathbf{65{,}100円}（第2工事部）$$

$$186{,}000円 \times \frac{25\%}{30\% + 35\% + 25\% + 10\%} = \mathbf{46{,}500円}（第3工事部）$$

$$186{,}000円 \times \frac{10\%}{30\% + 35\% + 25\% + 10\%} = \mathbf{18{,}600円}（材料管理部門）$$

(2)　材料管理部門（99,000円 + 18,600円 = 117,600円）

$$117{,}600円 \times \frac{29\%}{29\% + 42\% + 27\%} = \mathbf{34{,}800円}（第1工事部）$$

$$117{,}600円 \times \frac{42\%}{29\% + 42\% + 27\%} = \mathbf{50{,}400円}（第2工事部）$$

$$117{,}600円 \times \frac{27\%}{29\% + 42\% + 27\%} = \mathbf{32{,}400円}（第3工事部）$$

第5問 難易度 **B**

精算表の作成問題です。本試験において毎回出題され、なおかつ出題論点も類似しているので確実に高得点を取るようにしましょう。

(1) 有価証券の振り替え

(投資有価証券)	15,000	(有価証券)	47,000
(子会社株式)	32,000		

(2) 仮払金

①

(完成工事補償引当金)	4,200	(仮払金)	4,200

② (11)の法人税等の計上で処理します。

(3) 減価償却費の計上（予定計算）

① 機械装置

機械装置の減価償却費については、工事現場用であり月額7,000円が予定計上（工事原価算入）されているため、決算時の実際発生額との差額は、当期の工事原価（未成工事支出金）に加減します。

(未成工事支出金)(＊) 減価償却費	2,000	(機械装置減価償却累計額)	2,000

(＊) (7,000円／月×12カ月)［予定計上額］－86,000円［実際発生額］＝△2,000円（計上不足）

② 備品

(販売費及び一般管理費)(＊) 減価償却費	7,200	(備品減価償却累計額)	7,200

(＊) (50,000円－32,000円)×0.4＝7,200円

(4) 仮受金

(仮受金)	52,000	(償却債権取立益)	52,000

(5) 貸倒引当金の計上

(貸倒引当金繰入額)(＊)	4,000	(貸倒引当金)	4,000

(＊) (874,000円［受取手形］＋1,286,000円［完成工事未収入金］)× 2％－39,200円［T/B貸倒引当金］＝4,000円（繰入）

(6) 退職給付引当金

① 本社事務職員

(販売費及び一般管理費) 退職給付引当金繰入額	24,000	(退職給付引当金)	24,000

② 現場作業員

現場作業員の繰入額は、月額4,500円が予定計上（工事原価算入）されているため、決算時の実際発生額との差額は、当期の工事原価（未成工事支出金）に加減します。

（退職給付引当金）（＊）	2,000	（未成工事支出金） 退職給付引当金繰入額	2,000

（＊）（4,500円／月×12カ月）－52,000円＝2,000円（過大計上）
予定計上額　実際発生額

⑺ 賃金（現場作業員）の計上

（未成工事支出金） 賃金	5,000	（工事未払金）	5,000

⑻ 完成工事補償引当金の計上

（未成工事支出金）（＊） 完成工事補償引当金繰入額	2,900	（完成工事補償引当金）	2,900

（＊）（3,150,000円×0.2％）－（7,600円－4,200円）＝2,900円（繰入額）
完成工事高　T/B完成工事補償引当金　(2)①

⑼ 前払費用

（前払費用）	12,000（＊1）	（販売費及び一般管理費） 保険料	32,000
（長期前払費用）	20,000（＊2）		

（＊1）36,000円×$\frac{12カ月}{36カ月}$＝12,000円

（＊2）36,000円×$\frac{20カ月（＊3）}{36カ月}$＝20,000円

（＊3）36カ月－（4カ月＋12カ月）＝20カ月
当期分　次期分

⑽ 完成工事原価

未成工事支出金の決算整理前残高に決算整理事項等を考慮し、振替額を算定します。本問では、次期繰越額が789,300円なので、差額の1,600円を完成工事原価に振り替えます。

（完成工事原価）	1,600	（未成工事支出金）（＊）	1,600

（＊）783,000円＋2,000円－2,000円＋5,000円＋2,900円－789,300円＝1,600円
T/B未成工事支出金　(3)①　(6)②　(7)　(8)　次期繰越

⑾ 法人税等の計上

（法人税、住民税及び事業税）（＊）	133,600	（仮払金）	87,000
		（未払法人税等）	46,600

（＊）（3,207,200円－2,873,200円）×40％＝133,600円
収益合計　費用合計

MEMO

第26回 解答

問題 10

第1問 20点 仕 訳 記号（A～X）も記入のこと

仕訳一組につき４点

No.	借方			貸方		
	記号	勘定科目	金額	記号	勘定科目	金額
(例)	B	当座預金	100000	A	現金	100000
(1)	W	有価証券評価損	657000	F	有価証券	657000
(2)	H	機械装置	5940000	T B	営業外支払手形 当座預金	5800000 140000
(3)	D	材料貯蔵品	360000	G	未成工事支出金	360000
(4)	B M	当座預金 貸倒引当金	400000 200000	E	完成工事未収入金	600000
(5)	N	別段預金	5500000	R	新株式申込証拠金	5500000

別解 (4)（借）B 当 座 預 金 400,000 （貸）E 完成工事未収入金 600,000
M 貸 倒 引 当 金 300,000 X 貸倒引当金戻入 100,000

第2問 12点

●数字…予想配点

(1) ¥ 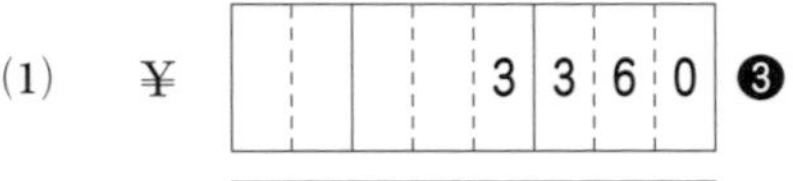
3360 ❸

(2) ¥ 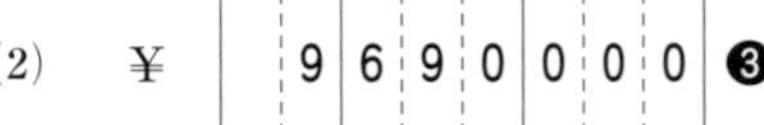
9690000 ❸

(3) ¥ 
153800 ❸

(4) ¥ 
2000 ❸

第3問 14点

●数字…予想配点

解答

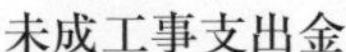

未成工事支出金

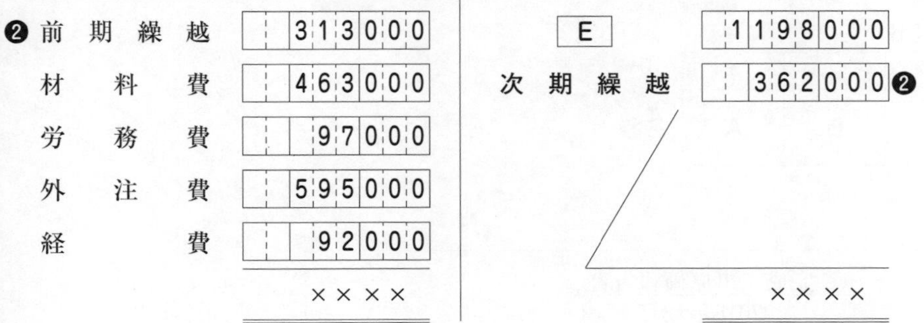

	借方		貸方
❷ 前期繰越	313000	E	1198000
材料費	463000	次期繰越	362000 ❷
労務費	97000		
外注費	595000		
経費	92000		
	××××		××××

完成工事原価

	借方		貸方
❷ D	1198000	損益	1198000

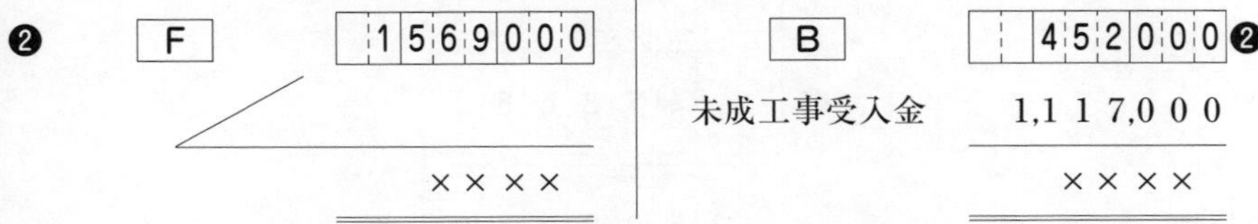

完成工事高

	借方		貸方
❷ F	1569000	B	452000 ❷
		未成工事受入金	1,117,000
	××××		××××

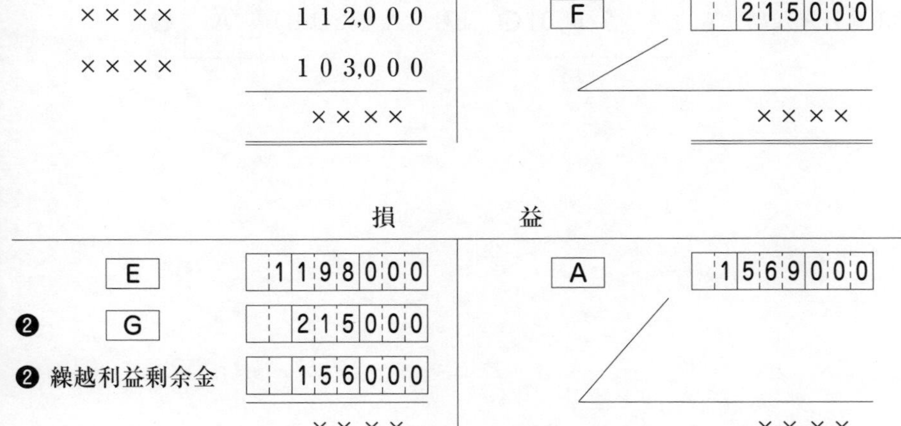

販売費及び一般管理費

	借方		貸方
××××	112,000	F	215000
××××	103,000		
	××××		××××

損益

	借方		貸方
E	1198000	A	1569000
❷ G	215000		
❷ 繰越利益剰余金	156000		
	××××		××××

第26回

第4問 24点

●数字…予想配点

問1

記号（AまたはB）

1	2	3	4
B	A	B	A

各❶

問2

完成工事原価報告書
2018年12月

（単位：円）

Ⅰ. 材　料　費	❹	579000
Ⅱ. 労　務　費	❹	818000
Ⅲ. 外　注　費	❹	1627000
Ⅳ. 経　　　費	❹	478650
完成工事原価		3502650

工事間接費配賦差異月末残高　¥ 700 ❷　記号（AまたはB） A ❷

第5問 30点

●数字…予想配点

精　算　表

(単位：円)

勘定科目	残高試算表		整理記入		損益計算書		貸借対照表	
	借方	貸方	借方	貸方	借方	貸方	借方	貸方
現金	7800			1400			6400	
当座預金	93000						93000	
受取手形	826000						826000	
完成工事未収入金	1141000			57000			1084000	
貸倒引当金		42000	3800					❸38200
未成工事支出金	972200		800 1800	4400 2500			967900	
材料貯蔵品	64000			800			❸63200	
仮払金	61000			9000 52000				
機械装置	450000						450000	
機械装置減価償却累計額		265000	4400					❸260600
備品	75000						75000	
備品減価償却累計額		45000		15000				60000
支払手形		955000						955000
工事未払金		71400						71400
借入金		270000						270000
未払金		23000		6000				❸29000
未成工事受入金		185000						185000
仮受金		57000	57000					
完成工事補償引当金		6500		1800				8300
退職給付引当金		540000						540000
資本金		800000						800000
繰越利益剰余金		100000						100000
完成工事高		4150000				4150000		
完成工事原価	3626000		2500		❸3628500			
販売費及び一般管理費	174100		1200 15000 6000		❸196300			
受取利息配当金		7100				7100		
支払利息	26900		6000		32900			
	7517000	7517000						
前払費用			3000				❸3000	
貸倒引当金戻入				3800		3800		
雑損失			200		❸200			
未払法人税等				69200				❸69200
法人税、住民税及び事業税			121200		121200			
			222900	222900	3979100	4160900	3568500	3386700
当期（純利益）					❸181800			181800
					4160900	4160900	3568500	3568500

第26回　解答への道　問題 10

全体的に標準レベルの問題です。第３問の勘定記入と第４問の計算が少し難しいですが、高得点をめざしましょう。

第1問

指定された勘定科目と記号を使用して解答しなければ正解にはなりませんので注意してください。
A：易、B：普、C：難となっています。５題中４題以上の正解をめざしましょう。

(1)	(2)	(3)	(4)	(5)
A	A	A	A	A

⑴　有価証券の評価

売買目的で所有している有価証券は、期末において時価評価します。

@900円×3,000株（当期末時価）－（@1,100円×3,000株＋57,000円）（帳簿価額）＝△657,000円（有価証券評価損）

⑵　固定資産の購入（営業外支払手形）

固定資産を購入した際に約束手形を振り出した場合、通常の営業取引で用いる支払手形（負債）と区別して営業外支払手形勘定（負債）で処理します。

⑶　すくい出し方式

材料等を工事用に供した時点において、その取得価額の全額を未成工事支出金勘定で処理し、工事の完了時において評価額がある場合、その評価額をその工事原価から控除する方法をすくい出し方式といいます。

⑷　貸倒れ

①　代金回収の処理

借方	金額	貸方	金額
（当座預金）	400,000	（完成工事未収入金）	400,000

②　貸倒れの処理

完成工事未収入金600,000円のうち400,000円は回収できたので、残額200,000円を貸倒れと考えます。

借方	金額	貸方	金額
（貸倒引当金）	200,000	（完成工事未収入金）（＊）	200,000

（＊）600,000円（完成工事未収入金）－400,000円（回収額）＝200,000円

①と②をあわせたものが解答となります。

別解　貸倒引当金戻入の処理の追加

貸倒引当金設定額300,000円のうち200,000円を貸倒れにより取り崩し（上記②）、残額100,000円は設定の対象となる完成工事未収入金が消滅したことにより戻し入れる（下記の仕訳を追加する）と考えれば別解の仕訳になります。

借方	金額	貸方	金額
（貸倒引当金）	100,000	（貸倒引当金戻入）（＊）	100,000

（＊）300,000円（貸倒引当金設定額）－200,000円（貸倒れ）＝100,000円

(5) 新株式申込証拠金

新株を発行する際に払い込まれた証拠金は新株式申込証拠金勘定（純資産）で処理します。

第2問 各個別論点による計算問題です。建設業会計と一般会計の両方から出題されるので、出題範囲は少し広いですが、計算式等を覚え一つ一つ確実に解答できるようにしましょう。

(1) A　(2) B　(3) A　(4) B

(1) 内部利益の計算

支店が有している材料のうち本店から仕入れた材料にはすべて３％の内部利益が加算されています。

内部利益：$\underbrace{(82{,}400円 + 32{,}960円)}_{本店仕入分} \times \dfrac{0.03}{1.03} = $ **3,360円**

(2) 工事進行基準

工事の進行具合に合わせて完成工事高を計上します。

① 前期の完成工事高

$\underbrace{17{,}000{,}000円}_{請負金額} \times \dfrac{2{,}601{,}000円〈前期工事原価〉}{14{,}450{,}000円〈総工事原価見積額〉}(0.18) = 3{,}060{,}000円$

② 当期までの完成工事高

$\underbrace{17{,}000{,}000円}_{請負金額} \times \dfrac{11{,}347{,}500円(*)〈当期までの工事原価〉}{15{,}130{,}000円〈変更後総工事原価見積額〉}(0.75) = 12{,}750{,}000円$

(＊) $\underbrace{2{,}601{,}000円}_{前期工事原価} + \underbrace{8{,}746{,}500円}_{当期工事原価} = 11{,}347{,}500円$

③ 当期の完成工事高

12,750,000円－3,060,000円＝**9,690,000円**

(3) 消費税（税抜方式）

（仮受消費税）(＊)	**153,800**	（仮払消費税）	125,300
		（未払消費税）	28,500

(＊) 貸借差額

(4) 剰余金の配当と処分

剰余金の配当および処分にあたっての利益準備金の積立額は、次のように計算します。

① 配当または中間配当 $\times \dfrac{1}{10}$
② 資本金 $\times \dfrac{1}{4}$ －(資本準備金＋利益準備金)
} いずれか小さい方

① $\underbrace{25{,}000円}_{株主配当金} \times \dfrac{1}{10} = 2{,}500円$

② $\underbrace{100{,}000円}_{資本金} \times \dfrac{1}{4} - (\underbrace{15{,}000円}_{資本準備金} + \underbrace{8{,}000円}_{利益準備金}) = 2{,}000円$

③ ①＞②　　∴ **2,000円**

勘定記入の問題です。受験生の苦手な論点ですが、勘定連絡図をイメージして少しでも高得点が取れるようにがんばりましょう。

〈勘定連絡図〉

本問における勘定連絡図を示すと次のようになります。

未成工事支出金

前期繰越	313,000	E完成工事原価	1,198,000
材料費	463,000	次期繰越	362,000
労務費	97,000		
外注費	595,000		
経費	92,000		
	1,560,000		1,560,000

完成工事原価

D未成工事支出金	1,198,000	損益	1,198,000

完成工事高

F損益	1,569,000	B完成工事未収入金	452,000
		未成工事受入金	1,117,000
	1,569,000		1,569,000

販売費及び一般管理費

××××	112,000	F損益	215,000
××××	103,000		
	215,000		215,000

損益

E完成工事原価	1,198,000	A完成工事高	1,569,000
G販売費及び一般管理費	215,000		
繰越利益剰余金	156,000		
	1,569,000		1,569,000

(1) 未成工事支出金勘定

① 借方

前期繰越：92,000円（材料費期首残高）＋47,000円（労務費期首残高）＋137,000円（外注費期首残高）＋37,000円（経費期首残高）＝313,000円

材料費：463,000円（材料費当期発生額）

労務費：97,000円（労務費当期発生額）

外注費：595,000円（外注費当期発生額）

経　費：92,000円（経費当期発生額）

合　計：313,000円＋463,000円＋97,000円＋595,000円＋92,000円
＝1,560,000円

② 貸方

次期繰越：112,000円 + 62,000円 + 145,000円 + 43,000円 = 362,000円
（材料費繰越額／労務費繰越額／外注費繰越額／経費繰越額）

E完成工事原価：1,560,000円 − 362,000円 = 1,198,000円
（借方合計／次期繰越）

(2) 完成工事原価勘定

① 借方

D未成工事支出金：1,198,000円（未成工事支出金からの振替額）

② 貸方

損　　益：1,198,000円（借方と同額）

(3) 完成工事高勘定

① 貸方

B完成工事未収入金：452,000円（請負金の支払いが次期以降のもの）

未成工事受入金：1,117,000円

合　　計：452,000円 + 1,117,000円 = 1,569,000円

② 借方

F損益：1,569,000円（貸方合計と同額）

(4) 販売費及び一般管理費勘定

① 借方

合計：112,000円 + 103,000円 = 215,000円

② 貸方

F損益：215,000円（借方合計と同額）

(5) 損益勘定

① 貸方

A完成工事高：1,569,000円（完成工事高からの振替額）

② 借方

E完成工事原価：1,198,000円（完成工事原価からの振替額）

G販売費及び一般管理費：215,000円（販売費及び一般管理費からの振替額）

繰越利益剰余金：156,000円（貸借差額）

標準的な個別原価計算による完成工事原価報告書を作成する問題です。
ただし、材料払出額の計算において移動平均法により自ら計算しなくてはならないので少し時間のかかる問題となります。

問1　原価計算制度と特殊原価調査

(1) 原価計算制度

原価計算制度とは、複式簿記（財務会計機構）と有機的に結合して、常時継続的に行われる原価計算である。

この原価計算制度は、経常的な目的（財務諸表作成、原価管理、予算統制等）が達成されるための一定の計算秩序である。

建設業における具体例としては、積算用資料として、過去の仮設作業コストの収集や分析をしたり、受注工事の実行予算書を作成することなどが挙げられる。

⑵ 特殊原価調査

特殊原価調査とは、財務会計機構のらち外において随時断片的に実施される意思決定原価に関する分析と調査の作業をいう。

この特殊原価調査は、長期的で構造的な問題から、短期的で業務的な問題まで、各種の特定の意思決定問題が生じたときに、その意思決定に役立つ原価情報を提供するとともに、個別的に行われる計算と分析である。

なお、特殊原価調査で使われる原価は、意思決定用の原価データであることから、すべて事前原価あるいは未来原価である。また、特別な原価である機会原価、差額原価、増分原価、取替原価、付加原価、回避可能原価などの原価概念が使われる。

建設業における具体例としては、新素材の建設資材を採用するか否かの採算計算、新型建設機械への取替え用の検討資料作成などが挙げられる。

⑶ 原価計算制度と特殊原価調査の比較

原価計算制度と特殊原価調査との相違を項目別に比較すると、次のとおりである。

	原価計算制度	特殊原価調査
会計機構との関係	財務会計機構と結合した計算	財務会計機構のらち外で実施される計算および分析
実施期間	常時継続的	随時断片的、個別的
技　法	配賦計算中心、会計的	比較計算中心、調査的、統計的
活用原価概念	過去原価、支出原価中心	未来原価、機会原価中心
目的機能	財務諸表作成目的を基本とし、同時に原価管理、予算管理などの目的を達成する。	長期、短期経営計画の立案、管理に伴う、意思決定に役立つ原価情報を提供する。

（概説第１章）

以上を本問にあてはめると、以下のようになります。

1.「自社の作業員が施工している作業を外注したほうが良いかどうかの意思決定資料の作成」

この文章では、比較計算について述べています。よって、この文章の計算は（B）**特殊原価調査**になります。

2.「複数の工事現場を担当している施工管理者の人件費を、各工事に予定賃率で配賦する工事原価の集計」

この文章では、配賦計算について述べています。よって、この文章の計算は（A）**原価計算制度**になります。

3.「建設機械の買い替えに関する経済計算」

この文章では、比較計算について述べています。よって、この文章の計算は（B）**特殊原価調査**になります。

4.「施工中の工事に関して期末に行う総工事原価の算定」

この文章では、原価計算を行い複式簿記（財務会計機構）と結合した計算について述べています。よって、この文章の計算は（A）**原価計算制度**になります。

問2　完成工事原価報告書の作成

(1)　材料払出単価と直接材料費の算定

材料元帳

2018年12月　　　　(数量：kg　単価及び金額：円)

月	日	摘要	受入 数量	受入 単価	受入 金額	払出 数量	払出 単価	払出 金額	残高 数量	残高 単価	残高 金額
12	1	前月繰越	1,800	100	180,000				1,800	100	180,000
	3	1001工事				100	100	10,000	1,700	100	170,000
	5	1101工事				1,200	100	120,000	500	100	50,000
	7	仕入れ	1,500	120	180,000				2,000	115	230,000
	10	1201工事				1,000	115	115,000	1,000	115	115,000
	14	仕入れ	1,500	110	165,000				2,500	112	280,000
	18	1202工事				1,000	112	112,000	1,500	112	168,000

①　材料払出単価

1001工事：@100円（前月繰越より）

1101工事：@100円（12/3の単価より）

1201工事：(50,000円＋180,000円)÷2,000kg＝@115円
（50,000円：12/5残高　180,000円：12/7仕入高　2,000kg：数量　@115円：単価）

1202工事：(115,000円＋165,000円)÷2,500kg＝@112円
（115,000円：12/10残高　165,000円：12/14仕入高　2,500kg：数量　@112円：単価）

②　当月に発生した直接材料費

当月に発生した直接材料費は、材料元帳を作成することで算定できます。

1001工事：10,000円

1101工事：120,000円

1201工事：115,000円

1202工事：112,000円

(2)　工事間接費配賦額と配賦差異の算定

①　A部門費

1001工事：10,000円(直接材料費)×５％＝　500円

1101工事：120,000円(直接材料費)×５％＝　6,000円

1201工事：115,000円(直接材料費)×５％＝　5,750円

1202工事：112,000円(直接材料費)×５％＝　5,600円

合計　17,850円

17,850円－16,950円＝900円（貸方差異）
（17,850円：予定配賦額　16,950円：実際発生額）

△3,600円＋900円＝△2,700円（借方差異・繰越額）
（△3,600円：前月までの配賦差異　900円：当月分）

②　B部門費

1001工事：@1,800円×12時間(直接作業時間)＝　21,600円

1101工事：@1,800円×24時間(直接作業時間)＝　43,200円

1201工事：@1,800円×42時間(直接作業時間)＝　75,600円

1202工事：@1,800円×16時間(直接作業時間)＝　28,800円

合計　169,200円

169,200円 − 172,200円 = △3,000円（借方差異）
予定配賦額　実際発生額

5,000円 + △3,000円 = 2,000円（貸方差異・繰越額）
前月までの配賦差異　当月分

③　工事間接費配賦差異の月末残高

配賦差異月末残高：△2,700円 + 2,000円 = △700円（借方「A」）
A部門　B部門

(3)　完成工事原価報告書の各金額

材料費：216,000円 + 10,000円 + 118,000円 + 120,000円 + 115,000円 = 579,000円
（1001工事：216,000円 + 10,000円、1101工事：118,000円 + 120,000円、1201工事：115,000円）

労務費：294,000円 + 52,000円 + 171,000円 + 115,000円 + 186,000円 = 818,000円
（1001工事：294,000円 + 52,000円、1101工事：171,000円 + 115,000円、1201工事：186,000円）

外注費：680,000円 + 92,000円 + 396,000円 + 134,000円 + 325,000円 = 1,627,000円
（1001工事：680,000円 + 92,000円、1101工事：396,000円 + 134,000円、1201工事：325,000円）

経　費：110,000円 + 31,000円 + 500円 + 21,600円 + 64,000円 + 56,000円 + 6,000円 + 43,200円
（1001工事：110,000円 + 31,000円 + 500円 + 21,600円、1101工事：64,000円 + 56,000円 + 6,000円 + 43,200円）

+ 65,000円 + 5,750円 + 75,600円 = 478,650円
（1201工事：65,000円 + 5,750円 + 75,600円）

完成工事原価：**3,502,650円**

精算表の作成問題です。本試験において毎回出題され、なおかつ出題論点も類似しているので確実に高得点を取るようにしましょう。

(1)　現金実査

（販売費及び一般管理費） 通信費	1,200	（現　金）	1,400
（雑　損　失）	200		

(2)　棚卸減耗損

（未成工事支出金）	800	（材料貯蔵品）	800

(3)　仮払金

①

（支払利息）	6,000	（仮　払　金）	9,000
（前払費用）（＊）	3,000		

（＊）$9{,}000円 \times \dfrac{1カ月}{3カ月} = 3{,}000円$

②　⑽の法人税等の計上で処理します。

(4)　減価償却費の計上（予定計算）

①　機械装置

機械装置の減価償却費については、工事現場用であり月額7,200円が予定計上（工事原価算入）

されているため、決算時の実際発生額との差額は、当期の工事原価（未成工事支出金）に加減します。

（機械装置減価償却累計額）	4,400	（未成工事支出金）（＊） 減価償却費	4,400

（＊）（7,200円／月×12カ月）－82,000円＝4,400円（過大計上）
予定計上額　実際発生額

② 備品

（販売費及び一般管理費）（＊） 減価償却費	15,000	（備品減価償却累計額）	15,000

（＊）75,000円÷5年＝15,000円

⑸ 仮受金

（仮受金）	57,000	（完成工事未収入金）	57,000

⑹ 貸倒引当金の計上

（貸倒引当金）	3,800	（貸倒引当金戻入）（＊）	3,800

（＊）（826,000円＋1,141,000円－57,000円）× 2％－42,000円＝△3,800円（戻入額）
受取手形　完成工事未収入金　⑸　T/B貸倒引当金

⑺ 完成工事補償引当金の計上

（未成工事支出金）（＊） 完成工事補償引当金繰入額	1,800	（完成工事補償引当金）	1,800

（＊）（4,150,000円×0.2％）－6,500円＝1,800円（繰入額）
完成工事高　T/B完成工事補償引当金

⑻ 未払金の計上

（販売費及び一般管理費） 広告宣伝費	6,000	（未払金）	6,000

⑼ 完成工事原価

未成工事支出金の決算整理前残高に決算整理事項等を考慮し、振替額を算定します。本問では、次期繰越額が967,900円なので、差額の2,500円を完成工事原価に振り替えます。

（完成工事原価）	2,500	（未成工事支出金）（＊）	2,500

（＊）972,200円＋800円－4,400円＋1,800円－967,900円＝2,500円
T/B未成工事支出金　⑵　⑷　⑺　次期繰越

⑽ 法人税等の計上

（法人税、住民税及び事業税）（＊）	121,200	（仮払金）	52,000
		（未払法人税等）	69,200

（＊）（4,160,900円－3,857,900円）×40％＝121,200円
収益合計　費用合計

第27回 解答

問題 14

第1問 20点 仕 訳 記号（A～X）も必ず記入のこと 仕訳一組につき4点

No.	借方 記号	借方 勘定科目	借方 金額	貸方 記号	貸方 勘定科目	貸方 金額
(例)	B	当座預金	100000	A	現金	100000
(1)	X	投資有価証券評価損	180000	F	投資有価証券	180000
(2)	Q	繰越利益剰余金	4000000	J	未払配当金	2000000
				M	利益準備金	200000
				N	別途積立金	1800000
(3)	S	修繕費	500000	E	建物	500000
(4)	K	貸倒引当金	30000	D	完成工事未収入金	1500000
	T	貸倒損失	1470000			
(5)	G	工事未払金	3000000	A	現金	2985000
				U	仕入割引	15000

●数字…予想配点

(1)	¥	100000	❸
(2)	¥	300000	❸
(3)	¥	180000	❸
(4)	¥	7500000	❸

第3問 14点

●数字…予想配点

問1

(A)	¥	30000	❸
(B)	¥	26000	❸
(C)	¥	65000	❸
(D)	¥	88800	❸

問2

¥	182000	❷

第4問 24点

●数字…予想配点

問１

記号（A～C）

1	2	3	4
A	B	C	A

各❶

問２

部門費振替表

（単位：円）

摘　　要	合　　計	第１工事部	第２工事部	第３工事部	機械部門	仮設部門	材料管理部門
部門費合計	5613000	2500000	1750000	1250000	50000	❹ 28000	35000
機械部門費	50000	30000	12500	7500			
仮設部門費	28000	14000	❹ 9800	❹ 4200			
材料管理部門費	35000	14000	14000	7000			
合　　計	5613000	❹2558000	❹1786300	1268700	0	0	0

第5問 30点

●数字…予想配点

精 算 表

(単位:円)

勘定科目	残高試算表		整理記入		損益計算書		貸借対照表	
	借方	貸方	借方	貸方	借方	貸方	借方	貸方
現金	33200		800				34000	
当座預金	162000		8000	1500			❸168500	
受取手形	459000						459000	
完成工事未収入金	1572000			8000 23000			1541000	
貸倒引当金		28000		2000				❸30000
未成工事支出金	8300		1980 4260 32000 3000	56900			10640	
材料貯蔵品	24000						24000	
仮払金	41000			5000 36000				
建物	456000						456000	
建物減価償却累計額		240000		12000				252000
機械装置	60000						60000	
支払手形		155000						155000
工事未払金		365400		3000				❸368400
借入金		260000						260000
未払金		55000						55000
未成工事受入金		118000						118000
仮受金		23000	23000					
完成工事補償引当金		6500		4260				10760
退職給付引当金		450000		40000				❸490000
資本金		600000						600000
繰越利益剰余金		230000						230000
完成工事高		5380000				5380000		
完成工事原価	4805000		56900		❸4861900			
販売費及び一般管理費	269000				269000			
受取利息配当金		7100				7100		
支払利息	28500				28500			
	7918000	7918000						
通信費			1500		❸1500			
旅費交通費			4200		4200			
建物減価償却費			12000		❸12000			
機械装置減価償却累計額				1980				❸1980
貸倒引当金繰入額			2000		2000			
退職給付引当金繰入額			8000		8000			
未払法人税等				24000				❸24000
法人税、住民税及び事業税			60000		60000			
			235640	235640	5247100	5387100	2753140	2613140
当期(純利益)					❸140000			140000
					5387100	5387100	2753140	2753140

第27回 解答への道 問題 14

全体的に標準レベルの問題です。確実に高得点をめざしましょう。

第1問

指定された勘定科目と記号を使用して解答しなければ正解にはなりませんので注意してください。

A：易、B：普、C：難となっています。5題中4題以上の正解をめざしましょう。

(1) A　(2) A　(3) A　(4) A　(5) A

⑴ 投資有価証券の評価

長期に保有している有価証券は、投資有価証券勘定（資産）で計上されています。また、1株当たりの純資産額は実質価額を表しています。よって問題の指示により評価損を計上します。

@120円×1,000株（実質価額）－@300円×1,000株（帳簿価額）＝△180,000円（投資有価証券評価損）

⑵ 剰余金の配当と処分

剰余金のうち、株主総会の決議によって配当と処分が決定した金額は、繰越利益剰余金勘定（純資産）から問題文の指示により、未払配当金勘定（負債）、利益準備金勘定（純資産）、別途積立金勘定（純資産）に振り替えます。

⑶ 訂正仕訳

① 支払時の処理（処理済）

（建　物）	2,000,000	（現金預金）	2,000,000

② 正しい仕訳

固定資産について補修を行った支出額のうち改良（資本的支出）した分は固定資産（本問では建物）の勘定で処理しますが、原状回復のような修繕（収益的支出）した分は費用で処理します。

（建　物）	1,500,000	（現金預金）	2,000,000
（修繕費）	500,000		

③ 訂正仕訳（本問の解答）

（修繕費）	500,000	（建　物）	500,000

⑷ 貸倒れ

前期末に貸倒引当金を設定していた完成工事未収入金が貸し倒れた場合は、貸倒引当金勘定（資産のマイナス）を取り崩し、充当できなかった金額は貸倒損失（費用）で処理します。

⑸ 仕入割引

工事未払金の早期決済による割引額15,000円は仕入割引勘定（収益）で処理します。

第2問 各個別論点による計算問題です。建設業会計と一般会計の両方から出題されるので、出題範囲は少し広いですが、計算式等を覚え一つ一つ確実に解答できるようにしましょう。

(1) A　(2) A　(3) A　(4) B

(1) 支払利息

(2) 固定資産の売却損

500,000円（売却価額） − 800,000円（売却時の帳簿価額）(＊) ＝ △300,000円

(＊) 3,600,000円（取得価額） − (3,600,000円 ÷ 9年（耐用年数） × 7年) ＝ 800,000円

(3) 本支店会計

① 本店の減価償却費の計算

本店

(減価償却費)	20,000	(車両減価償却累計額)	20,000

② 本店の費用を支店に付け替え

本店

(名古屋支店)	20,000	(減価償却費)	20,000

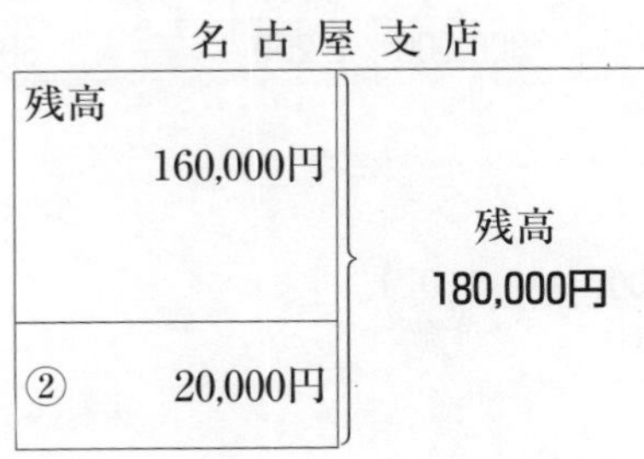

(4) 工事進行基準

工事進行基準を適用している場合は、工事の進行具合に合わせて完成工事高を計上します。

① 前期の完成工事高

$$50{,}000{,}000\text{円}\langle\text{請負金額}\rangle \times \frac{4{,}000{,}000\text{円}\langle\text{前期工事原価}\rangle}{40{,}000{,}000\text{円}\langle\text{総工事原価見積額}\rangle}(0.1) = 5{,}000{,}000\text{円}$$

② 当期の完成工事高

$$\underset{\text{請負金額}}{50,000,000円} \times \frac{10,500,000円(*)\langle\text{当期までの工事原価}\rangle}{42,000,000円\langle\text{変更後総工事原価見積額}\rangle}(0.25) = \mathbf{12,500,000円}$$

（＊）$\underset{\text{前期工事原価}}{4,000,000円} + \underset{\text{当期工事原価}}{6,500,000円} = 10,500,000円$

③ 当期の完成工事高

12,500,000円 − 5,000,000円 = **7,500,000円**

材料元帳の記入に関する問題です。難易度は高くありませんので、高得点をめざしましょう。

問１　移動平均法による材料元帳の作成

材　料　元　帳

20×1年３月　　（数量：㎡、単価及び金額：円）

月	日	摘要	受入			払出			残高		
			数量	単価	金額	数量	単価	金額	数量	単価	金額
3	1	前月繰越	600	100	60,000				600	100	60,000
	2	払出（X工事）				300	**100**	**(A)30,000**	300	**−**	**30,000**
	5	受入（A商事）	900	140	126,000				1,200	**−**	**156,000**
	12	払出（Y工事）				200	**130**	**(B)26,000**	1,000	**−**	**130,000**
	17	払出（X工事）				500	**(*)130**	**(C)65,000**	500	**−**	**65,000**
	23	受入（B商事）	750	160	120,000				1,250	**−**	**185,000**
	30	払出（X工事）				600	**148**	**(D)88,800**	650	**−**	**96,200**
	31	**次月繰越**				**650**	**−**	**96,200**			
			2,250	**−**	**306,000**	**2,250**	**−**	**306,000**			

(A) $\underset{\text{払出数量}}{300㎡} \times \underset{\text{単価}}{@100円} = \mathbf{30,000円}$

(B) $(\underset{\text{3/2残高}}{30,000円} + \underset{\text{3/5受入高}}{126,000円}) \div \underset{\text{数量}}{1,200㎡} = \underset{\text{単価}}{@130円}$

$\underset{\text{払出数量}}{200㎡} \times \underset{\text{単価}}{@130円} = \mathbf{26,000円}$

(C) $\underset{\text{払出数量}}{500㎡} \times \underset{\text{単価}}{@130円}(*) = \mathbf{65,000円}$

（＊）払い出しが続く場合、最後に受け入れた時に計算した平均単価（ここでは３月５日の@130円）を用いて、払出計算を行います。

(D) $(\underset{\text{3/17残高}}{65,000円} + \underset{\text{3/23受入高}}{120,000円}) \div \underset{\text{数量}}{1,250㎡} = \underset{\text{単価}}{@148円}$

$\underset{\text{払出数量}}{600㎡} \times \underset{\text{単価}}{@148円} = \mathbf{88,800円}$

問２　先入先出法による材料元帳の作成

材　料　元　帳

20×1年３月　　　　（数量：㎥、単価及び金額：円）

月	日	摘　要	受入			払出			残高		
			数量	単価	金額	数量	単価	金額	数量	単価	金額
3	1	前月繰越	600	100	60,000				600	100	60,000
	2	払出(X工事)				300	100	(A)30,000	300	100	30,000
	5	受入(A商事)	900	140	126,000				300	100	30,000
									900	140	126,000
	12	払出(Y工事)				200	100	(B)20,000	100	100	10,000
									900	140	126,000
	17	払出(X工事)				100	100	(C)10,000			
						400	140	(C)56,000	500	140	70,000
	23	受入(B商事)	750	160	120,000				500	140	70,000
									750	160	120,000
	30	払出(X工事)				500	140	(D)70,000			
						100	160	(D)16,000	650	160	104,000
	31	次月繰越				650	160	104,000			
			2,250	–	306,000	2,250	–	306,000			

(A)　X工事：300㎥×@100円＝30,000円

(B)　Y工事：200㎥×@100円＝20,000円

(C)　X工事：100㎥×@100円＝10,000円　｝計66,000円
　　　　　　400㎥×@140円＝56,000円

(D)　X工事：500㎥×@140円＝70,000円　｝計86,000円
　　　　　　100㎥×@160円＝16,000円

X工事への払出高：(A)30,000円＋(C)66,000円＋(D)86,000円＝182,000円

部門別計算に関する問題です。推定箇所の計算は少々難しいですが、それ以外は標準的な内容なので、少しでも高得点が取れるようにがんばりましょう。

問１　原価と非原価

A　工事原価（プロダクト・コスト）

工事原価とは「受注した建設工事の完成に伴い発生する経済的な価値犠牲」と定義されています。具体的には建物等の建築物を作るための費用や、工事現場の維持・管理のための費用をいいます。

B　期間原価（ピリオド・コスト）

期間原価とは、一定期間の収益に関連させて集計する原価のことをいいます。すなわち、一会計期間に発生した費用のことであり、販売費及び一般管理費のことをいいます。

C　非原価（原価外項目）

非原価（原価外項目）とは、上記の工事原価や販売費及び一般管理費に含めない費用または損失をいいます。具体的には次のようなものがあります。

(1)　経営目的に関連しないもの

①　投資資産である不動産や有価証券、未稼動の固定資産、長期にわたり休止している設備、その他経営目的に関連しない資産などに関する減価償却費等

②　寄付金など経営目的に関連しない支出項目

③　支払利息などの財務費用

④　有価証券の評価損や売却損

(2)　異常な状態を原因とする価値の減少

①　異常な仕損、減損、棚卸減耗等

②　火災や風水害などの偶発的事故による損失

③　予期し得ない陳腐化等によって固定資産に著しい減価を生じた場合の臨時償却費

④　延滞金、違約金、罰課金、損害賠償金

⑤　偶発債務損失

⑥　訴訟費

⑦　臨時多額の退職手当

⑧　固定資産売却損及び除却損

⑨　異常な貸倒損失

(3)　税法上特に認められている損金算入項目

(4)　その他の利益剰余金に課する項目

（概説　第1章）

以上を本問にあてはめると、以下のようになります。

1．「コンクリート工事外注費」

これは、建物等の建築物を作るための費用になるので、**A工事原価**に該当します。

2．「本社経理部職員の人件費」

これは、本社における一会計期間に発生した費用となるため、**B期間原価**に該当します。

3．「社債発行費償却」

社債の発行は資金調達であり、財務活動になります。よって、財務費用となるため、**C非原価**の(1)－③に該当します。

4．「仮設材料費」

これは、建物等の建築物を作るための費用になるので、**A工事原価**に該当します。

問2　補助部門費の配賦（直接配賦法）

(1)　機械部門費の配賦

50,000円×60％＝**30,000円**（第1工事部）

50,000円×25％＝**12,500円**（第2工事部）

50,000円×15％＝　**7,500円**（第3工事部）

(2)　材料管理部門費の配賦

35,000円×40％＝**14,000円**（第1工事部）

35,000円×40％＝**14,000円**（第2工事部）

35,000円×20％＝　**7,000円**（第3工事部）

(3) 仮設部門費の配賦

① 仮設部門費の推定

第１工事部： x ×50％ = 14,000円

x = **28,000円**

② 第３工事部

第３工事部への配賦額は以下のように計算します。

1,250,000円 + 7,500円 + x 円 + 7,000円 = 1,268,700円

部門個別費　機械部門費　仮設部門費　材料管理部門費　合計

x = **4,200円**

③ 第２工事部

28,000円 −（14,000円 + 4,200円）= **9,800円**

第１工事部　第３工事部

精算表の作成問題です。本試験において毎回出題され、なおかつ出題論点も類似しているので確実に高得点を取るようにしましょう。

(1) 銀行勘定調整表

①

借方	金額	貸方	金額
(通信費)	1,500	(当座預金)	1,500

②

借方	金額	貸方	金額
(当座預金)	8,000	(完成工事未収入金)	8,000

(2) 仮払金

①

借方	金額	貸方	金額
(旅費交通費)	4,200	(仮払金)	5,000
(現金)	800		

② ⑽の法人税等の計上で処理します。

(3) 減価償却費の計上

① 建物（定額法）

借方	金額	貸方	金額
(建物減価償却費)(＊)	12,000	(建物減価償却累計額)	12,000

（＊）456,000円 ÷ 38年 = 12,000円

② 機械装置（定率法）

借方	金額	貸方	金額
(未成工事支出金)(＊) 減価償却費	19,980	(機械装置減価償却累計額)	19,980

（＊）60,000円 × 0.333 = 19,980円

(4) 仮受金

借方	金額	貸方	金額
(仮受金)	23,000	(完成工事未収入金)	23,000

(5) 貸倒引当金の計上

（貸倒引当金繰入額）（＊）	2,000	（貸倒引当金）	2,000

（＊）（459,000円 ＋ 1,572,000円 － 8,000円 － 23,000円）× 1.5％ － 28,000円 ＝ 2,000円
受取手形　完成工事未収入金　(1)②　(4)　T/B貸倒引当金

(6) 完成工事補償引当金の計上

（未成工事支出金）（＊） 完成工事補償引当金繰入額	4,260	（完成工事補償引当金）	4,260

（＊）5,380,000円 × 0.2％ － 6,500円 ＝ 4,260円（繰入額）
完成工事高　T/B完成工事補償引当金

(7) 退職給付引当金

① 本社事務員

（退職給付引当金繰入額）	8,000	（退職給付引当金）	8,000

② 現場作業員

（未成工事支出金） 退職給付引当金繰入額	32,000	（退職給付引当金）	32,000

(8) 工事未払金

（未成工事支出金）	3,000	（工事未払金）	3,000

(9) 完成工事原価

未成工事支出金の決算整理前残高に決算整理事項等を考慮し、振替額を算定します。本問では、次期繰越額が10,640円なので、差額56,900円を完成工事原価に振り替えます。

（完成工事原価）	56,900	（未成工事支出金）（＊）	56,900

（＊）8,300円 ＋ 19,980円 ＋ 4,260円 ＋ 32,000円 ＋ 3,000円 － 10,640円 ＝ 56,900円
T/B未成工事支出金　(3)②　(6)　(7)②　(8)　次期繰越

(10) 法人税等の計上

（法人税、住民税及び事業税）（＊）	60,000	（仮払金）	36,000
		（未払法人税等）	24,000

（＊）（5,387,100円 － 5,187,100円）× 30％ ＝ 60,000円
収益合計　費用合計

MEMO

第28回 解答

問題 18

第1問 20点 仕訳 記号（A～X）も必ず記入のこと　仕訳一組につき４点

No.	借方 記号	借方 勘定科目	借方 金額	貸方 記号	貸方 勘定科目	貸方 金額
(例)	B	当座預金	100000	A	現金	100000
(1)	G	工事未払金	3000000	B	当座預金	1800000
				C	当座借越	1200000
(2)	A	現金	4996500	D	完成工事未収入金	5000000
	W	売上割引	3500			
(3)	F	有価証券	4812000	B	当座預金	4812000
(4)	T	のれん償却費	100000	K	のれん	100000
(5)	D	完成工事未収入金	10000000	R	完成工事高	10000000
	S	完成工事原価	8500000	E	未成工事支出金	8500000

第2問 12点

●数字…予想配点

(1) ¥ 5250 ❸

(2) 6 年 ❸

(3) ¥ 2390000 ❸

(4) ¥ 1030800 ❸

第3問 14点

●数字…予想配点

問1 ¥ 3270 ❹

問2 ¥ 915600 ❹

問3 ¥ 83000 ❹ 記号（AまたはB） B ❷

第4問　24点

●数字…予想配点

問1

記号（A～E）

1	2	3	4
C	B	E	D

各❶

問2

工事別原価計算表

（単位：円）

摘　　要	No.100	No.110	No.200	計
月初未成工事原価	❷ 1,768,000	3,047,000	——	4,815,000
当月発生工事原価				
材　料　費	238,000	427,000	❷ 543,000	1,208,000
労　務　費	❷ 165,600	259,200	376,800	801,600
外　注　費	532,000	758,000	❷ 1,325,000	2,615,000
経　　　費	84,400	95,800	195,200	❷ 375,400
工事間接費	30,600	❷ 46,200	73,200	150,000
当月完成工事原価	2,818,600	——	2,513,200	❷ 5,331,800
月末未成工事原価	——	❷ 4,633,200	——	4,633,200

工事間接費配賦差異月末残高　¥ 6,500 ❷　記号（AまたはB） A ❷

第5問 30点

●数字…予想配点

精　算　表

(単位：円)

勘定科目	残高試算表		整理記入		損益計算書		貸借対照表	
	借方	貸方	借方	貸方	借方	貸方	借方	貸方
現金	52000			7000			45000	
当座預金	375000						375000	
受取手形	198000						198000	
完成工事未収入金	508000			6000			502000	
貸倒引当金		7000		1400				❸8400
未成工事支出金	78000		600 27000	1500 2000 30000			72100	
材料貯蔵品	15000		1500				❸16500	
仮払金	34000			6000 28000				
機械装置	360000						360000	
機械装置減価償却累計額		60000	2000					❸58000
備品	36000						36000	
備品減価償却累計額		12000		10000				22000
支払手形		85000						85000
工事未払金		105000						105000
借入金		160000						160000
未払金		61000						61000
未成工事受入金		110000		4000				❸114000
仮受金		10000	10000					
完成工事補償引当金		7000		600				7600
退職給付引当金		158000		32000				190000
資本金		500000						500000
繰越利益剰余金		155600						155600
完成工事高		3800000				3800000		
完成工事原価	2582000		30000		❸2612000			
販売費及び一般管理費	972000			2000	970000❸			
受取利息配当金		6500				6500		
支払利息	27100		4000		31100			
	5237100	5237100						
事務用品費			3000		3000			
雑損失			4000		❸4000			
前払費用			4000				❸4000	
備品減価償却費			10000		10000			
貸倒引当金繰入額			1400		1400			
退職給付引当金繰入額			5000		5000			
未払法人税等				23000				❸23000
法人税、住民税及び事業税			51000		51000			
			153500	153500	3687500	3806500	1608600	1489600
当期（純利益）					❸119000			119000
					3806500	3806500	1608600	1608600

第28回　解答への道

問題 18

全体的に標準レベルの問題です。確実に高得点をめざしましょう。

第1問　指定された勘定科目と記号を使用して解答しなければ正解にはなりませんので注意してください。
A：易、B：普、C：難となっています。5題中4題以上の正解をめざしましょう。

(1) A　(2) A　(3) A　(4) B　(5) A

⑴　工事未払金の支払い（当座借越）

当座預金勘定（資産）の残高を超えて振り出した小切手の金額は当座借越勘定（負債）で処理します。

⑵　売上割引き

完成工事未収入金の早期決済による割引額3,500円は売上割引勘定（費用）で処理します。

⑶　有価証券の購入

売買目的で有価証券を購入した場合は、付随費用（手数料12,000円）を含めて有価証券勘定（資産）に計上します。

⑷　のれんの償却

当期首に発生したのれん2,000,000円を、会計基準が定める最長期間である20年で償却し、のれん償却費（費用）を計上します。

$$2{,}000{,}000\text{円} \times \frac{1\text{年}}{20\text{年}} = 100{,}000\text{円}$$

⑸　工事進行基準

当期より工事進行基準を適用することとしたため、前期と当期を合わせた進行具合により完成工事高を計上します。

①　完成工事高

$$\underbrace{25{,}000{,}000\text{円}}_{\text{請負金額}} \times \frac{2{,}000{,}000\text{円}\langle\text{前期工事原価}\rangle + 6{,}500{,}000\text{円}\langle\text{当期工事原価}\rangle}{21{,}250{,}000\text{円}\langle\text{総工事原価見積額}\rangle}(0.4) = 10{,}000{,}000\text{円}$$

②　完成工事原価

$$\underbrace{2{,}000{,}000\text{円}}_{\text{前期}} + \underbrace{6{,}500{,}000\text{円}}_{\text{当期}} = 8{,}500{,}000\text{円}$$

第2問

各個別論点による計算問題です。建設業会計と一般会計の両方から出題されるので、出題範囲は少し広いですが、計算式等を覚え一つ一つ確実に解答できるようにしましょう。

(1) A　(2) A　(3) A　(4) A

(1) 内部利益の計算

支店が有している材料のうち本店から仕入れた材料にはすべて３％の内部利益が加算されています。

内部利益：(154,500円＋25,750円)（本店仕入分）$\times \frac{0.03}{1.03}$ ＝ **5,250円**

(2) 固定資産の総合償却

① 要償却額合計

機械装置Ａ：1,500,000円
機械装置Ｂ：5,800,000円
機械装置Ｃ：　600,000円
　　　　　　7,900,000円

② 年償却額合計

機械装置Ａ：1,500,000円÷５年＝　300,000円
機械装置Ｂ：5,800,000円÷８年＝　725,000円
機械装置Ｃ：　600,000円÷３年＝　200,000円
　　　　　　　　　　　　　　　1,225,000円

③ 平均耐用年数

7,900,000円（①）÷1,225,000円（②）＝6.448…⇒**6年**（小数点以下切り捨て）

(3) 労務費

賃　金

借方	貸方
当月支給額 2,530,000円	前月未払高 863,000円
当月未払高 723,000円	当月消費額 **2,390,000円**

(4) 銀行勘定調整表

銀行勘定調整表を作成し、解答を求めます。

銀行勘定調整表

当社の当座預金残高	964,000	銀行の当座預金残高	1,042,800
①入金未通知	28,000	②未取付小切手	△12,000
③入金未通知	34,000		
④未渡小切手	4,800		
	1,030,800		**1,030,800**

工事間接費に関する問題です。難しい問題ではありませんので、資料をよく読み、計算ミスをしないように注意しましょう。

問１　当会計期間の人件費予定配賦率

75,200,000円（＊）÷23,000時間＝3,269.565…⇒**3,270円/時間**（円未満四捨五入）
当会計期間人件費総額　延べ予定作業時間

（＊）64,350,000円＋7,326,000円＋3,524,000円＝75,200,000円
従業員給料手当　法定福利費　福利厚生費

問２　当月のＡ工事への人件費予定配賦額

3,270円/時間×280時間＝**915,600円**

問３　当月の人件費に関する配賦差異

6,213,000円（＊）－6,130,000円＝**83,000円（貸方差異「Ｂ」）**
予定配賦額　実際発生額

（＊）3,270円/時間×（280時間＋170時間＋1,450時間）＝6,213,000円
Ａ工事　Ｂ工事　その他の工事

標準的な個別原価計算による工事別原価計算表を作成する問題です。確実に高得点が取れるようにしましょう。

問１　原価計算の種類

Ａ　事前原価計算

原価の測定を請負工事の事前に実施して、標準原価（あらかじめ目標となる原価）等で行う原価計算を事前原価計算といいます。

Ｂ　総原価計算

工事原価だけで行っている原価計算を工事原価計算といい、これに販売費及び一般管理費まで含めて行う原価計算を総原価計算といいます。

Ｃ　形態別原価計算

形態別原価計算とは、財務諸表作成目的のために工事原価を材料費、労務費、外注費、経費に分類して行う原価計算の方法をいいます。

Ｄ　個別原価計算

個別原価計算とは、顧客から注文を受けた特定の工事に対し、工事指図書を発行し、工事原価について、まず個々の原価計算対象に係る原価である直接費を集計し、次に原価計算対象に共通的に発生する原価である間接費を配賦という手法によって計算する原価計算の方法をいいます。

Ｅ　総合原価計算

総合原価計算とは、同一の標準規格品を連続して生産する場合に用いられる原価の計算方法をいい、原価計算期間における総製造原価をその期間の総生産量で割ることにより、その製品単位あたりの製造原価を求める方法をいいます。また、この総合原価計算は素材などの直接材料をまず製造工程の始点で投入し、あとはこの直接材料を、切削・組立などによって加工する生産形態

に多く用いられます。そのため原価を直接材料費と加工費（直接材料を加工するためのコスト）の２種類に分類し、計算するのが一般的です。

（概説　第１章）

以上を本問にあてはめると、以下のようになります。

1．「建設業では、工事原価を材料費、労務費、外注費、経費に区分して計算し、これにより制度的な財務諸表を作成している。」

この文章では、形態別分類によって原価を表示する財務諸表の作成に関することをいっています。よって、この文章は**C形態別原価計算**と関係が深い事柄になります。

2．「「原価計算基準」にいう原価の本質の定義から判断すれば、工事原価と販売費及び一般管理費などの営業費まで含めて原価性を有するものと考えられる。」

この文章では、工事原価に販売費及び一般管理費まで含めることをいっています。よって、この文章は**B総原価計算**と関係が深い事柄になります。

3．「建設資材を量産している企業では、一定期間に発生した原価をその期間中の生産量で割って、製品の単位当たり原価を計算する。」

この文章では、同一の標準規格品を連続して生産することをいっています。よって、この文章は**E総合原価計算**と関係が深い事柄になります。

4．「建設会社が請け負う工事については、一般的に、1つの生産指図書に指示された生産活動について費消された原価を集計・計算する方法が採用される。」

この文章では、受注単位すなわち指図書別に原価を集計することをいっています。よって、この文章は**D個別原価計算**と関係が深い事柄になります。

問２　工事別原価計算表の作成

(1)　当月労務費の計算

No.100：@1,200円×138時間＝**165,600円**

No.110：@1,200円×216時間＝**259,200円**

No.200：@1,200円×314時間＝**376,800円**

801,600円

(2)　当会計期間の工事間接費の予定配賦率

2,169,000円（工事間接費予算額）÷72,300,000円（直接原価の総発生見込額）＝0.03（３％）

(3)　当月の工事間接費の予定配賦額

No.100：３％×（238,000円（材料費）＋165,600円（労務費）＋532,000円（外注費）＋84,400円（経費））＝**30,600円**

No.110：３％×（427,000円（材料費）＋259,200円（労務費）＋758,000円（外注費）＋95,800円（経費））＝**46,200円**

No.200：３％×（543,000円（材料費）＋376,800円（労務費）＋1,325,000円（外注費）＋195,200円（経費））＝**73,200円**

150,000円

(4)　工事間接費配賦差異の月末残高

150,000円（予定配賦額）－160,000円（実際発生額）＋3,500円（前月繰越・貸方）＝**△6,500円（借方・A）**

(5) 工事別原価計算表

① 当月完成工事原価

No.100：1,768,000円(＊)＋238,000円＋165,600円＋532,000円＋84,400円＋30,600円
前月繰越　材料費　労務費　外注費　経費　工事間接費

＝**2,818,600円**

(＊) 432,000円＋352,000円＋840,000円＋144,000円＝**1,768,000円**
材料費　労務費　外注費　経費

No.200：543,000円＋376,800円＋1,325,000円＋195,200円＋73,200円＝**2,513,200円**
材料費　労務費　外注費　経費　工事間接費

② 月末未成工事原価

No.110：3,047,000円(＊)＋427,000円＋259,200円＋758,000円＋95,800円＋46,200円
前月繰越　材料費　労務費　外注費　経費　工事間接費

＝**4,633,200円**

(＊) 720,000円＋563,000円＋1,510,000円＋254,000円＝**3,047,000円**
材料費　労務費　外注費　経費

第5問
難易度
A

精算表の作成問題です。本試験において毎回出題され、なおかつ出題論点も類似しているので確実に高得点を取るようにしましょう。

(1) 現金実査

(事務用品費)	3,000	(現　　金)	7,000
(雑　損　失)	4,000		

(2) 仮設材料の評価（すくい出し方式）

(材料貯蔵品)	1,500	(未成工事支出金)	1,500

(3) 仮払金

①

(支払利息)	4,000	(仮　払　金)	6,000
(前払費用)	2,000		

② ⑾の法人税等の計上で処理します。

(4) 減価償却費の計上（予定計算）

① 機械装置

機械装置の減価償却費については、工事現場用であり月額5,000円が予定計上（工事原価算入）されているため、決算時の実際発生額との差額は、当期の工事原価（未成工事支出金）に加減します。

(機械装置減価償却累計額)(＊)	2,000	(未成工事支出金) 減価償却費	2,000

(＊) (5,000円／月×12カ月)−58,000円＝2,000円（計上超過）
　　　予定計上額　　　　　実際発生額

② 備品

(備品減価償却費)(＊)	10,000	(備品減価償却累計額)	10,000

(＊) 旧備品：(36,000円−12,000円)÷3年＝8,000円

新備品：12,000円÷3年×$\frac{6カ月}{12カ月}$＝2,000円

減価償却費：8,000円＋2,000円＝10,000円
　　　　　　旧備品　　新備品

(5) 仮受金

①

(仮　受　金)	6,000	(完成工事未収入金)	6,000

②

(仮　受　金)	4,000	(未成工事受入金)	4,000

(6) 貸倒引当金の計上

(貸倒引当金繰入額)(*)	1,400	(貸倒引当金)	1,400

(*) ① 貸倒懸念債権に係る貸倒引当金：1,450円
② ①を除く売上債権に係る貸倒引当金：
(198,000円(受取手形) + 508,000円(完成工事未収入金) − 6,000円((5)①) − 5,000円(貸倒懸念債権)) × 1 % = 6,950円
③ 1,450円(①) + 6,950円(②) − 7,000円(T/B貸倒引当金) = 1,400円

(7) 完成工事補償引当金の計上

(未成工事支出金)(*) 完成工事補償引当金繰入額	600	(完成工事補償引当金)	600

(*) (3,800,000円(完成工事高) × 0.2%) − 7,000円(T/B完成工事補償引当金) = 600円 (繰入額)

(8) 退職給付引当金
① 本社事務員

(退職給付引当金繰入額)	5,000	(退職給付引当金)	5,000

② 現場作業員

(未成工事支出金) 退職給付引当金繰入額	27,000	(退職給付引当金)	27,000

(9) 前払費用

(前払費用)	2,000	(販売費及び一般管理費)(*) 保険料	2,000

(*) $6,000円 \times \frac{4カ月}{12カ月} = 2,000円$

(10) 完成工事原価
未成工事支出金の決算整理前残高に決算整理事項等を考慮し、振替額を算定します。本問では、次期繰越額が72,100円なので、差額の30,000円を完成工事原価に振り替えます。

(完成工事原価)	30,000	(未成工事支出金)(*)	30,000

(*) 78,000円(T/B未成工事支出金) − 1,500円((2)) − 2,000円((4)①) + 600円((7)) + 27,000円((8)②) − 72,100円(次期繰越) = 30,000円

(11) 法人税等の計上

(法人税、住民税及び事業税)(*)	51,000	(仮払金)	28,000
		(未払法人税等)	23,000

(*) (3,806,500円(収益合計) − 3,636,500円(費用合計)) × 30% = 51,000円

MEMO

第29回 解答

問題 24

第1問 20点　仕　訳　記号（A～X）も必ず記入のこと　　仕訳一組につき４点

No.	借方			貸方		
	記号	勘定科目	金額	記号	勘定科目	金額
(例)	B	当座預金	100000	A	現金	100000
(1)	J	工事未払金	8000000	B U	当座預金 仕入割引	7985000 15000
(2)	B X	当座預金 有価証券売却損	1400000 100000	C	有価証券	1500000
(3)	D	建物	5800000	E B	建設仮勘定 当座預金	1200000 4600000
(4)	Q	繰越利益剰余金	330000	K N	未払配当金 利益準備金	300000 30000
(5)	S	社債発行費償却	120000	F	社債発行費	120000

第2問 12点　　●数字…予想配点

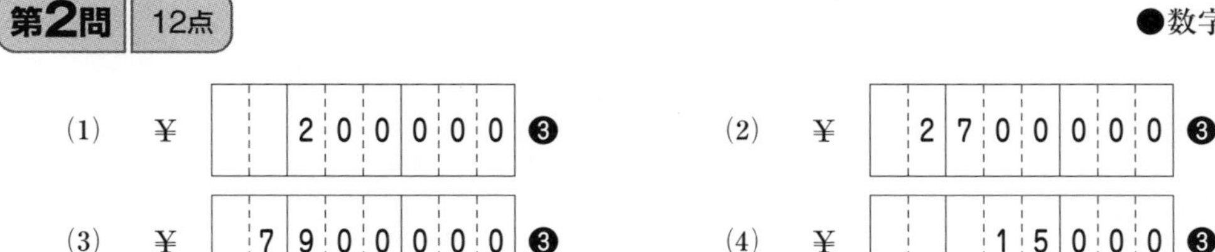

(1) ￥ 200000 ❸　　(2) ￥ 2700000 ❸

(3) ￥ 7900000 ❸　　(4) ￥ 15000 ❸

第3問 24点

●数字…予想配点

問1

記号（A～E）

1	2	3	4
B	A	D	C

各❶

問2

1.

完成工事原価報告書
自　20×3年9月1日
至　20×3年9月30日

（単位：円）

Ⅰ．材　料　費	❸	1940000
Ⅱ．労　務　費	❸	958000
Ⅲ．外　注　費	❸	5423000
Ⅳ．経　　　費	❸	518500
完成工事原価		8839500

2.　¥ 2926000 ❸

3.　現場共通費配賦差異月末残高　¥ 4180 ❸　記号（AまたはB） A ❷

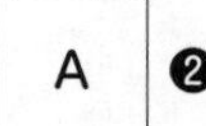

第4問 14点

●数字…予想配点

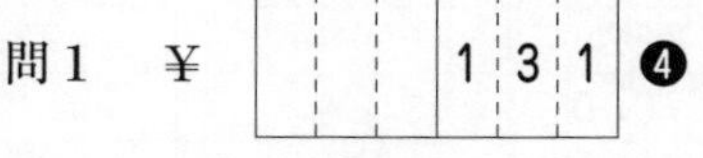

問1　¥ 131 ❹

問2　¥ 19650 ❹

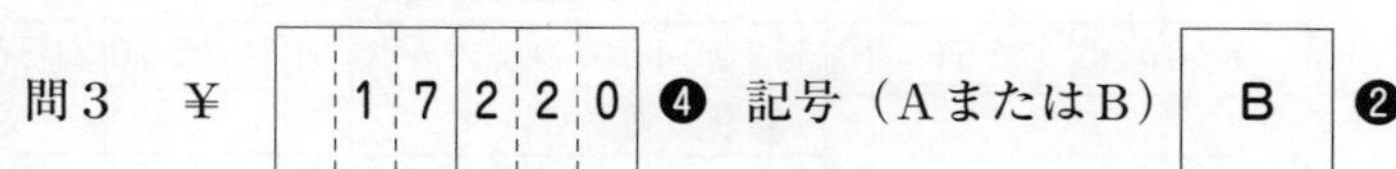

問3　¥ 17220 ❹　記号（AまたはB） B ❷

第5問 30点

●数字…予想配点

精　算　表

（単位：円）

勘定科目	残高試算表		整理記入		損益計算書		貸借対照表	
	借方	貸方	借方	貸方	借方	貸方	借方	貸方
現金	106400						106400	
当座預金	234000		1500				235500	
受取手形	68000						68000	
完成工事未収入金	721000			14000			707000	
貸倒引当金		8400		8220				❸16620
未成工事支出金	84500		2500 18000	6000 2400 33000			63600	
材料貯蔵品	7500			2500			❸5000	
仮払金	38500			6500 32000				
機械装置	250000						250000	
機械装置減価償却累計額		150000	6000					❸144000
備品	32000						32000	
備品減価償却累計額		14000		4500				18500
支払手形		85000						85000
工事未払金		115000						115000
借入金		150000						150000
未払金		61000		1500 800				❸63300
未成工事受入金		141000		10000				❸151000
仮受金		24000	24000					
完成工事補償引当金		22000	2400					19600
退職給付引当金		321000		25000				346000
資本金		100000						100000
繰越利益剰余金		150480						150480
完成工事高		9800000				9800000		
完成工事原価	8594000		33000		❸8627000			
販売費及び一般管理費	975000				975000			
受取利息配当金		7400				7400		
支払利息	38380				38380			
	11149280	11149280						
旅費交通費			7300		❸7300			
備品減価償却費			4500		❸4500			
貸倒引当金繰入額			8220		8220			
退職給付引当金繰入額			7000		7000			
未払法人税等				10000				❸10000
法人税、住民税及び事業税			42000		42000			
			156420	156420	9709400	9807400	1467500	1369500
当期（純利益）					❸98000			98000
					9807400	9807400	1467500	1467500

第29回 解答への道

問題 24

全体的に標準レベルの問題です。確実に高得点をめざしましょう。

第1問

指定された勘定科目と記号を使用して解答しなければ正解にはなりませんので注意してください。
A：易、B：普、C：難となっています。5題中4題以上の正解をめざしましょう。

(1) A (2) A (3) A (4) A (5) A

(1) 仕入割引

工事未払金の早期決済による割引額15,000円は仕入割引勘定（収益）で処理します。

(2) 有価証券の売却

売買目的で所有しているA社株式は、有価証券勘定（資産）で処理されています。

（当座預金）（＊1）	1,400,000	（有価証券）（＊2）	1,500,000
（有価証券売却損）	100,000		

（＊1） 280円×5,000株＝1,400,000円
（＊2） 300円×5,000株＝1,500,000円

(3) 固定資産の購入

固定資産の購入にかかる手付金は建設仮勘定（資産）で処理されています。

① 手付金支払い時の処理（処理済）

（建設仮勘定）	1,200,000	（現金預金）	1,200,000

② 引き渡しを受けた時の処理（本問）

（建物）	5,800,000	（建設仮勘定）	1,200,000
		（当座預金）	4,600,000

(4) 剰余金の配当と処分

剰余金の配当および処分にあたっての利益準備金の積立額は、次のように計算します。

① 配当または中間配当×$\frac{1}{10}$
② 資本金×$\frac{1}{4}$－（資本準備金＋利益準備金）
いずれか小さい方

① 300,000円（株主配当金）×$\frac{1}{10}$＝30,000円

② 1,000,000円（資本金）×$\frac{1}{4}$－（150,000円（資本準備金）＋50,000円（利益準備金））＝50,000円

①＜② ∴ 利益準備金の積立額30,000円

(5) 社債発行費償却

社債を発行したさいに支払った社債発行にかかる支出額を繰延経理した場合は、社債発行費に計上し期末において社債の償還期限（5年）にわたって償却を行います。

第2問

各個別論点による計算問題です。建設業会計と一般会計の両方から出題されるので、出題範囲は少し広いですが、計算式等を覚え一つ一つ確実に解答できるようにしましょう。

(1) A　(2) A　(3) B　(4) A

(1) 減価償却費の比較

① 定額法：3,000,000円÷5年＝600,000円

② 生産高比例法：3,000,000円×$\frac{4{,}000単位}{15{,}000単位}$＝800,000円

①と②の差額：**200,000円**

(2) 工事進行基準

工事進行基準を適用している場合は、工事の進行具合に合わせて完成工事高を計上します。以下に工事着手時からの仕訳を示します。

① 前受金の受領に関する仕訳

(現金預金)	5,400,000	(未成工事受入金)(＊)	5,400,000

(＊) 18,000,000円（請負金額）×30％＝5,400,000円

② 当期の完成工事高及び完成工事原価に関する仕訳

(未成工事受入金)	5,400,000	(完成工事高)(＊1)	8,100,000
(完成工事未収入金)(＊2)	**2,700,000**		
(完成工事原価)(＊3)	7,128,000	(未成工事支出金)	7,128,000

(＊1) 18,000,000円（請負金額）×$\frac{1{,}508{,}000円〈前期までの工事原価〉+5{,}620{,}000円〈当期工事原価〉}{15{,}840{,}000円〈総工事原価見積額〉}$(0.45)

＝8,100,000円

(＊2) 8,100,000円－5,400,000円＝**2,700,000円**

(＊3) 1,508,000円＋5,620,000円＝7,128,000円

(3) 手形貸付金の償却（償却原価法）

貸し付けた金額と、見返りとして受け取った約束手形の金額が異なる場合、その差額を利息と考え貸付期間にわたって定額法により受取利息を計上します。

① 20×1年4月1日　貸付時の仕訳（処理済）

(手形貸付金)	7,800,000	(現金)	7,800,000

② 20×2年3月31日　決算時の償却の仕訳（処理済）

(手形貸付金)	50,000	(受取利息)(＊)	50,000

$$(*)\ (8{,}000{,}000円-7{,}800{,}000円)\times\frac{12か月}{4年\times12か月}=50{,}000円$$

③　20×3年3月31日　決算時の償却の仕訳（処理済）

（手形貸付金）	50,000	（受取利息）	50,000

④　20×3年3月31日における貸借対照表価額

①7,800,000円＋②50,000円＋③50,000円＝**7,900,000円**

(4)　支払利息

標準的な個別原価計算による完成工事原価報告書を作成する問題です。ただし、全体的に計算量が多いので、少し時間のかかる問題となります。

問1　配賦基準の選択

建設業の工事間接費においては、さまざまな内容の原価に合わせて、配賦基準を選択する必要があります。

1.「労務作業量に比例して発生する費用」
　これは、労務作業量が直接作業時間と連動して増減するので、**B.直接作業時間**が最も適切な配賦基準になります。

2.「タワークレーンの稼働時間に関連して発生する費用」
　これは、重機に対する計算になるので、**A.機械運転時間**が最も適切な配賦基準になります。

3.「労務副費のような費用」
　これは、従業員を雇用することによって生じる労務費に対して付随的にかかる原価の計算になるので、雇用によって支払う賃金から計算する**D.労務費額**が最も適切な配賦基準になります。

4.「材料副費のような費用」
　これは、材料の購入から出庫できる状態になるまでに付随的にかかる原価の計算になるので、材料の購入原価から計算する**C.材料費額**が最も適切な配賦基準になります。

問2　完成工事原価報告書の作成

(1)　甲部門費の予定配賦（工事間接費）

No.201：@1,200円×40時間＝ 48,000円

No.202：@1,200円×20時間＝ 24,000円

No.212：@1,200円×15時間＝ 18,000円

No.213：@1,200円×30時間＝ 36,000円

合計 126,000円

(2) 乙部門費の予定配賦（工事間接費）

No.201： 30,000円(直接材料費)×15％＝ 4,500円

No.202：120,000円(直接材料費)×15％＝18,000円

No.212： 50,000円(直接材料費)×15％＝ 7,500円

No.213：250,000円(直接材料費)×15％＝37,500円

合計 67,500円

(3) 完成工事原価報告書（No.201、212、213の費目別原価合計）

Ⅰ．材料費：1,230,000円＋380,000円（前月繰越(No.201.212)）＋30,000円（No.201）＋50,000円（No.212）＋250,000円（No.213）＝**1,940,000円**

Ⅱ．労務費：560,000円＋143,000円（前月繰越(No.201.212)）＋81,000円（No.201）＋40,000円（No.212）＋134,000円（No.213）＝**958,000円**

Ⅲ．外注費：3,800,000円＋520,000円（前月繰越(No.201.212)）＋382,000円（No.201）＋69,000円（No.212）＋652,000円（No.213）＝**5,423,000円**

Ⅳ．経 費：231,000円＋39,000円（前月繰越(No.201.212)）＋(57,000円＋48,000円＋4,500円)（No.201）

＋(22,000円＋18,000円＋7,500円)（No.212）

＋(18,000円＋36,000円＋37,500円)（No.213）＝**518,500円**

合計：1,940,000円（材料費）＋958,000円（労務費）＋5,423,000円（外注費）＋518,500円（経費）＝**8,839,500円**

(4) 未成工事支出金の当期末残高（No.202原価の合計）

No.202：(850,000円＋235,000円＋1,380,000円＋104,000円)（前月繰越）＋120,000円（材料費）＋42,000円（労務費）

＋127,000円（外注費）＋(26,000円＋24,000円＋18,000円)（経費）＝**2,926,000円**

(5) 現場共通費配賦差異の月末残高

① 甲部門

当月発生額：126,000円（予定）－119,400円（実際）＝6,600円（貸方）

次期繰越額：△13,400円（借方残高）＋6,600円（貸方）＝△6,800円（借方）

② 乙部門

当月発生額：67,500円（予定）－73,200円（実際）＝△5,700円（借方）

次期繰越額：8,320円（貸方残高）＋△5,700円（借方）＝2,620円（貸方）

∴ ①＋②＝△6,800円（借方）＋2,620円（貸方）＝**△4,180円（借方「A」）**

工事間接費に関する問題です。難しい問題ではありませんので、資料をよく読み、計算ミスをしないように注意しましょう。

問1 当会計期間の車両関係費予定配賦率

3,264,000円(＊)÷25,000km＝130.56⇒**131円/km**（円未満四捨五入）
車両関係費総額　車両走行距離

（＊）860,000円＋540,000円＋1,085,000円＋642,000円＋137,000円＝3,264,000円
1号車減価償却費　2号車減価償却費　3号車減価償却費　修繕管理費　保険料その他

問2 当月の丙工事への車両関係費予定配賦

131円/km×150km＝**19,650円**

問3 当月の車両関係費に関する配賦差異

180,780円(＊)－198,000円＝**△17,220円（不利差異「B」）**
予定配賦額　実際発生額

（＊）131円/km×(630km＋420km＋150km＋180km)＝180,780円
甲　乙　丙　その他

精算表の作成問題です。本試験において毎回出題され、なおかつ出題論点も類似しているので確実に高得点を取るようにしましょう。

(1) 銀行勘定調整表

① 未渡小切手

（当　座　預　金）	1,500	（未　　払　　金）	1,500

② 未取付小切手
銀行側調整項目のため仕訳なし

(2) 棚卸減耗（工事原価算入）

（未成工事支出金）	2,500	（材　料　貯　蔵　品）	2,500

(3) 仮払金

①

（旅　費　交　通　費）	7,300	（仮　　払　　金）	6,500
		（未　　払　　金）	800

② ⑽の法人税等の計上で処理します。

(4) 減価償却費の計上

① 機械装置（予定計上）
機械装置の減価償却費については、工事現場用であり月額7,500円が予定計上（工事原価算入）

されているため、決算時の実際発生額との差額は、当期の工事原価（未成工事支出金）に加減します。

(機械装置減価償却累計額)	6,000	(未成工事支出金)(＊) 減価償却費	6,000

（＊）（7,500円／月×12カ月）－84,000円＝6,000円（過大計上）
　　　　予定計上額　　　　実際発生額

② 備品（定率法）

(備品減価償却費)(＊)	4,500	(備品減価償却累計額)	4,500

（＊）（32,000円－14,000円）×0.250＝4,500円
　　　　　　　期首減価償却累計額

(5) 仮受金

①	(仮受金)	14,000	(完成工事未収入金)	14,000
②	(仮受金)	10,000	(未成工事受入金)	10,000

(6) 貸倒引当金の計上

(貸倒引当金繰入額)(＊)	8,220	(貸倒引当金)	8,220

（＊）①貸倒懸念債権に対する見積額：7,500円
②その他の債権に対する見積額：（68,000円＋721,000円－14,000円－15,000円）
　　受取手形　完成工事未収入金　(5)①　貸倒懸念債権
×1.2％＝9,120円
③繰入額：7,500円＋9,120円－8,400円＝8,220円
　　　　　　　　　　　　　T/B残高

(7) 完成工事補償引当金の計上

(完成工事補償引当金)	2,400	(未成工事支出金)(＊) 完成工事補償引当金戻入額	2,400

（＊）9,800,000円×0.2％－22,000円＝△2,400円（戻入額）
　　　完成工事高　　　　T/B残高

(8) 退職給付引当金

(退職給付引当金繰入額)	7,000	(退職給付引当金)	25,000
(未成工事支出金) 退職給付引当金繰入額	18,000		

(9) 完成工事原価

未成工事支出金の決算整理前残高に決算整理事項等を考慮し、振替額を算定します。本問では、次期繰越額が63,600円なので、差額の33,000円を完成工事原価に振り替えます。

(完成工事原価)	33,000	(未成工事支出金)(＊)	33,000

（＊）84,500円＋2,500円－6,000円－2,400円＋18,000円－63,600円＝33,000円
　　T/B未成工事支出金　(2)　(4)①　(7)　(8)　次期繰越

⑽ 法人税等の計上

(法人税、住民税及び事業税)(＊)	42,000	(仮　　払　　金)	32,000
		(未 払 法 人 税 等)	10,000

(＊)(9,807,400円 − 9,667,400円)× 30％ ＝ 42,000円
　　　　収益合計　　　　費用合計

第30回 解 答

問 題 30

第1問 20点　仕　訳　記号（A～X）も必ず記入のこと　仕訳一組につき４点

No.	借方 記号	借方 勘定科目	借方 金額	貸方 記号	貸方 勘定科目	貸方 金額
(例)	B	当座預金	100000	A	現金	100000
(1)	C	別段預金	7200000	T	新株式申込証拠金	7200000
(2)	M H	仮受消費税 未収消費税	140000 18000	G	仮払消費税	158000
(3)	A	現金	150000	F W	機械装置 固定資産売却益	120000 30000
(4)	E	完成工事未収入金	16000000	U	完成工事高	16000000
(5)	J	手形貸付金	1000000	B	当座預金	1000000

第2問 12点　●数字…予想配点

(1) ¥ 550000 ❸

(2) 5 年 ❸

(3) ¥ 328000 ❸

(4) ¥ 46080 ❸

第3問 14点

●数字…予想配点

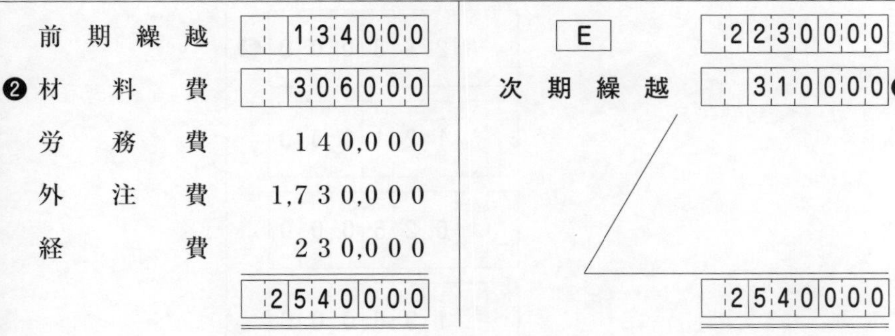

未成工事支出金

前期繰越	134000	E	2230000
❷材料費	306000	次期繰越	310000❷
労務費	140,000		
外注費	1,730,000		
経費	230,000		
	2540000		2540000

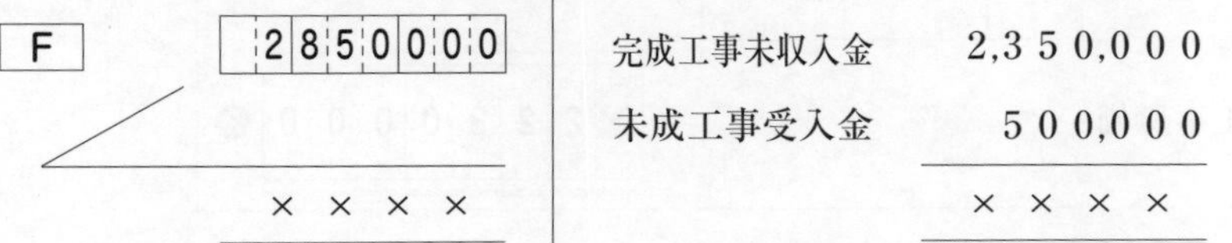

完成工事高

F	2850000	完成工事未収入金	2,350,000
		未成工事受入金	500,000
	××××		××××

完成工事原価

D	2230000	F	2,230,000

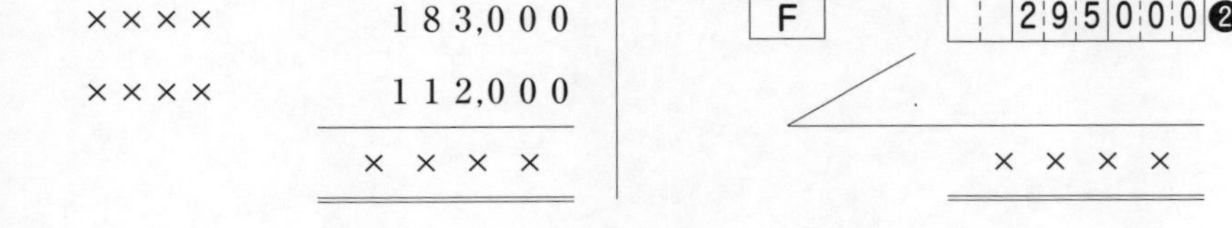

販売費及び一般管理費

××××	183,000	F	295000❷
××××	112,000		
	××××		××××

支払利息

当座預金	58,000	F	58000

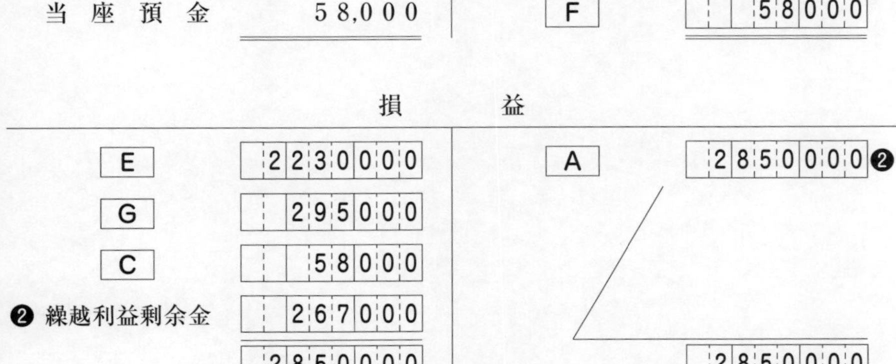

損益

E	2230000	A	2850000❷
G	295000		
C	58000		
❷繰越利益剰余金	267000		
	2850000		2850000

完成工事原価報告書
自　20×1年４月１日
至　20×2年３月31日

（単位：円）

Ⅰ．材　料　費	288000 ❷
Ⅱ．労　務　費	121000
Ⅲ．外　注　費	1625000
Ⅳ．経　　　費	196000
（うち人件費 96000）	
完成工事原価	2230000 ❷

第4問 24点

●数字…予想配点

問1

記号（A～C）

1	2	3	4
B	A	C	A

各❶

問2

部門費振替表

（単位：円）

摘要	工事部			補助部門		
	甲工事部	乙工事部	丙工事部	機械部門	車両部門	仮設部門
部門費合計	7,350,000	3,750,000	2,380,000	1440000	❹549000	960000
機械部門費	720000	❹360000	360000			
車両部門費	231,000	186,000	132,000			
仮設部門費	❹240000	560,000	160000			
補助部門費配賦額合計	1191000	1106000	652000			
工事原価	8541000	❹4856000	❹3032000			

第5問 30点

●数字…予想配点

精　算　表

（単位：円）

勘定科目	残高試算表		整理記入		損益計算書		貸借対照表	
	借方	貸方	借方	貸方	借方	貸方	借方	貸方
現金	12500			3000			9500	
当座預金	203000						203000	
受取手形	47000						47000	
完成工事未収入金	693000			10000			683000	
貸倒引当金		7500		1260				❸8760
未成工事支出金	157100		2000 600 9400	1200 5000 25000			137900	
材料貯蔵品	5700		1200				❸6900	
仮払金	28400			28400				
機械装置	150000						150000	
機械装置減価償却累計額		65000		2000				❸67000
備品	48000						48000	
備品減価償却累計額		16000		16000				32000
支払手形		83000						83000
工事未払金		115000						115000
借入金		150000						150000
未払金		61000						61000
未成工事受入金		141000		8000				❸149000
仮受金		23000	23000					
完成工事補償引当金		10500		600				11100
退職給付引当金		187000		13000				200000
資本金		100000						100000
繰越利益剰余金		215040						215040
完成工事高		5550000				5550000		
完成工事原価	4484500		25000		❸4509500			
販売費及び一般管理費	875000				875000			
受取利息配当金		5560				5560		
支払利息	25400		1200		26600			
	6729600	6729600						
通信費			2500		❸2500			
雑損失			500		❸500			
前払費用			600				❸600	
備品減価償却費			16000		16000			
貸倒引当金繰入額			1260		1260			
退職給付引当金繰入額			3600		3600			
未払法人税等				9580				❸9580
法人税、住民税及び事業税			36180		36180			
			123040	123040	5471140	5555560	1285900	1201480
当期（純利益）					❸84420			84420
					5555560	5555560	1285900	1285900

第30回 解答への道

問題 30

全体的に標準レベルの問題です。第３問の勘定記入と第４問の計算が少し難しいですが、高得点をめざしましょう。

指定された勘定科目と記号を使用して解答しなければ正解にはなりませんので注意してください。
A：易、B：普、C：難となっています。５題中４題以上の正解をめざしましょう。

(1) A　(2) A　(3) A　(4) B　(5) A

(1) 新株式申込証拠金

新株を発行する際に払い込まれた証拠金は新株式申込証拠金勘定（純資産）で処理します。

(2) 未収消費税

決算において確定した、仮受消費税140,000円と仮払消費税158,000円の差額を未収消費税に計上します。

(3) 固定資産の売却

取得原価から減価償却累計額を控除した金額（帳簿価額）120,000円（＊）と売却価額150,000円の差額が固定資産売却益30,000円になります。

（＊）600,000円（取得原価）－480,000円（減価償却累計額）＝120,000円

(4) 工事進行基準

工事進行基準を適用している場合は、工事の進行具合に合わせて完成工事高を計算します。

① 前期の完成工事高

$$45{,}000{,}000\text{円（請負金額）} \times \frac{7{,}500{,}000\text{円〈前期の工事原価〉}}{37{,}500{,}000\text{円〈総工事原価見積額〉}}(0.2) = 9{,}000{,}000\text{円}$$

② 当期までの完成工事高

$$50{,}000{,}000\text{円（請負金額）} \times \frac{7{,}500{,}000\text{円〈前期の工事原価〉} + 11{,}250{,}000\text{円〈当期の工事原価〉}}{37{,}500{,}000\text{円〈総工事原価見積額〉}}(0.5) = 25{,}000{,}000\text{円}$$

なお、工事請負金額は当期（第２期）において50,000,000円（45,000,000円＋5,000,000円）に変更されています。

③ 当期の完成工事高

25,000,000円（当期までの完成工事高）－9,000,000円（前期の完成工事高）＝16,000,000円

(5) 手形貸付金

資金の貸借という財務取引に関する手形上の債権債務は、手形貸付金勘定（資産）・手形借入金勘定（負債）で処理します。本問では、資金を貸し付けたということから、手形貸付金勘定を使用します。

第2問 各個別論点による計算問題です。建設業会計と一般会計の両方から出題されるので、出題範囲は少し広いですが、計算式等を覚え一つ一つ確実に解答できるようにしましょう。

(1) A　(2) A　(3) A　(4) A

(1) 本支店会計（車両運搬具の購入）

大阪支店が支店用の乗用車を購入し、その代金500,000円を小切手を振り出して支払った取引は以下のとおりとなります。

本店

(車両運搬具)	500,000	(大阪支店)	500,000

大阪支店

(本店)	500,000	(当座預金)	500,000

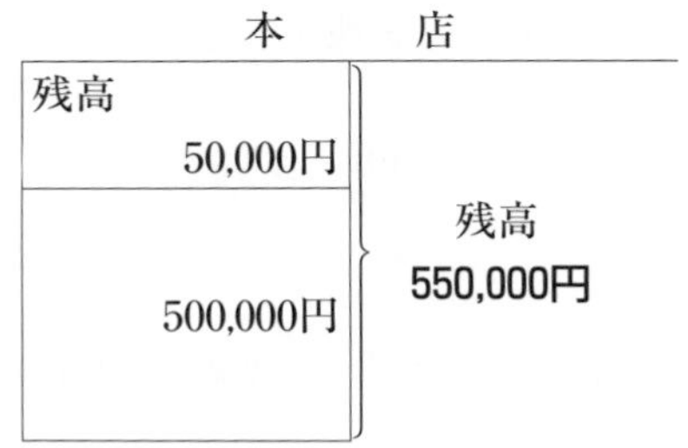

(2) 固定資産の総合償却

① 要償却額合計

機械装置A：1,300,000円
機械装置B：2,800,000円
機械装置C：　600,000円
　　　　　　4,700,000円

② 年償却額合計

機械装置A：1,300,000円÷5年＝260,000円
機械装置B：2,800,000円÷7年＝400,000円
機械装置B：　600,000円÷3年＝200,000円
　　　　　　　　　　　　　　　860,000円

③ 平均耐用年数

4,700,000円①÷860,000円②＝5.465…⇒**5年**（小数点以下切り捨て）

(3) 銀行勘定調整表

銀行の当座預金残高と調整項目より、当座預金の次期繰越額を算出し、逆算によって決算整理前の当座預金勘定残高を求めます。

銀行勘定調整表

当社の当座預金残高	**328,000**	銀行の当座預金残高	331,000
②未渡小切手	35,000	①時間外預け入れ	20,000
③引落未通知	△12,000		
	351,000		351,000

(4) 材料評価損

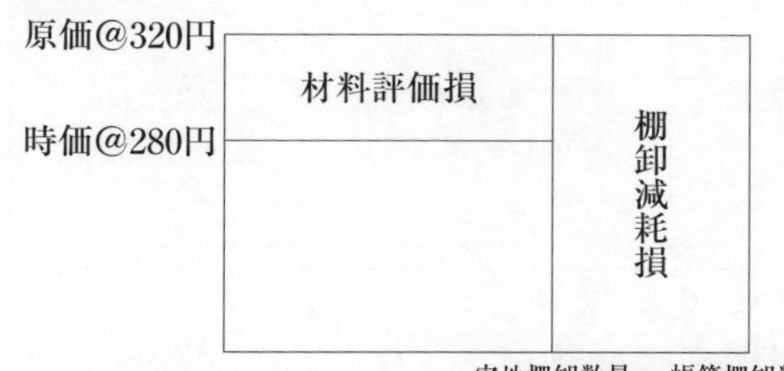

(＊) 実地棚卸数量：1,200kg − 48kg = 1,152kg
帳簿棚卸数量　棚卸減耗

材料評価損：(@320円 − @280円) × 1,152kg = **46,080円**

勘定記入と完成工事原価報告書を作成する問題です。勘定記入は、受験生の苦手な論点ですが、勘定連絡図をイメージして少しでも高得点が取れるようにがんばりましょう。

1．勘定連絡図

本問における、勘定連絡図を示すと次のようになります。

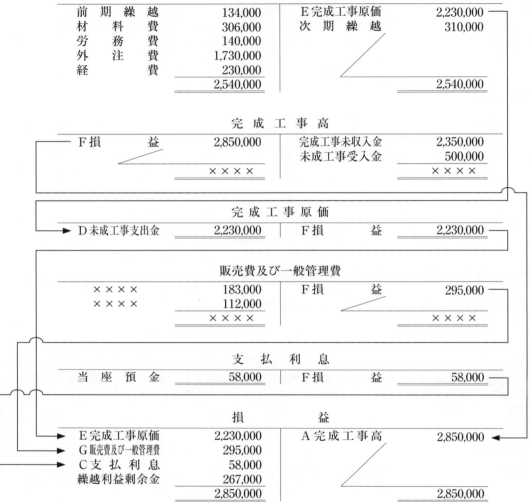

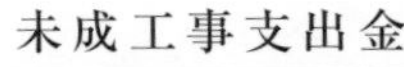

未成工事支出金

借方	金額	貸方	金額
前期繰越	134,000	E完成工事原価	2,230,000
材料費	306,000	次期繰越	310,000
労務費	140,000		
外注費	1,730,000		
経費	230,000		
	2,540,000		2,540,000

完成工事高

借方	金額	貸方	金額
F損益	2,850,000	完成工事未収入金	2,350,000
		未成工事受入金	500,000
	××××		××××

完成工事原価

借方	金額	貸方	金額
D未成工事支出金	2,230,000	F損益	2,230,000

販売費及び一般管理費

借方	金額	貸方	金額
××××	183,000	F損益	295,000
××××	112,000		
	××××		××××

支払利息

借方	金額	貸方	金額
当座預金	58,000	F損益	58,000

損益

借方	金額	貸方	金額
E完成工事原価	2,230,000	A完成工事高	2,850,000
G販売費及び一般管理費	295,000		
C支払利息	58,000		
繰越利益剰余金	267,000		
	2,850,000		2,850,000

2．勘定記入

⑴　未成工事支出金勘定：先に⑶完成工事原価勘定から記入します。

①　借方

前期繰越：13,000円（材料費期首残高）＋34,000円（労務費期首残高）＋76,000円（外注費期首残高）＋11,000円（経費期首残高）＝**134,000円**

材料費：2,540,000円－（134,000円＋140,000円＋1,730,000円＋230,000円）＝**306,000円**

労務費：140,000円（労務費当期発生額：記入済み）

外注費：1,730,000円（外注費当期発生額：記入済み）

経　費：230,000円（経費当期発生額：記入済み）

合　計：**2,540,000円**（貸方合計と同額）

②　貸方

E完成工事原価：2,230,000円（完成工事原価の借方より）

次期繰越：31,000円 + 53,000円 + 181,000円 + 45,000円 = 310,000円
材料費繰越額　労務費繰越額　外注費繰越額　経費繰越額

合　計：2,230,000円 + 310,000円 = **2,540,000円**

(2) 完成工事高勘定

① 借方

F損益：2,850,000円（貸方合計と同額）

② 貸方

完成工事未収入金：2,350,000円（記入済み）

未成工事受入金：500,000円（記入済み）

合計（××××）：2,350,000円 + 500,000円 = 2,850,000円

(3) 完成工事原価勘定

① 借方

D未成工事支出金：2,230,000円（貸方と同額）

② 貸方

F損益：2,230,000円（記入済み）

(4) 販売費及び一般管理費勘定

① 借方

合計（××××）：183,000円 + 112,000円 = 295,000円

② 貸方

F損益：295,000円（借方合計と同額）

(5) 支払利息勘定

① 借方

当座預金：58,000円（記入済み）

② 貸方

F損益：58,000円（借方合計と同額）

(6) 損益勘定

① 貸方

A完成工事高：2,850,000円（完成工事高勘定からの振替額）

② 借方

E完成工事原価：2,230,000円（完成工事原価勘定からの振替額）

G販売費及び一般管理費：295,000円（販売費及び一般管理費勘定からの振替額）

C支払利息：58,000円（支払利息勘定からの振替額）

繰越利益剰余金：2,850,000円 −（2,230,000円 + 295,000円 + 58,000円）
完成工事原価　販売費及び一般管理費　支払利息

= **267,000円**（貸借差額）

3．完成工事原価報告書の作成

Ⅰ．材料費

13,000円 + 306,000円 − 31,000円 = **288,000円**
月初有高　未成工事支出金勘定より　月末有高

Ⅱ．労務費

34,000円 + 140,000円 − 53,000円 = **121,000円**
月初有高　未成工事支出金勘定より　月末有高

Ⅲ．外注費

76,000円＋1,730,000円－181,000円＝**1,625,000円**
月初有高　未成工事支出金勘定より　月末有高

Ⅳ．経費

11,000円＋230,000円－45,000円＝**196,000円**
月初有高　未成工事支出金勘定より　月末有高

Ⅴ．経費のうち人件費

1,000円＋100,000円－5,000円＝**96,000円**
月初有高　〈資料〉3　月末有高

部門別計算に関する問題です。推定箇所の計算は少々難しいですが、それ以外は標準的な内容なので、少しでも高得点が取れるようにがんばりましょう。

問1　営業費の分類

営業費とは、販売費及び一般管理費のことです。

建設業においては、工事原価の算定を重視し、営業費は、単に費目別の実際発生額を把握すればよかったのですが、市場の肥大化、産業構造の複雑化、経営組織の高度化などとともに、総原価に占める営業費の割合が増大してきており、その計算が重視されるようになってきました。

営業費会計に固有の効果的な分類は、一種の機能的分類として、営業費を次の三つに区分します。

⑴　注文獲得費（order-getting costs）

注文獲得費は、需要を喚起し、受注を促進するためのコストであり、企画調査費、広告宣伝費、セールスプロモーション費等からなります。

これらの支出は、経営者または他の管理者の判断によって、大幅に変動しやすい政策費としての性格をもっているため、割当予算の編成が適しています。しかし、成果（収益）に先んじて支出されるものであるため、その効果の測定は難しく、割当予算と実績の比較によって管理することしかできません。

⑵　注文履行費（order-filling costs）

注文履行費とは、獲得した注文を履行するためのコストであり、物流費、集金関係費、アフターサービス費等からなります。

これらは、受注が原因となって支出されるものであるため、成果（収益）との因果関係が把握しやすく、その能率測定はしやすい性格をもっています。そのため、変動予算あるいは標準原価を編成して管理することになります。

⑶　全般管理費（general administrative costs）

全般管理費とは、企業全般の活動の維持・管理のためのコストであり、総務部、経理部、社長室等の機能関係費です。

これらは、注文の獲得や履行とは無関係に支出されるものであるため、その発生態様は多様かつ非定型的です。そのため、固定予算を編成して管理することになります。

以上を本問にあてはめると、以下のようになります。

1．「物流費」は、獲得した注文を履行するために発生するコストですので**（B）注文履行費**に該当します。

2.「広告宣伝費」は、需要を喚起し、受注を促進するためのコストですので（A）**注文獲得費**に該当します。
3.「経理部における事務用品費」は、企業全般の活動の維持・管理のためのコストですので（C）**全般管理費**に該当します。
4.「市場調査費」は、需要を喚起し、受注を促進するためのコストですので（A）**注文獲得費**に該当します。

問2　補助部門費の配賦（直接配賦法）

(1)　機械部門費の配賦

①　配賦基準

甲工事部：20馬力×30時間＝600馬力
乙工事部：15馬力×20時間＝300馬力
丙工事部：30馬力×10時間＝300馬力

②　各部門への配賦額

$$1{,}440{,}000\text{円}\times\frac{600\text{馬力}}{600\text{馬力}+300\text{馬力}+300\text{馬力}}=\mathbf{720{,}000\text{円}}\ （甲工事部）$$

$$1{,}440{,}000\text{円}\times\frac{300\text{馬力}}{600\text{馬力}+300\text{馬力}+300\text{馬力}}=\mathbf{360{,}000\text{円}}\ （乙工事部）$$

$$1{,}440{,}000\text{円}\times\frac{300\text{馬力}}{600\text{馬力}+300\text{馬力}+300\text{馬力}}=\mathbf{360{,}000\text{円}}\ （丙工事部）$$

(2)　車両部門費

231,000円＋186,000円＋132,000円＝**549,000円**

(3)　仮設部門費の配賦

①　配賦基準

甲工事部：３セット×５日＝15セット
丙工事部：２セット×５日＝10セット

②　甲工事部と丙工事部への配賦額

960,000円－560,000円（乙工事部への配賦額）＝400,000円

③　各部門への配賦額

$$400{,}000\text{円}\times\frac{15\text{セット}}{15\text{セット}+10\text{セット}}=\mathbf{240{,}000\text{円}}\ （甲工事部）$$

$$400{,}000\text{円}\times\frac{10\text{セット}}{15\text{セット}+10\text{セット}}=\mathbf{160{,}000\text{円}}\ （丙工事部）$$

(4)　補助部門費配賦額合計

①　甲工事部

720,000円（機械部門費）＋231,000円（車両部門費）＋240,000円（仮設部門費）＝**1,191,000円**

②　乙工事部

360,000円（機械部門費）＋186,000円（車両部門費）＋560,000円（仮設部門費）＝**1,106,000円**

③ 丙工事部

360,000円 + 132,000円 + 160,000円 = **652,000円**
機械部門費　車両部門費　仮設部門費

精算表の作成問題です。本試験において毎回出題され、なおかつ出題論点も類似しているので確実に高得点を取るようにしましょう。

(1) 現金実査

(通信費)	2,500	(現金)	3,000
(雑損失)	500		

(2) 仮設材料の評価（すくい出し方式）

(材料貯蔵品)	1,200	(未成工事支出金)	1,200

(3) 仮払金

①

(支払利息)	1,200	(仮払金)	1,800
(前払費用)(*)	600		

(*) $1{,}800円 \times \dfrac{1カ月}{3カ月} = 600円$

② ⑽の法人税等の計上で処理します。

(4) 減価償却費の計上（予定計算）

① 機械装置

機械装置の減価償却費については、工事現場用であり月額5,000円が予定計上（工事原価算入）されているため、決算時の実際発生額との差額は、当期の工事原価（未成工事支出金）に加減します。

(未成工事支出金)(*) 減価償却費	2,000	(機械装置減価償却累計額)	2,000

(*) (5,000円／月×12カ月) − 62,000円 = △2,000円（計上不足）
予定計上額　実際発生額

② 備品

(備品減価償却費)(*)	16,000	(備品減価償却累計額)	16,000

(*) 48,000円 ÷ 3年 = 16,000円

(5) 仮受金

① (仮受金) 10,000 (完成工事未収入金) 10,000

② (仮受金) 8,000 (未成工事受入金) 8,000

③ (仮受金) 5,000 (未成工事支出金) 5,000

(6) 貸倒引当金の計上

(貸倒引当金繰入額)(＊) 1,260 (貸倒引当金) 1,260

(＊) (47,000円 + 693,000円 − 10,000円) × 1.2% − 7,500円 = 1,260円 (繰入額)
受取手形 完成工事未収入金 (5)① T/B貸倒引当金

(7) 完成工事補償引当金の計上

(未成工事支出金)(＊) 600 (完成工事補償引当金) 600
完成工事補償引当金繰入額

(＊) (5,550,000円 × 0.2%) − 10,500円 = 600円 (繰入額)
完成工事高 T/B完成工事補償引当金

(8) 退職給付引当金

① 本社事務員

(退職給付引当金繰入額) 3,600 (退職給付引当金) 3,600

② 現場作業員

(未成工事支出金) 9,400 (退職給付引当金) 9,400
退職給付引当金繰入額

(9) 完成工事原価

未成工事支出金の決算整理前残高に決算整理事項等を考慮し、振替額を算定します。本問では、次期繰越額が137,900円なので、差額の25,000円を完成工事原価に振り替えます。

(完成工事原価) 25,000 (未成工事支出金)(＊) 25,000

(＊) 157,100円 − 1,200円 + 2,000円 − 5,000円 + 600円 + 9,400円 − 137,900円 = 25,000円
T/B未成工事支出金 (2) (4)① (5)③ (7) (8)② 次期繰越

(10) 法人税等の計上

(法人税、住民税及び事業税)(＊) 36,180 (仮払金) 26,600
(未払法人税等) 9,580

(＊) (5,555,560円 − 5,434,960円) × 30% = 36,180円
収益合計 費用合計

第31回 解答

問題 34

第1問 20点　仕　訳　記号（A～X）も必ず記入のこと　　仕訳一組につき４点

No.	借方			貸方		
	記号	勘定科目	金額	記号	勘定科目	金額
(例)	B	当座預金	100000	A	現金	100000
(1)	G W	投資有価証券 有価証券利息	9800000 50000	B	当座預金	9850000
(2)	E X	建物 修繕費	500000 1350000	H	営業外支払手形	1850000
(3)	Q	資本準備金	5000000	N	資本金	5000000
(4)	D	完成工事未収入金	82500000	R	完成工事高	82500000
(5)	M	完成工事補償引当金	260000	B	当座預金	260000

第2問 12点

●数字…予想配点

(1) ¥ 2700000 ❸

(2) ¥ 40000 ❸

(3) ¥ 2650 ❸

(4) ¥ 266000 ❸

第3問 14点

●数字…予想配点

(1) 先入先出法を用いた場合の材料費 ¥ 304500 ❺

(2) 移動平均法を用いた場合の材料費 ¥ 301500 ❹

(3) 総平均法を用いた場合の材料費 ¥ 299250 ❺

第4問 24点

●数字…予想配点

問1

記号（A～H）

ア	イ	ウ	エ
F	B	D	H

各❶

問2

工事別原価計算表

（単位：円）

摘　　要	No.301	No.302	No.401	No.402	計
月初未成工事原価	❷1156000	2006000	――	――	3162000
当月発生工事原価					
材　料　費	414000	539000	❷ 491000	562000	2006000
労　務　費	189000	❷ 307500	442500	474000	1413000
外　注　費	670000	873000	1296000	❷ 972000	3811000
直 接 経 費	127000	230500	170500	242000	❷ 770000
工 事 間 接 費	❷ 56000	78000	96000	90000	320000
当月完成工事原価	――	❷4034000	2496000	――	6530000
月末未成工事原価	2612000	――	――	❷2340000	4952000

工事間接費配賦差異月末残高　¥ 5500 ❷　記号（AまたはB） A ❷

第5問 30点

●数字…予想配点

精　算　表

(単位：円)

勘定科目	残高試算表		整理記入		損益計算書		貸借対照表	
	借方	貸方	借方	貸方	借方	貸方	借方	貸方
現金	21600		1200				22800	
当座預金	123000		13500	1200			❸135300	
受取手形	43000						43000	
完成工事未収入金	425000			18000			407000	
貸倒引当金		4500		900				❸5400
未成工事支出金	266400		800 760 8700	2000 33600			241060	
材料貯蔵品	2600			800			❸1800	
仮払金	32900			5000 27900				
機械装置	123000						123000	
機械装置減価償却累計額		65000	2000					❸63000
備品	60000						60000	
備品減価償却累計額		30000		15000				45000
支払手形		65000						65000
工事未払金		115000						115000
借入金		120000						120000
未払金		61000		13500				❸74500
未成工事受入金		71000						71000
仮受金		18000	18000					
完成工事補償引当金		14500		760				15260
退職給付引当金		134000		2800 8700				145500
資本金		100000						100000
繰越利益剰余金		74200						74200
完成工事高		7630000				7630000		
完成工事原価	6694000		33600		❸6727600			
販売費及び一般管理費	694000				694000			
受取利息配当金		7800				7800		
支払利息	24500		1200		❸25700			
	8510000	8510000						
旅費交通費			3800		❸3800			
減価償却費			15000		15000			
貸倒引当金繰入額			900		900			
退職給付引当金繰入額			2800		2800			
未払法人税等				22500				❸22500
法人税、住民税及び事業税			50400		50400			
			152660	152660	7520200	7637800	1033960	916360
当期（純利益）					❸117600			117600
					7637800	7637800	1033960	1033960

第31回 解答への道

問題 34

全体的に標準レベルの問題です。確実に高得点をめざしましょう。

第1問

指定された勘定科目と記号を使用して解答しなければ正解にはなりませんので注意してください。

A：易、B：普、C：難となっています。5題中4題以上の正解をめざしましょう。

(1) A　(2) A　(3) A　(4) B　(5) A

⑴ 投資有価証券の購入

他社が発行した社債を購入した場合、投資有価証券勘定（資産）を増やします。また、端数利息は有価証券利息勘定（収益）のマイナスとして処理します。

⑵ 改良と修繕

固定資産について補修を行った支出額のうち改良（資本的支出）の部分は固定資産（本問では建物）の勘定で処理し、修繕（収益的支出）の部分は費用で処理します。なお、固定資産の補修工事のために約束手形を振り出した場合、通常の営業取引で用いる支払手形勘定（負債）と区別して営業外支払手形勘定（負債）で処理します。

⑶ 増資（資本準備金の組み入れ）

資本準備金を資本金に組み入れるということは、増資をするということになります。ただし、どちらも純資産の勘定になりますので、純資産の部に変化はありません。

⑷ 工事進行基準

工事進行基準を適用している場合は、工事の進行具合に合わせて完成工事高を計上します。以下に前期からの仕訳を示します。

① 前期の完成工事高に関する仕訳

(完成工事未収入金)	82,500,000	(完成工事高)	82,500,000

550,000,000円×$\frac{70{,}950{,}000円〈前期の工事原価〉}{473{,}000{,}000円〈総工事原価見積額〉}$(0.15)＝82,500,000円

② 当期の完成工事高に関する仕訳（本問の解答）

(完成工事未収入金)	82,500,000	(完成工事高)	82,500,000

550,000,000円×$\frac{70{,}950{,}000円〈前期の工事原価〉+72{,}450{,}000円〈当期の工事原価〉}{478{,}000{,}000円〈総工事原価見積額〉}$(0.3)－82,500,000円（前期の工事収益）

＝82,500,000円

なお、総工事原価見積額は当期（第2期）において5,000,000円増額され、478,000,000円に変更されています。

⑸ 補修（完成工事補償引当金の取り崩し）

完成し、引き渡した建物について補修を行った場合、完成工事補償引当金勘定（負債）を取り崩して処理します。

第2問 各個別論点による計算問題です。建設業会計と一般会計の両方から出題されるので、出題範囲は少し広いですが、計算式等を覚え一つ一つ確実に解答できるようにしましょう。

(1) A　(2) B　(3) B　(4) B

(1) 取得原価の推定

(減価償却累計額)	2,800,000	(機械装置)	5,200,000
(機械装置)(＊)	**2,700,000**	(当座預金)	300,000

(＊) 貸借差額

(2) 社債の買入償還

① 社債発行時（額面総額20,000,000円分）

(現金預金)	20,000,000	(社債)	20,000,000

② 買入償還時（本問の解答）

(社債)	20,000,000	(現金)(＊)	20,010,000
(社債利息)	50,000	(社債償還益)	**40,000**

(＊) $@99.8円 \times \frac{20,000,000円}{@100円}(200,000口) + \underbrace{50,000円}_{端数利息} = 20,010,000円$

(3) 本支店勘定

未達事項を整理し、本店の大阪支店勘定残高と大阪支店の本店勘定残高の一致を確認します。

① 大阪	(本店)	450	(完成工事未収入金)	450
② 本店	(現金)	250	(大阪支店)	250
③ 大阪	(旅費交通費)	210	(本店)	390
	(交際費)	180		
④ 大阪	(材料)	350	(本店)	350

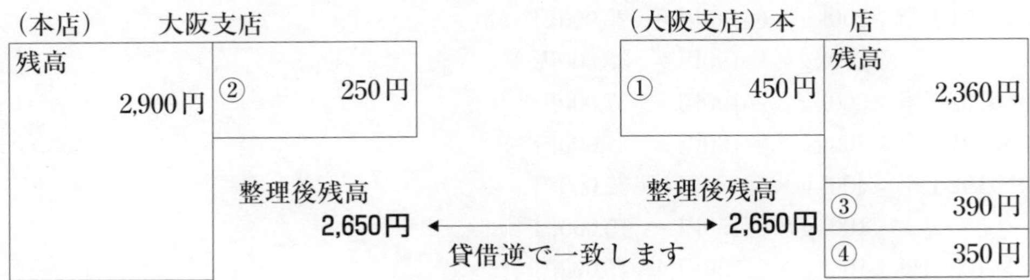

(4) 消費税（税抜方式）

(仮受消費税)	352,000	(仮払消費税)(＊)	**266,000**
		(未払消費税)	86,000

(＊) 貸借差額

材料元帳の記入に関する問題です。難易度は高くありませんので、高得点をめざしましょう。

(1) 先入先出法による材料元帳の作成

材　料　元　帳

A材料　　　　　　　　　9月　　　　　　（数量：kg、単価及び金額：円）

月	日	摘　要	受入			払出			残高		
			数量	単価	金額	数量	単価	金額	数量	単価	金額
9	1	前月繰越	200	140	28,000				200	140	28,000
	5	甲建材より仕入	800	190	152,000				200	140	28,000
									800	190	152,000
	9	No.101工事へ払出				200	140	28,000			
						200	190	38,000	600	190	114,000
	12	乙建材より仕入	400	180	72,000				600	190	114,000
									400	180	72,000
	14	No.102工事へ払出				300	190	57,000	300	190	57,000
									400	180	72,000
	16	No.101工事へ払出				300	190	57,000	400	180	72,000
	18	甲建材より仕入	600	150	90,000				400	180	72,000
									600	150	90,000
	20	No.102工事へ払出				400	180	72,000			
						100	150	15,000	500	150	75,000
	24	No.103工事へ払出				100	150	15,000	400	150	60,000
	28	No.101工事へ払出				150	150	22,500	250	150	37,500
	30	次月繰越				250	150	37,500			
			2,000	−	342,000	2,000	−	342,000			

〈当月の材料費（材料元帳の払出欄の▇▇の部分）〉

9/9　No.101工事：200kg×@140円＝　28,000円
　　　　　　　　200kg×@190円＝　38,000円
9/14　No.102工事：300kg×@190円＝　57,000円
9/16　No.101工事：300kg×@190円＝　57,000円
9/20　No.102工事：400kg×@180円＝　72,000円
　　　　　　　　100kg×@150円＝　15,000円
9/24　No.103工事：100kg×@150円＝　15,000円
9/28　No.101工事：150kg×@150円＝　22,500円
　　　　　　　　　　　　　　　　304,500円

(2) 移動平均法による材料元帳の作成

材料元帳

A材料　　9月　　(数量：kg、単価及び金額：円)

月	日	摘要	受入			払出			残高		
			数量	単価	金額	数量	単価	金額	数量	単価	金額
9	1	前月繰越	200	140	28,000				200	140	28,000
	5	甲建材より仕入	800	190	152,000				1,000	180	180,000
	9	№101工事へ払出				400	180	72,000	600	180	108,000
	12	乙建材より仕入	400	180	72,000				1,000	180	180,000
	14	№102工事へ払出				300	180	54,000	700	180	126,000
	16	№101工事へ払出				300	180	54,000	400	180	72,000
	18	甲建材より仕入	600	150	90,000				1,000	162	162,000
	20	№102工事へ払出				500	162	81,000	500	162	81,000
	24	№103工事へ払出				100	162	16,200	400	162	64,800
	28	№101工事へ払出				150	162	24,300	250	162	40,500
	30	次月繰越				250	162	40,500			
			2,000	–	342,000	2,000	–	342,000			

〈当月の材料費（材料元帳の払出欄の　　の部分）〉

9/9　№101工事：400kg×@180円(＊1)＝ 72,000円

9/14　№102工事：300kg×@180円　＝ 54,000円

9/16　№101工事：300kg×@180円　＝ 54,000円

9/20　№102工事：500kg×@162円(＊2)＝ 81,000円

9/24　№103工事：100kg×@162円　＝ 16,200円

9/28　№101工事：150kg×@162円　＝ 24,300円

301,500円

(＊1) (28,000円＋152,000円)÷1,000kg＝@180円
　　9/1前月繰越　9/5仕入高

(＊2) (72,000円＋90,000円)÷1,000kg＝@162円
　　9/16残高　9/18仕入高

(3) 総平均法による材料元帳の作成

材料元帳

A材料　　　　　　9月　　　　　　(数量：kg、単価及び金額：円)

月	日	摘要	受入 数量	受入 単価	受入 金額	払出 数量	払出 単価	払出 金額	残高 数量	残高 単価	残高 金額
9	1	前月繰越	200	140	28,000				200		
	5	甲建材より仕入	800	190	152,000				1,000		
	9	№101工事へ払出				400			600		
	12	乙建材より仕入	400	180	72,000				1,000		
	14	№102工事へ払出				300			700		
	16	№101工事へ払出				300			400		
	18	甲建材より仕入	600	150	90,000				1,000		
	20	№102工事へ払出				500			500		
	24	№103工事へ払出				100			400		
	28	№101工事へ払出				150			250	171	42,750
	30	**次月繰越**				**250**	**171**	**42,750**			
			2,000	**－**	**342,000**	**2,000**	**－**	**342,000**			

〈当月の材料費〉

(400kg + 300kg + 300kg + 500kg + 100kg + 150kg) × @171円(＊) = **299,250円**

9/9№101　9/14№102　9/16№101　9/20№102　9/24№103　9/28№101

(＊) (28,000円 + 152,000円 + 72,000円 + 90,000円) ÷ 2,000kg ＝ @171円

9/1前月繰越　9/5仕入高　9/12仕入高　9/18仕入高

標準的な個別原価計算による工事別原価計算表を作成する問題です。確実に高得点が取れるようにしましょう。

問1　原価の基本的諸概念

原価計算基準では、原価計算制度上の原価を次のように規定しています。

「経営における一定の給付にかかわらせて、把握された財貨または用役の消費を、貨幣価値的に表したものをいう。」

その特徴をまとめると次のようになります。

原価計算制度上の原価
- ① 原価は経済価値（物品やサービスなど）の消費である。
- ② 原価は、経営において作り出された一定の給付に転嫁される価値である。
- ③ 原価は経営目的（生産販売）に関連したものである。
- ④ 原価は正常的なものである。

なお、ここでいう「給付」とは、経営活動により作り出される財貨または用役をいい、建設業では、完成した工事や未完成の工事（未成工事支出金）を意味します。

本問は上記を参考にして、解答していきましょう。

（概説　第1章）

問2　工事別原価計算表の作成

(1) 当月労務費の計算

No.301：@1,500円×126時間＝　**189,000円**

No.302：@1,500円×205時間＝　**307,500円**

No.401：@1,500円×295時間＝　**442,500円**

No.402：@1,500円×316時間＝　**474,000円**

1,413,000円

(2) 当会計期間の工事間接費予定配賦率

3,260,000円（工事間接費予算額）÷81,500,000円（直接原価の総発生見込額）＝0.04(4％)

(3) 当月の工事間接費予定配賦額

No.301：4％×(414,000円（材料費）＋189,000円（労務費）＋670,000円（外注費）＋127,000円（直接経費）)＝**56,000円**

No.302：4％×(539,000円（材料費）＋307,500円（労務費）＋873,000円（外注費）＋230,500円（直接経費）)＝**78,000円**

No.401：4％×(491,000円（材料費）＋442,500円（労務費）＋1,296,000円（外注費）＋170,500円（直接経費）)＝**96,000円**

No.402：4％×(562,000円（材料費）＋474,000円（労務費）＋972,000円（外注費）＋242,000円（直接経費）)＝**90,000円**

320,000円

(4) 工事間接費配賦差異の月末残高

320,000円（予定配賦額）－323,000円（実際発生額）－2,500円（前月繰越・借方）＝△**5,500円（借方・A）**

(5) 工事別原価計算表

① 当月完成工事原価

No.302：2,006,000円(＊)（前月繰越）＋539,000円（材料費）＋307,500円（労務費）＋873,000円（外注費）＋230,500円（直接経費）＋78,000円（工事間接費）＝**4,034,000円**

(＊) 580,000円（材料費）＋324,000円（労務費）＋910,000円（外注費）＋192,000円（経　費）＝**2,006,000円**

No.401：491,000円（材料費）＋442,500円（労務費）＋1,296,000円（外注費）＋170,500円（直接経費）＋96,000円（工事間接費）＝**2,496,000円**

② 月末未成工事原価

No.301：1,156,000円(＊)（前月繰越）＋414,000円（材料費）＋189,000円（労務費）＋670,000円（外注費）＋127,000円（直接経費）＋56,000円（工事間接費）＝**2,612,000円**

(＊) 203,000円（材料費）＋182,000円（労務費）＋650,000円（外注費）＋121,000円（経　費）＝**1,156,000円**

No.402：562,000円（材料費）＋474,000円（労務費）＋972,000円（外注費）＋242,000円（直接経費）＋90,000円（工事間接費）＝**2,340,000円**

精算表の作成問題です。本試験において毎回出題され、なおかつ出題論点も類似しているので確実に高得点を取るようにしましょう。

(1) 銀行勘定調整表

① 時間外預け入れ：銀行側調整項目のため仕訳なし

② 未渡小切手

(当座預金)	13,500	(未払金)	13,500

③ 引き落とし未通知

(支払利息)	1,200	(当座預金)	1,200

(2) 棚卸減耗（工事原価算入）

(未成工事支出金)	800	(材料貯蔵品)	800

(3) 仮払金

①

(旅費交通費)	3,800	(仮払金)	5,000
(現金)	1,200		

② (10)の法人税等の計上で処理します。

(4) 減価償却費の計上（予定計算）

① 機械装置

機械装置の減価償却費については、工事現場用であり月額2,500円が予定計上（工事原価算入）されているため、決算時の実際発生額との差額は、当期の工事原価（未成工事支出金）に加減します。

(機械装置減価償却累計額)(＊)	2,000	(未成工事支出金) 減価償却費	2,000

(＊) (2,500円／月×12カ月) − 28,000円 = 2,000円（過大計上）
予定計上額 実際発生額

② 備品

(減価償却費)(＊)	15,000	(備品減価償却累計額)	15,000

(＊) (60,000円 − 30,000円) × 0.500 = 15,000円
取得原価 減価償却累計額 償却率

(5) 仮受金

(仮受金)	18,000	(完成工事未収入金)	18,000

(6) 貸倒引当金の計上

(貸倒引当金繰入額)(＊)	900	(貸倒引当金)	900

(＊) (43,000円＋425,000円－18,000円)×1.2%－4,500円＝900円(繰入額)
受取手形 完成工事未収入金 (5) T/B貸倒引当金

(7) 完成工事補償引当金の計上

(未成工事支出金)(＊) 完成工事補償引当金繰入額	760	(完成工事補償引当金)	760

(＊) 7,630,000円×0.2%－14,500円＝760円(繰入額)
完成工事高 T/B完成工事補償引当金

(8) 退職給付引当金

① 本社事務員

(退職給付引当金繰入額)	2,800	(退職給付引当金)	2,800

② 現場作業員

(未成工事支出金) 退職給付引当金繰入額	8,700	(退職給付引当金)	8,700

(9) 完成工事原価

未成工事支出金の決算整理前残高に決算整理事項等を考慮し、振替額を算定します。本問では、次期繰越額が241,060円なので、差額の33,600円を完成工事原価に振り替えます。

(完成工事原価)	33,600	(未成工事支出金)(＊)	33,600

(＊) 266,400円＋800円－2,000円＋760円＋8,700円－241,060円＝33,600円
T/B未成工事支出金 (2) (4)① (7) (8)② 次期繰越

(10) 法人税等の計上

(法人税、住民税及び事業税)(＊)	50,400	(仮払金)	27,900
		(未払法人税等)	22,500

(＊) (7,637,800円－7,469,800円)×30%＝50,400円
収益合計 費用合計

第32回 解　答

問題 40

第1問 20点　仕　訳　記号（A～X）も必ず記入のこと　　　　仕訳一組につき４点

No.	借方			貸方		
	記号	勘定科目	金額	記号	勘定科目	金額
(例)	B	当座預金	100000	A	現金	100000
(1)	L	資本金	12000000	M	その他資本剰余金	12000000
(2)	K	未払法人税等	2300000	A	現金	2300000
(3)	G	機械装置	1600000	G	機械装置	1500000
				B	当座預金	100000
(4)	A	現金	520000	U	償却債権取立益	520000
(5)	D	完成工事未収入金	10640000	Q	完成工事高	10640000

●数字…予想配点

(1) ¥ 

❸

(2) ¥ 

❸

(3) ¥ 

❸

(4) ¥ 

❸

第3問 14点

●数字…予想配点

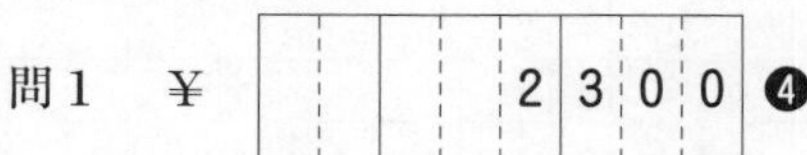

問1 ¥ 2300 ❹

問2 ¥ 552000 ❹

問3 ¥ 13000 ❹ 記号（AまたはB） A ❷

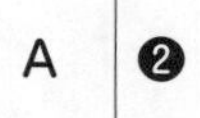

第4問 24点

●数字…予想配点

問1

記号（A～G）

1	2	3	4
C	G	A	D

各❶

問2

完成工事原価報告書
自 20×2年9月1日
至 20×2年9月30日

（単位：円）

Ⅰ．材　料　費	❹	1001000
Ⅱ．労　務　費	❹	2855000
Ⅲ．外　注　費	❹	6375000
Ⅳ．経　　　費	❹	1695560
完成工事原価		11926560

工事間接費配賦差異月末残高 3240 円 ❷ 記号（AまたはB） A ❷

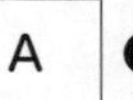

第5問 30点

❸数字…予想配点

精　算　表

（単位：円）

勘定科目	残高試算表		整理記入		損益計算書		貸借対照表	
	借方	貸方	借方	貸方	借方	貸方	借方	貸方
現金	23500			700			22800	
当座預金	152900						152900	
受取手形	255000						255000	
完成工事未収入金	457000			12000			445000	
貸倒引当金		8000		400				❸8400
未成工事支出金	151900		3000 166 13500 9300	1200 64366			112300	
材料貯蔵品	3300		1200				❸4500	
仮払金	32600			900 31700				
機械装置	250000						250000	
機械装置減価償却累計額		150000		3000				❸153000
備品	60000						60000	
備品減価償却累計額		20000		20000				40000
建設仮勘定	48000			48000				
支払手形		32500						32500
工事未払金		95000						95000
借入金		196000						196000
未払金		48100						48100
未成工事受入金		233000						233000
仮受金		12000	12000					
完成工事補償引当金		19000		166				19166
退職給付引当金		187000		12500				199500
資本金		100000						100000
繰越利益剰余金		117320						117320
完成工事高		9583000				9583000		
完成工事原価	7566000		64366		❸7630366			
販売費及び一般管理費	1782000				1782000			
受取利息配当金		17280				17280		
支払利息	36000		600		❸36600			
	10818200	10818200						
雑損失			700		❸700			
前払費用			300				300	
備品減価償却費			20000		20000			
建物			48000				48000	
建物減価償却費			2000		2000			
建物減価償却累計額				2000				2000
貸倒引当金繰入額			400		❸400			
賞与引当金繰入額			5000		5000			
賞与引当金				18500				❸18500
退職給付引当金繰入額			3200		3200			
未払法人税等				4304				❸4304
法人税、住民税及び事業税			36004		36004			
			219736	219736	9516270	9600280	1350800	1266790
当期（純利益）					❸84010			84010
					9600280	9600280	1350800	1350800

第32回 解答への道

問題 40

全体的に標準レベルの問題です。確実に高得点をめざしましょう。

第1問

指定された勘定科目と記号を使用して解答しなければ正解にはなりませんので注意してください。
A：易、B：普、C：難となっています。5題中4題以上の正解をめざしましょう。

(1)	(2)	(3)	(4)	(5)
A	A	A	A	B

⑴ 減資

減資とは資本金を減少させることを意味します。

資本金勘定（純資産）を減少させ、その他資本剰余金勘定（純資産）に振り替えます。

⑵ 法人税等の支払い

確定申告において、対象事業年度の法人税額のうち、中間申告で納付した額を控除し、未払法人税等勘定（負債）を計上しています。

未払法人税等：3,800,000円〈法人税、住民税及び事業税〉－1,500,000円〈仮払法人税等〉＝2,300,000円

⑶ 固定資産の交換

自己所有の固定資産と他社所有の固定資産を交換した場合には、提供した固定資産の帳簿価額に、支払った交換差金の金額を加算したものが取得原価となります。

取得原価：1,500,000円〈帳簿価額〉＋100,000円〈交換差金〉＝1,600,000円

⑷ 償却債権取立益

前期以前に貸倒れの処理を行った完成工事未収入金を回収したときは、償却債権取立益勘定（収益）を計上します。

⑸ 工事進行基準

工事進行基準を適用している場合は、工事の進行具合に合わせて完成工事高を計上します。以下に前期からの仕訳を示します。

① 前期の完成工事高に関する仕訳

（完成工事未収入金）	1,960,000	（完　成　工　事　高）（＊）	1,960,000

（＊）28,000,000円〈請負金額〉× 1,666,000円〈前期の工事原価〉／23,800,000円〈総工事原価見積額〉(0.07)＝1,960,000円

② 当期の完成工事高に関する仕訳（本問の解答）

総工事原価見積額は当期（第２期）において24,920,000円に変更されているので、この金額を使用します。

（完成工事未収入金）	10,640,000	（完　成　工　事　高）（＊）	10,640,000

（＊）28,000,000円〈請負金額〉× （1,666,000円〈前期の工事原価〉＋9,548,000円〈当期の工事原価〉）／24,920,000円〈総工事原価見積額〉(0.45)
－1,960,000円〈前期の工事収益〉＝10,640,000円

第2問

各個別論点による計算問題です。建設業会計と一般会計の両方から出題されるので、出題範囲は少し広いですが、計算式等を覚え一つ一つ確実に解答できるようにしましょう。

(1) A　(2) A　(3) A　(4) A

(1) 賃金の計算

賃　金

借方	貸方
当月支給総額 31,530,000円	前月未払 9,356,000円
	当月消費額 32,210,000円
当月未払 **10,036,000円**	

(2) 銀行勘定調整表

銀行勘定調整表を作成し、差額で当社の当座預金勘定残高を計算して解答を求めます。

銀行勘定調整表

貸借差額→	当社の当座預金勘定残高	(1,254,000)	銀行の当座預金残高	1,280,000
	②未渡小切手	15,000	①時間外預入	5,000
	③引落未通知	△2,000	④未取付小切手	△18,000
		1,267,000		1,267,000

差異：1,280,000円（残高証明書）－1,254,000円（当座預金勘定残高）＝**26,000円**

(3) 固定資産の売却

(減価償却累計額)(＊1)	6,250,000	(機　　械)	12,500,000
(減価償却費)(＊2)	1,562,500	(固定資産売却益)	**312,500**
(未収入金等)	5,000,000		

(＊1) 減価償却累計額:12,500,000円÷8年×4年分(20×1年～20×4年)＝6,250,000円

(＊2) 減価償却費:12,500,000円÷8年(20×5年)＝1,562,500円

(4) 保険差益

① 建物（倉庫）焼失時の仕訳

(減価償却累計額)	2,500,000	(建　　物)	3,500,000
(未　決　算)	1,000,000		

② 保険金の確定

(現　　金)	**1,200,000**	(未　決　算)	1,000,000
		(保険差益)	200,000

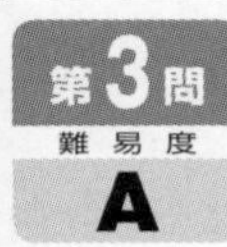

工事間接費に関する問題です。難しい問題ではありませんので、資料をよく読み、計算ミスをしないように注意しましょう。

問１　当会計期間の予定配賦率

78,660,000円 ÷ 34,200時間 = **2,300円/時間**
給料手当予算額　延べ予定作業時間

問２　当月のNo.201工事への予定配賦額

2,300円/時間 × 240時間 = **552,000円**

問３　当月の給与手当に関する配賦差異

6,187,000円（＊）－ 6,200,000円 = **△13,000円（借方差異「A」）**
予定配賦額　実際発生額

（＊）2,300円/時間 ×（350時間 + 240時間 + 2,100時間）= 6,187,000円
No.101工事　No.201工事　その他の工事

標準的な個別原価計算による完成工事原価報告書を作成する問題です。
ただし、先入先出法により材料払出額を計算しなくてはならず、少し時間のかかる問題となりますので解答時間に注意してください。

問１　配賦基準の選択

部門共通費の配賦基準は、各種の観点から、次のように分類されます。

⑴　配賦費目のまとめ方によって
　①　費目別配賦基準
　②　費目グループ別配賦基準
　③　費目一括配賦基準

⑵　配賦基準の単一性によって
　①　単一配賦基準
　②　複合配賦基準（**重量×運搬回数**など）

⑶　配賦基準の性質によって
　①　**サービス量**配賦基準（動力使用量など）
　②　**活動量**配賦基準（作業時間など）
　③　**規模**配賦基準（建物占有面積など）

⑷　基準数値の内容によって
　①　時間配賦基準
　②　数量配賦基準
　③　金額配賦基準

本問は、「⑵　配賦基準の単一性によって」と、「⑶　配賦基準の性質によって」に関する文章となります。

（概説　第４章）

問2　完成工事原価報告書の作成

(1)　材料払出単価と直接材料費の算定

材　料　元　帳

20×2年9月　　　　（数量：kg、単価及び金額：円）

月	日	摘　要	受入 数量	受入 単価	受入 金額	払出 数量	払出 単価	払出 金額	残高 数量	残高 単価	残高 金額
9	1	前月繰越	800	220	176,000				800	220	176,000
	2	801工事				400	220	88,000	400	220	88,000
	5	仕入れ	1,600	250	400,000				400	220	88,000
									1,600	250	400,000
	9	901工事				400	220	88,000			
						800	250	200,000	800	250	200,000
	15	701工事				600	250	150,000	200	250	50,000
	22	仕入れ	1,200	180	216,000				200	250	50,000
									1,200	180	216,000
	26	901工事				200	250	50,000			
						200	180	36,000	1,000	180	180,000
	27	902工事				500	180	90,000	500	180	90,000
	30	**次月繰越**				**500**	**180**	**90,000**			
			3,600	－	792,000	3,600	－	792,000			

〈当月に発生した直接材料費〉

701工事：150,000円

801工事：88,000円

901工事：88,000円＋200,000円＋50,000円＋36,000円＝374,000円

902工事：90,000円

(2)　工事間接費配賦額と配賦差異の算定

① 甲部門費

701工事：150,000円（直接材料費）× 3 %＝　4,500円

801工事：　88,000円（直接材料費）× 3 %＝　2,640円

901工事：374,000円（直接材料費）× 3 %＝ 11,220円

902工事：　90,000円（直接材料費）× 3 %＝　2,700円

合　計　21,060円

21,060円（予定配賦額）－20,000円（実際発生額）＝1,060円（貸方差異）

△5,600円（前月繰越）＋1,060円（当月分）＝△4,540円（借方差異・繰越額）

② 乙部門費

701工事：@2,200円× 15時間（直接作業時間）＝ 33,000円

801工事：@2,200円× 32時間（直接作業時間）＝ 70,400円

901工事：@2,200円×124時間（直接作業時間）＝272,800円

902工事：@2,200円× 29時間（直接作業時間）＝ 63,800円

合　計　440,000円

440,000円 − 441,000円 = △1,000円（借方差異）
予定配賦額　実際発生額

2,300円 + △1,000円 = 1,300円（貸方差異・繰越額）
前月繰越　　当月分

③　工事間接費配賦差異の月末残高

△4,540円 + 1,300円 = △3,240円（借方「A」）
甲部門　　乙部門

(3)　完成工事原価報告書の各金額

材料費：218,000円 + 150,000円 + 171,000円 + 88,000円 + 374,000円 = 1,001,000円
（701工事：218,000円 + 150,000円　801工事：171,000円 + 88,000円　901工事：374,000円）

労務費：482,000円 + 450,000円 + 591,000円 + 513,000円 + 819,000円 = 2,855,000円
（701工事：482,000円 + 450,000円　801工事：591,000円 + 513,000円　901工事：819,000円）

外注費：790,000円 + 1,120,000円 + 621,000円 + 2,321,000円 + 1,523,000円 = 6,375,000円
（701工事：790,000円 + 1,120,000円　801工事：621,000円 + 2,321,000円　901工事：1,523,000円）

経　費：192,000円 + 290,000円 + 4,500円 + 33,000円 + 132,000円 + 385,000円 + 2,640円 + 70,400円
+ 302,000円 + 11,220円 + 272,800円 = 1,695,560円
（701工事：192,000円 + 290,000円 + 4,500円 + 33,000円　801工事：132,000円 + 385,000円 + 2,640円 + 70,400円　901工事：302,000円 + 11,220円 + 272,800円）

完成工事原価：11,926,560円

精算表の作成問題です。本試験において毎回出題され、なおかつ出題論点も類似しているので確実に高得点を取るようにしましょう。

(1) 現金実査

(雑　損　失)	700	(現　金)	700

(2) すくい出し方式

(材料貯蔵品)	1,200	(未成工事支出金)	1,200

(3) 仮払金

①

(支払利息)	600	(仮　払　金)	900
(前払費用)(*)	300		

(*) $900円 \times \frac{1か月}{3か月} = 300円$

② (11)の法人税等の計上で処理します。

(4) 減価償却費の計上（予定計算）

① 機械装置

機械装置の減価償却費については、工事現場用であり月額3,500円が予定計上（工事原価算入）されているため、決算時の実際発生額との差額は、当期の工事原価（未成工事支出金）に加減します。

(未成工事支出金)(*) 減価償却費	3,000	(機械装置減価償却累計額)	3,000

(*) (3,500円/月×12か月) − 45,000円 = △3,000円（計上不足）
　　予定計上額　　　実際発生額

② 備品

(備品減価償却費)(*)	20,000	(備品減価償却累計額)	20,000

(*) 60,000円÷3年＝20,000円

③ 建物

本社事務所の完成にともない、建設仮勘定（資産）から建物勘定（資産）に振り替え、当期分の減価償却費を計上します。なお、建物が期首に完成しているため、1年（12か月）分の減価償却費になります。

(建　物)	48,000	(建設仮勘定)	48,000
(建物減価償却費)(*)	2,000	(建物減価償却累計額)	2,000

(*) 48,000円÷24年＝2,000円

(5) 仮受金

(仮　受　金)	12,000	(完成工事未収入金)	12,000

⑹ 貸倒引当金の計上

(貸倒引当金繰入額)(*)	400	(貸倒引当金)	400

(*) (255,000円 + 457,000円 − 12,000円) × 1.2% − 8,000円 = 400円(繰入額)
受取手形　完成工事未収入金　(5)　T/B貸倒引当金

⑺ 完成工事補償引当金の計上

(未成工事支出金)(*) 完成工事補償引当金繰入額	166	(完成工事補償引当金)	166

(*) (9,583,000円 × 0.2%) − 19,000円 = 166円(繰入額)
完成工事高　T/B完成工事補償引当金

⑻ 賞与引当金の計上

(未成工事支出金) 賞与引当金繰入額	13,500	(賞与引当金)	18,500
(賞与引当金繰入額)	5,000		

⑼ 退職給付引当金の計上

(未成工事支出金) 退職給付引当金繰入額	9,300	(退職給付引当金)	12,500
(退職給付引当金繰入額)	3,200		

⑽ 完成工事原価

未成工事支出金の決算整理前残高に決算整理事項を考慮し、振替額を算定します。
本問では、次期繰越額が112,300円なので、差額の64,366円を完成工事原価に振り替えます。

(完成工事原価)	64,366	(未成工事支出金)(*)	64,366

(*) 151,900円 − 1,200円 + 3,000円 + 166円 + 13,500円 + 9,300円 − 112,300円 = 64,366円
T/B未成工事支出金　(2)　(4)①　(7)　(8)　(9)　次期繰越

⑾ 法人税等の計上

(法人税、住民税及び事業税)(*)	36,004	(仮払金)	31,700
		(未払法人税等)	4,304

(*) (9,600,280円 − 9,480,266円) × 30% = 36,004.2→36,004円(円未満切り捨て)
収益合計　費用合計

第33回 解答

問題 46

第1問 20点　仕　訳　記号（A～X）も必ず記入のこと　　仕訳一組につき４点

No.	借方 記号	借方 勘定科目	借方 金額	貸方 記号	貸方 勘定科目	貸方 金額
(例)	B	当座預金	100000	A	現金	100000
(1)	K	別途積立金	1800000	L	繰越利益剰余金	1800000
(2)	D	建物	21000000	E	建設仮勘定	7000000
				B	当座預金	14000000
(3)	C	投資有価証券	4900000	B	当座預金	4907750
	S	有価証券利息	7750			
(4)	G	機械装置減価償却累計額	4920000	J	機械装置	8200000
	U	火災未決算	3280000			
(5)	H	完成工事補償引当金	500000	F	工事未払金	500000

第2問 12点　　●数字…予想配点

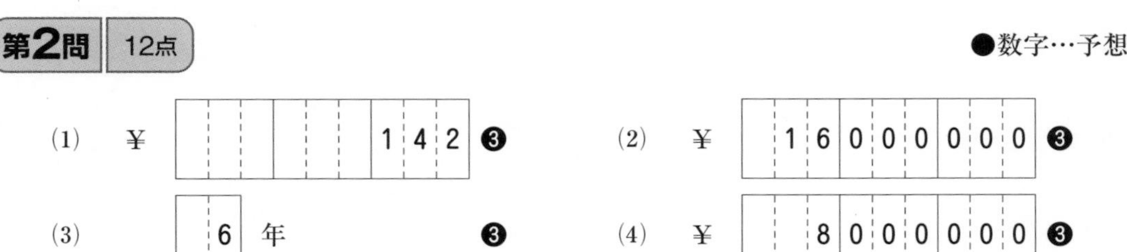

(1) ¥ 142 ❸　　(2) ¥ 16000000 ❸

(3) 6 年 ❸　　(4) ¥ 8000000 ❸

第3問 14点

●数字…予想配点

解答

部門費振替表

(単位：円)

摘　要	合　計	施工部門			補助部門		
		工事第1部	工事第2部	工事第3部	(仮設)部門	(機械)部門	(運搬)部門
部門費合計	17618730	5435000	8980000	2340000	253430	425300	185000
(運搬)部門	185000	46250	74000	51800	9250	❷ 3700	—
(機械)部門	429000	137280	❷ 150150	107250	❷ 34320	429000	—
(仮設)部門	297000	89100	118800	❷ 89100	297000	—	—
合　計	17618730	5707630	❷ 9322950	❷ 2588150	—	—	—
(配賦金額)	—	❷ 272630	342950	248150	—	—	—

第33回

第4問　24点

●数字…予想配点

問1

記号（A～C）

1	2	3	4	5
A	B	C	C	A

各❶

問2

工事別原価計算表

（単位：円）

摘　　要	No.501	No.502	No.601	No.602	計
月初未成工事原価	❷1329000	2778400	——	——	4107400
当月発生工事原価					
材　料　費	258000	427000	❷ 544000	175000	1404000
労　務　費	321300	❷ 531300	785400	403200	2041200
外　注　費	765000	958000	2525000	❷ 419000	4667000
直 接 経 費	95700	113700	195600	62800	❷ 467800
工 事 間 接 費	❷ 57600	81200	162000	42400	343200
当月完成工事原価	2826600	——	❷4212000	——	7038600
月末未成工事原価	——	4889600	——	❷1102400	5992000

工事間接費配賦差異月末残高　¥ 1300 ❷　記号（AまたはB） A ❶

第5問 30点

解答

●数字…予想配点

精　算　表

(単位：円)

勘定科目	残高試算表		整理記入		損益計算書		貸借対照表	
	借方	貸方	借方	貸方	借方	貸方	借方	貸方
現金	19800		500	1400			❸18900	
当座預金	214500						214500	
受取手形	112000						112000	
完成工事未収入金	565000			7000			558000	
貸倒引当金		7800		240				❸8040
有価証券	171000			18000			153000	
未成工事支出金	213500		1000 2000 500 8600	93600			132000	
材料貯蔵品	2800			1000			❸1800	
仮払金	28000			28000				
機械装置	300000						300000	
機械装置減価償却累計額		162000		2000				❸164000
備品	90000						90000	
備品減価償却累計額		30000		30000				60000
支払手形		43200						43200
工事未払金		102500						102500
借入金		238000						238000
未払金		124000						124000
未成工事受入金		89000		21000				110000
仮受金		28000	7000 21000					
完成工事補償引当金		24100		500				24600
退職給付引当金		113900		11400				125300
資本金		100000						100000
繰越利益剰余金		185560						185560
完成工事高		12300000				12300000		
完成工事原価	10670800		93600		❸10764400			
販売費及び一般管理費	1167000				1167000			
受取利息配当金		23400				23400		
支払利息	17060				17060			
	13571460	13571460						
事務用消耗品費			800		800			
旅費交通費			2500		❸2500			
雑損失			600		❸600			
備品減価償却費			30000		30000			
有価証券評価損			18000		❸18000			
貸倒引当金繰入額			240		240			
退職給付引当金繰入額			2800		2800			
未払法人税等				71000				❸71000
法人税、住民税及び事業税			96000		96000			
			285140	285140	12099400	12323400	1580200	1356200
当期（純利益）					❸224000			224000
					12323400	12323400	1580200	1580200

第33回

第33回 解答への道

問題 46

全体的に標準レベルの問題です。確実に高得点をめざしましょう。

第1問

指定された勘定科目と記号を使用して解答しなければ正解にはなりませんので注意してください。
A：易、B：普、C：難となっています。5題中4題以上の正解をめざしましょう。

(1)	(2)	(3)	(4)	(5)
A	A	B	A	A

⑴ 別途積立金の取り崩し

別途積立金を取り崩したときは、別途積立金勘定（純資産）を減額し、繰越利益剰余金勘定（純資産）を増加させます。

⑵ 固定資産の購入（建設仮勘定）

本社事務所が完成し引き渡しを受けたときは、固定資産（建物）の購入処理をします。

① 契約時に現金を前払いした仕訳

完成前に前払いした金額は建設仮勘定（資産）で処理されています。

（建設仮勘定）	7,000,000	（現金）	7,000,000

② 完成し引き渡しを受けたときの仕訳（本問の解答）

建設仮勘定を建物勘定（資産）へ振り替え、残額は当座預金で処理します。

（建物）	21,000,000	（建設仮勘定）	7,000,000
		（当座預金）（＊）	14,000,000

（＊） 貸借差額

⑶ 投資有価証券の購入（端数利息の計算）

他社の社債を購入したときは、投資有価証券勘定（資産）で処理をします。また、前利払日の翌日から売買日までの端数利息7,750円を有価証券利息勘定（収益）のマイナスとして処理をします。

（投資有価証券）（＊1）	4,900,000	（当座預金）	4,907,750
（有価証券利息）（＊2）	7,750		

（＊1） 投資有価証券の取得原価

$$5{,}000{,}000\text{円} \times \frac{98\text{円}}{100\text{円}} = 4{,}900{,}000\text{円}$$

（＊2） 端数利息

$$5{,}000{,}000\text{円} \times 1.825\% \times \frac{31\text{日(注)}}{365\text{日}} = 7{,}750\text{円}$$

（注）30日（4月）＋1日（5月）＝31日

⑷ 火災未決算

固定資産が火災等で焼失し、同資産について火災保険が付されている場合は、焼失時の帳簿価額を火災未決算勘定（資産）に計上します。

(5) 補修（完成工事補償引当金の取り崩し）

完成し、引き渡した建物について補修を行った場合、完成工事補償引当金勘定（負債）を取り崩して処理します。

第2問 各個別論点による計算問題です。建設業会計と一般会計の両方から出題されるので、出題範囲は少し広いですが、計算式等を覚え一つ一つ確実に解答できるようにしましょう。

(1) A　(2) A　(3) A　(4) A

(1) 材料の期末における取引価格（期末時価）の推定

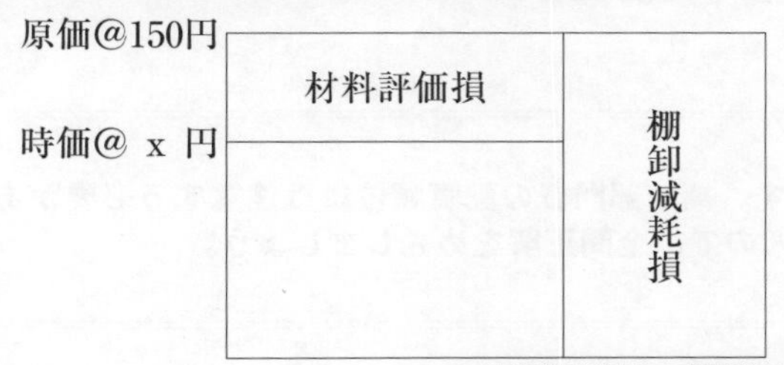

(＊) 実地棚卸数量：3,200個（帳簿棚卸数量）－50個（棚卸減耗）＝3,150個

材料評価損：(@150円－@ x 円)×3,150個＝25,200円

∴ @ x 円＝**@142円**

(2) 完成工事高（工事進行基準）

工事進行基準を適用している場合は、工事の進行具合に合わせて完成工事高を計算します。

① 前期の完成工事高

$$\underset{\text{請負金額}}{80{,}000{,}000円} \times \frac{9{,}000{,}000円}{60{,}000{,}000円}(0.15) = 12{,}000{,}000円$$

② 当期までの完成工事高

$$\underset{\text{請負金額}}{80{,}000{,}000円} \times \frac{9{,}000{,}000円〈前期の工事原価〉 + 10{,}600{,}000円〈当期の工事原価〉}{56{,}000{,}000円〈変更後総工事原価見積額〉}(0.35)$$

＝28,000,000円

③ 当期の完成工事高

28,000,000円（当期までの完成工事高）－12,000,000円（前期の完成工事高）＝**16,000,000円**

(3) 固定資産の総合償却

① 要償却額合計

機械装置A：2,500,000円－250,000円＝2,250,000円

機械装置B：5,200,000円－250,000円＝4,950,000円

機械装置C：600,000円－90,000円＝510,000円

機械装置D：300,000円－30,000円＝270,000円

7,980,000円

② 年償却額合計

機械装置A：2,250,000円÷5年＝　450,000円
機械装置B：4,950,000円÷9年＝　550,000円
機械装置C：　510,000円÷3年＝　170,000円
機械装置D：　270,000円÷3年＝　 90,000円
　　　　　　　　　　　　　　　1,260,000円

③ 平均耐用年数

7,980,000円÷1,260,000円＝6.333…⇒**6年**（小数点以下切り捨て）

(4) **賞与引当金の計算**

翌6月の賞与支給見込額12,000,000円のうち、当期分を賞与引当金として計上します。

$$12{,}000{,}000\text{円}\times\frac{4\text{か月分(当期分：12/1～3/末)}}{6\text{か月分(支給対象期間：12/1～5/末)}}=\mathbf{8{,}000{,}000\text{円}}$$

部門別計算に関する問題です。補助部門費の配賦順位には注意する必要がありますが、難易度は高くありませんので、全問正解をめざしましょう。

〈補助部門費の配賦（階梯式配賦法）〉

問題の指示により、運搬部門、機械部門、仮設部門の順に他部門へのサービス提供度合いにもとづいて各部門に配賦します。

(1) 運搬部門費の配賦

$$185{,}000\text{円}\times\frac{25\%}{25\%+40\%+28\%+5\%+2\%}=\mathbf{46{,}250\text{円}}\text{（工事第1部）}$$

$$185{,}000\text{円}\times\frac{40\%}{25\%+40\%+28\%+5\%+2\%}=\mathbf{74{,}000\text{円}}\text{（工事第2部）}$$

$$185{,}000\text{円}\times\frac{28\%}{25\%+40\%+28\%+5\%+2\%}=\mathbf{51{,}800\text{円}}\text{（工事第3部）}$$

$$185{,}000\text{円}\times\frac{5\%}{25\%+40\%+28\%+5\%+2\%}=\mathbf{9{,}250\text{円}}\text{（仮設部門）}$$

$$185{,}000\text{円}\times\frac{2\%}{25\%+40\%+28\%+5\%+2\%}=\mathbf{3{,}700\text{円}}\text{（機械部門）}$$

(2) 機械部門費の配賦：425,300円＋3,700円＝429,000円

$$429{,}000\text{円}\times\frac{32\%}{32\%+35\%+25\%+8\%}=\mathbf{137{,}280\text{円}}\text{（工事第1部）}$$

$$429{,}000\text{円}\times\frac{35\%}{32\%+35\%+25\%+8\%}=\mathbf{150{,}150\text{円}}\text{（工事第2部）}$$

$$429{,}000\text{円}\times\frac{25\%}{32\%+35\%+25\%+8\%}=\mathbf{107{,}250\text{円}}\text{（工事第3部）}$$

$$429{,}000\text{円}\times\frac{8\%}{32\%+35\%+25\%+8\%}=\mathbf{34{,}320\text{円}}\text{（仮設部門）}$$

(3)　仮設部門費の配賦：253,430円＋9,250円＋34,320円＝297,000円

$$297{,}000円 \times \frac{30\%}{30\% + 40\% + 30\%} = \mathbf{89{,}100円}\ （工事第1部）$$

$$297{,}000円 \times \frac{40\%}{30\% + 40\% + 30\%} = \mathbf{118{,}800円}\ （工事第2部）$$

$$297{,}000円 \times \frac{30\%}{30\% + 40\% + 30\%} = \mathbf{89{,}100円}\ （工事第3部）$$

(4)　補助部門費配賦額合計

工事第1部：46,250円（運搬部門費）＋137,280円（機械部門費）＋89,100円（仮設部門費）＝**272,630円**

工事第2部：74,000円（運搬部門費）＋150,150円（機械部門費）＋118,800円（仮設部門費）＝**342,950円**

工事第3部：51,800円（運搬部門費）＋107,250円（機械部門費）＋89,100円（仮設部門費）＝**248,150円**

標準的な個別原価計算による工事別原価計算表を作成する問題です。確実に高得点が取れるようにしましょう。

問1　原価と非原価

A　工事原価（プロダクト・コスト）

工事原価とは「受注した建設工事の完成に伴い発生する経済的な価値犠牲」と定義されています。具体的には建物等の建築物を作るための費用や、工事現場の維持・管理のための費用をいいます。

B　期間原価（ピリオド・コスト）

期間原価とは、一定期間の収益に関連させて集計する原価のことをいいます。すなわち、一会計期間に発生した費用のことであり、販売費及び一般管理費のことをいいます。

C　非原価（原価外項目）

非原価（原価外項目）とは、上記の工事原価や販売費及び一般管理費に含めない費用または損失をいいます。具体的には次のようなものがあります。

(1)　経営目的に関連しないもの

①　投資資産である不動産や有価証券、未稼動の固定資産、長期にわたり休止している設備、その他経営目的に関連しない資産などに関する減価償却費等

②　寄付金など経営目的に関連しない支出項目

③　支払利息などの財務費用

④　有価証券の評価損や売却損

(2)　異常な状態を原因とする価値の減少

①　異常な仕損、減損、棚卸減耗等

②　火災や風水害などの偶発的事故による損失

③　予期し得ない陳腐化等によって固定資産に著しい減価を生じた場合の臨時償却費

④　延滞金、違約金、罰課金、損害賠償金

⑤　偶発債務損失

⑥　訴訟費

⑦　臨時多額の退職手当

⑧　固定資産売却損及び除却損

⑨　異常な貸倒損失

(3)　税法上特に認められている損金算入項目

(4)　その他の利益剰余金に課する項目

（概説　第１章）

以上を本問にあてはめると、以下のようになります。

１.「鉄骨資材の購入と現場搬入費」

これは、建物等の建築物を作るための費用になるため、**A工事原価**に該当します。

２.「本社経理部職員の出張旅費」

これは、本社における一会計期間に発生した費用となるため、**B期間原価**に該当します。

３.「銀行借入金利子」

これは、銀行からの借入れに係る財務活動になります。よって、財務費用となるため、**C非原価**の(1)－③に該当します。

４.「資材盗難による損失」

これは、偶発的事故による損失になるため、**C非原価**の(2)－②に該当します。

５.「工事現場監督者の人件費」

これは、建物等の建築物を作るための費用になるため、**A工事原価**に該当します。

問２　工事別原価計算表の作成

(1)　当月労務費の計算

No.501：@2,100円×153時間＝　**321,300円**

No.502：@2,100円×253時間＝　**531,300円**

No.601：@2,100円×374時間＝　**785,400円**

No.602：@2,100円×192時間＝　**403,200円**

2,041,200円

(2)　当会計期間の工事間接費の予定配賦率

2,252,000円（工事間接費予算額）÷56,300,000円（直接原価総発生見込額）＝0.04（４％）

(3)　当月の工事間接費予定配賦額

No.501：４％×（258,000円（材料費）＋321,300円（労務費）＋765,000円（外注費）＋95,700円（経費））＝　**57,600円**

No.502：４％×（427,000円（材料費）＋531,300円（労務費）＋958,000円（外注費）＋113,700円（経費））＝　**81,200円**

No.601：４％×（544,000円（材料費）＋785,400円（労務費）＋2,525,000円（外注費）＋195,600円（経費））＝**162,000円**

No.602：４％×（175,000円（材料費）＋403,200円（労務費）＋419,000円（外注費）＋62,800円（経費））＝　**42,400円**

343,200円

(4) 工事間接費配賦差異の月末残高

343,200円（予定配賦額） − 341,000円（実際発生額） − 3,500円（前月繰越･借方） ＝ △1,300円（借方「A」）

(5) 工事別原価計算表

① 当月完成工事原価

No501：1,329,000円(＊)（前月繰越） ＋ 258,000円（材料費） ＋ 321,300円（労務費） ＋ 765,000円（外注費） ＋ 95,700円（経費） ＋ 57,600円（工事間接費）

＝ 2,826,600円

(＊) 235,000円（材料費） ＋ 329,000円（労務費） ＋ 650,000円（外注費） ＋ 115,000円（経費） ＝ 1,329,000円

No601：544,000円（材料費） ＋ 785,400円（労務費） ＋ 2,525,000円（外注費） ＋ 195,600円（経費） ＋ 162,000円（工事間接費） ＝ 4,212,000円

② 月末未成工事原価

No502：2,778,400円(＊)（前月繰越） ＋ 427,000円（材料費） ＋ 531,300円（労務費） ＋ 958,000円（外注費） ＋ 113,700円（経費） ＋ 81,200円（工事間接費）

＝ 4,889,600円

(＊) 580,000円（材料費） ＋ 652,000円（労務費） ＋ 1,328,000円（外注費） ＋ 218,400円（経費） ＝ 2,778,400円

No602：175,000円（材料費） ＋ 403,200円（労務費） ＋ 419,000円（外注費） ＋ 62,800円（経費） ＋ 42,400円（工事間接費） ＝ 1,102,400円

精算表の作成問題です。本試験において毎回出題され、なおかつ出題論点も類似しているので確実に高得点を取るようにしましょう。

(1) 現金実査

借方	金額	貸方	金額
(事務用消耗品費)	800	(現　　金)	1,400
(雑　損　失)	600		

(2) 材料貯蔵品の期末評価（棚卸減耗）

借方	金額	貸方	金額
(未成工事支出金)	1,000	(材料貯蔵品)	1,000

(3) 仮払金

①

借方	金額	貸方	金額
(旅費交通費)	2,500	(仮　払　金)	3,000
(現　　金)	500		

② ⑾の法人税等の計上で処理します。

(4) 減価償却費の計上（予定計算）

① 機械装置

機械装置の減価償却費については、工事現場用であり月額4,500円が予定計上（工事原価算入）されているため、決算時の実際発生額との差額は、当期の工事原価（未成工事支出金）に加減します。

(未成工事支出金)(＊) 減価償却費	2,000	(機械装置減価償却累計額)	2,000

（＊）（4,500円／月×12か月）－56,000円＝△2,000円（過去不足）
　　　予定計上額　実際発生額

② 備品

(備品減価償却費)(＊)	30,000	(備品減価償却累計額)	30,000

（＊）90,000円÷３年＝30,000円

(5) 有価証券評価損

(有価証券評価損)(＊)	18,000	(有価証券)	18,000

（＊）153,000円－171,000円＝△18,000円
　　　期末時価　帳簿価額

(6) 仮受金

①	(仮受金)	7,000	(完成工事未収入金)	7,000
②	(仮受金)	21,000	(未成工事受入金)	21,000

(7) 貸倒引当金の計上

(貸倒引当金繰入額)(＊)	240	(貸倒引当金)	240

（＊）（112,000円＋565,000円－7,000円）×1.2％＝8,040円
　　　受取手形　完成工事未収入金　(6)

8,040円－7,800円＝240円（繰入額）
　　　T/B貸倒引当金

(8) 完成工事補償引当金の計上

(未成工事支出金)(＊) 完成工事補償引当金繰入額	500	(完成工事補償引当金)	500

（＊）（12,300,000円×0.2％）－24,100円＝500円（繰入額）
　　　完成工事高　T/B完成工事補償引当金

(9) 退職給付引当金

① 本社事務員

(退職給付引当金繰入額)	2,800	(退職給付引当金)	2,800

② 現場作業員

(未成工事支出金) 退職給付引当金繰入額	8,600	(退職給付引当金)	8,600

(10) 完成工事原価

未成工事支出金の決算整理前残高に決算整理事項を考慮し、振替額を算定します。

本問では、次期繰越額が132,000円なので、差額の93,600円を完成工事原価に振り替えます。

(完成工事原価)	93,600	(未成工事支出金)(*)	93,600

(*) 213,500円（T/B未成工事支出金）＋ 1,000円（(2)）＋ 2,000円（(4)①）＋ 500円（(8)）＋ 8,600円（(9)②）－ 132,000円（次期繰越）＝ 93,600円

(11) 法人税等の計上

(法人税、住民税及び事業税)	96,000	(仮払金)	25,000
		(未払法人税等)	71,000

(*) (12,323,400円（収益合計）－ 12,003,400円（費用合計）) × 30% ＝ 96,000円

第34回 解答

問題 52

第1問 20点

仕　訳　記号（A～X）も必ず記入のこと　　　仕訳一組につき４点

No.	借方 記号	借方 勘定科目	借方 金額	貸方 記号	貸方 勘定科目	貸方 金額
(例)	B	当座預金	100000	A	現金	100000
(1)	B	当座預金	1560000	C W	有価証券 有価証券売却益	1500000 60000
(2)	G	建設仮勘定	5000000	L	営業外支払手形	5000000
(3)	J S	貸倒引当金 貸倒損失	800000 800000	D	完成工事未収入金	1600000
(4)	N	資本準備金	12000000	M	資本金	12000000
(5)	D	完成工事未収入金	7350000	Q	完成工事高	7350000

第2問 12点

●数字…予想配点

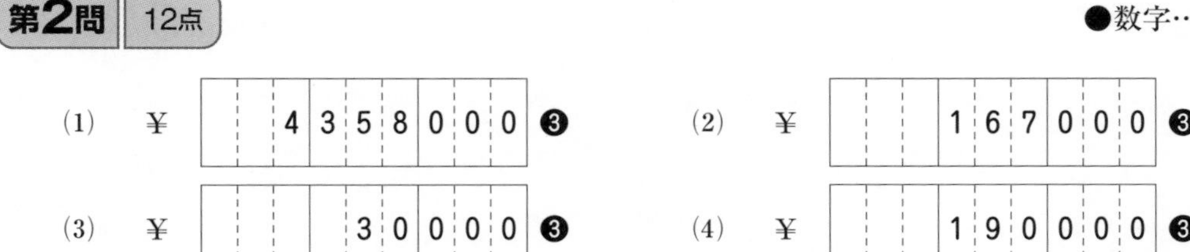
(1) ¥ 4358000 ❸　　(2) ¥ 167000 ❸

(3) ¥ 30000 ❸　　(4) ¥ 190000 ❸

第3問 14点

●数字…予想配点

未成工事支出金

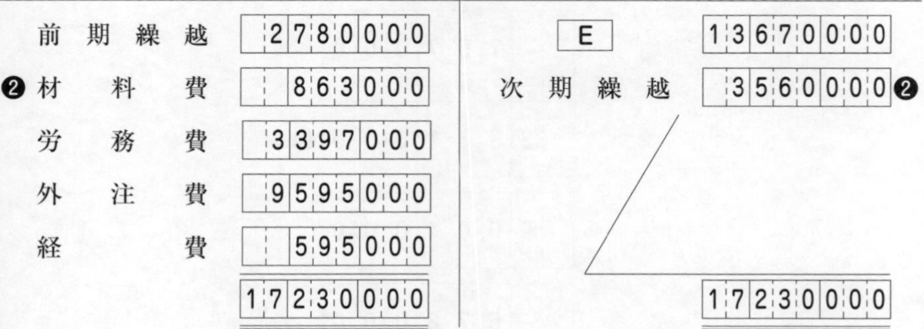

前期繰越	2780000	E	13670000
❷材料費	863000	次期繰越	3560000❷
労務費	3397000		
外注費	9595000		
経費	595000		
	17230000		17230000

完成工事原価

❷ D	13670000	F	13670000

完成工事高

F	17,500,000	完成工事未収入金	15,500,000
		B	2000000
	17,500,000		17,500,000

販売費及び一般管理費

××××	529,000	F	529000

支払利息

当座預金	21,000	F	21000

損益

E	13670000	A	17500000❷
G	529000		
C	21000		
❷繰越利益剰余金	3280000		
	17500000		17500000

完成工事原価報告書
自　20×1年４月１日
至　20×2年３月31日

（単位：円）

Ⅰ．材　料　費	757000
Ⅱ．労　務　費	3331000 ❷
Ⅲ．外　注　費	9004000
Ⅳ．経　　　費	578000
（うち人件費 65000）	
完成工事原価	13670000 ❷

第4問 24点

●数字…予想配点

解答

問1

記号（AまたはB）

1	2	3	4	5
A	B	B	B	A

各❶

問2

部門費振替表

（単位：円）

摘要	工事現場			補助部門		
	A工事	B工事	C工事	仮設部門	車両部門	機械部門
部門費合計	8,530,000	4,290,000	2,640,000	❸1680000	1200000	1440000
仮設部門費	336,000	924,000	420,000			
車両部門費	❹324000	600,000	276000			
機械部門費	480000	❹720000	240,000			
補助部門費配賦額合計	1140000	2244000	936000			
工事原価	❹9670000	6534000	❹3576000			

第5問 30点

●数字…予想配点

精　算　表

（単位：円）

勘定科目	残高試算表		整理記入		損益計算書		貸借対照表	
	借方	貸方	借方	貸方	借方	貸方	借方	貸方
現金	17500			7000			10500	
当座預金	283000						283000	
受取手形	54000						54000	
完成工事未収入金	497500			9000			488500	
貸倒引当金		6800	290					❸6510
未成工事支出金	212000		1600 8400	1500 6000 112400			102100	
材料貯蔵品	2800		1500				❸4300	
仮払金	28000			28000				
機械装置	500000						500000	
機械装置減価償却累計額		122000	6000					❸116000
備品	45000						45000	
備品減価償却累計額		15000		15000				30000
建設仮勘定	36000			36000				
支払手形		72200						72200
工事未払金		122500						122500
借入金		318000						318000
未払金		129000						129000
未成工事受入金		65000		16000				❸81000
仮受金		25000	25000					
完成工事補償引当金		33800	5000	1600				❸30400
退職給付引当金		182600		11600				194200
資本金		100000						100000
繰越利益剰余金		156090						156090
完成工事高		15200000				15200000		
完成工事原価	13429000		112400		❸13541400			
販売費及び一般管理費	1449000				1449000			
受取利息配当金		25410				25410		
支払利息	19600				19600			
	16573400	16573400						
通信費			5500		5500			
雑損失			1500		❸1500			
備品減価償却費			15000		15000			
建物			36000				36000	
建物減価償却費			1500		❸1500			
建物減価償却累計額				1500				1500
貸倒引当金戻入				290		290		
退職給付引当金繰入額			3200		3200			
未払法人税等				33700				❸33700
法人税、住民税及び事業税			56700		56700			
			279590	279590	15093400	15225700	1523400	1391100
当期（純利益）					❸132300			132300
					15225700	15225700	1523400	1523400

第34回 解答への道

問題 52

全体的に標準レベルの問題です。第3問の勘定記入と第4問の計算が少し難しいですが、高得点をめざしましょう。

第1問

指定された勘定科目と記号を使用して解答しなければ正解にはなりませんので注意してください。
A：易、B：普、C：難となっています。5題中4題以上の正解をめざしましょう。

(1) A　(2) A　(3) A　(4) A　(5) B

(1) 有価証券の売却

売買目的で所有しているA社株式は、有価証券勘定（資産）で処理されています。

（当座預金）(＊1)	1,560,000	（有価証券）(＊2)	1,500,000
		（有価証券売却益）	60,000

（＊1） 520円×3,000株＝1,560,000円
（＊2） 500円×3,000株＝1,500,000円

(2) 建設仮勘定

本社事務所新築のための工事契約代金の前払分は建設仮勘定（資産）で処理します。また、有形固定資産の取得に際し振り出した約束手形は、通常の営業取引で用いる支払手形（負債）と区別して営業外支払手形勘定（負債）で処理します。

(3) 貸倒れ

前期の決算において、貸倒引当金を設定していた完成工事未収入金が貸し倒れた場合は、貸倒引当金勘定（資産のマイナス）を取り崩し、充当できなかった金額は貸倒損失勘定（費用）で処理します。

(4) 増資（資本準備金の組み入れ）

資本準備金を資本金に組み入れるということは、増資をするということになります。ただし、どちらも純資産の勘定になりますので、純資産の部に変化はありません。

(5) 工事進行基準

工事進行基準を適用している場合は、工事の進行具合に合わせて完成工事高を計上します。以下に前期からの仕訳を示します。

① 前期の完成工事高に関する仕訳

（完成工事未収入金）	5,600,000	（完成工事高）	5,600,000

$$\underset{\text{請負金額}}{35{,}000{,}000\text{円}}\times\frac{4{,}592{,}000\text{円}}{28{,}700{,}000\text{円}}(0.16)=5{,}600{,}000\text{円}$$

② 当期の完成工事高に関する仕訳（本問の解答）

（完成工事未収入金）	7,350,000	（完成工事高）	7,350,000

$$\underset{\text{請負金額}}{37{,}000{,}000\text{円}} \times \frac{10{,}745{,}000\text{円}(*)}{30{,}700{,}000\text{円}}(0.35) - 5{,}600{,}000\text{円} = 7{,}350{,}000\text{円}$$

（＊）　当期までの完成工事原価：$\underset{\text{前期の工事原価}}{4{,}592{,}000\text{円}} + \underset{\text{当期の工事原価}}{6{,}153{,}000\text{円}} = 10{,}745{,}000\text{円}$

なお、当期（第２期）において請負金額は37,000,000円（＝35,000,000円＋2,000,000円）に、総工事原価見積額は30,700,000円（＝28,700,000円＋2,000,000円）に変更されています。

各個別論点による計算問題です。建設業会計と一般会計の両方から出題されるので、出題範囲は少し広いですが、計算式等を覚え一つ一つ確実に解答できるようにしましょう。

(1) A　(2) A　(3) A　(4) B

⑴　賃金の計算

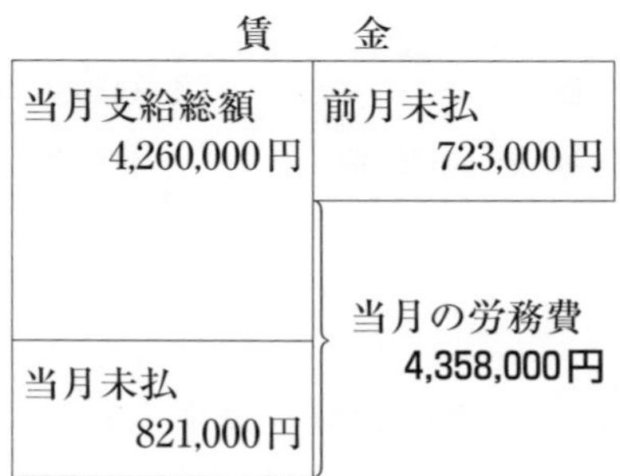

⑵　本支店会計

本店の仕訳

①　支店への備品の発送

（支　　店）	85,000	（備　　品）	85,000

②　支店からの送金

（現　　金）	85,000	（支　　店）	85,000

③　支店の交際費の立替払い

（支　　店）	15,000	（現金預金など）	15,000

(3) 銀行勘定調整表

当社の当座預金残高を100,000円と仮定して銀行勘定調整表を作成し、解答を求めます。

銀行勘定調整表

当社の当座預金残高	100,000	銀行の当座預金残高	(70,000)	←貸借差額
②振込未通知	32,000	①時間外預け入れ	10,000	
④引落未通知	△9,000	③未取立小切手	43,000	
	123,000		123,000	

100,000円（当社）－70,000円（銀行）＝**30,000円**

(4) のれんの償却

① 買収時

(材　　　料)	800,000	(工事未払金)	1,200,000
(建　　　物)	2,200,000	(借　入　金)	1,800,000
(土　　　地)	1,200,000	(現金預金など)	5,000,000
(の　れ　ん)	3,800,000		

② のれんの償却

3,800,000円÷20年（会計基準が定める最長期間）＝**190,000円**

勘定記入と完成工事原価報告書を作成する問題です。勘定記入は、受験生の苦手な論点ですが、勘定連絡図をイメージして少しでも高得点が取れるようにがんばりましょう。

1．勘定連絡図

本問における、勘定連絡図を示すと次のようになります。

未成工事支出金

前期繰越	2,780,000	E完成工事原価	13,670,000
材料費	863,000	次期繰越	3,560,000
労務費	3,397,000		
外注費	9,595,000		
経費	595,000		
	17,230,000		17,230,000

完成工事原価

D未成工事支出金	13,670,000	F損益	13,670,000

完成工事高

F損益	17,500,000	完成工事未収入金	15,500,000
		B未成工事受入金	2,000,000
	17,500,000		17,500,000

販売費及び一般管理費

××××	529,000	F損益	529,000

支払利息

当座預金	21,000	F損益	21,000

損益

E完成工事原価	13,670,000	A完成工事高	17,500,000
G販売費及び一般管理費	529,000		
C支払利息	21,000		
繰越利益剰余金	3,280,000		
	17,500,000		17,500,000

2．勘定記入

① 未成工事支出金勘定

借方 前期繰越：186,000円（材料費期首残高）＋765,000円（労務費期首残高）＋1,735,000円（外注費期首残高）＋94,000円（経費期首残高）＝**2,780,000円**

材料費：**863,000円**（材料費当期発生額）

労務費：**3,397,000円**（労務費当期発生額）

外注費：**9,595,000円**（外注費当期発生額）

経　費：**595,000円**（経費当期発生額）

合　計：**17,230,000円**

貸方 **E完成工事原価：13,670,000円**（貸借差額）

次期繰越：292,000円（材料費繰越額）＋831,000円（労務費繰越額）＋2,326,000円（外注費繰越額）＋111,000円（経費繰越額）＝**3,560,000円**

合　計：13,670,000円＋3,560,000円＝**17,230,000円**

② 完成工事原価勘定

借方 **D未成工事支出金：13,670,000円**（未成工事支出金の貸方より）

貸方 **F損益：13,670,000円**（借方と同じ）

③ 完成工事高勘定

借方 **F損益**：17,500,000円（記入済み）

貸方 完成工事未収入金：15,500,000円（記入済み）

B未成工事受入金：2,000,000円（貸借差額）

合　計：15,500,000円＋2,000,000円＝17,500,000円（記入済み）

④ 販売費及び一般管理費勘定

借方 ××××：529,000円（記入済み）

貸方 **F損益：529,000円**（借方と同額）

⑤ 支払利息勘定

借方 当座預金：21,000円（記入済み）

貸方 **F損益：21,000円**（借方と同額）

⑥ 損益勘定

貸方 **A完成工事高：17,500,000円**（完成工事高勘定からの振替額）

合　計：**17,500,000円**

借方 **E完成工事原価：13,670,000円**（完成工事原価勘定からの振替額）

G販売費及び一般管理費：529,000円（販売費及び一般管理費勘定からの振替額）

C支払利息：21,000円（支払利息勘定からの振替額）

繰越利益剰余金：**3,280,000円**（貸借差額）

合　計：13,670,000円＋529,000円＋21,000円＋3,280,000円＝**17,500,000円**

3．完成工事原価報告書の作成

Ⅰ．材料費

186,000円（期首有高）＋863,000円（未成工事支出金勘定より）－292,000円（期末有高）＝**757,000円**

Ⅱ．労務費

765,000円（期首有高）＋3,397,000円（未成工事支出金勘定より）－831,000円（期末有高）＝**3,331,000円**

Ⅲ．外注費

1,735,000円 + 9,595,000円 − 2,326,000円 = **9,004,000円**
期首有高　未成工事支出金勘定より　期末有高

Ⅳ．経費

94,000円 + 595,000円 − 111,000円 = **578,000円**
期首有高　未成工事支出金勘定より　期末有高

経費のうち人件費

9,000円 + 68,000円 − 12,000円 = **65,000円**
期首有高　〈資料〉より　期末有高

部門別計算に関する問題です。推定箇所の計算は少々難しいですが、それ以外は標準的な内容なので、少しでも高得点が取れるようにがんばりましょう。

問１　工事原価と期間原価（ピリオド・コスト）及び非原価（原価外項目）

A　工事原価

工事原価とは「受注した建設工事の完遂に伴い発生する経済的な価値犠牲」を指します。具体的には建物等の建築物を作るための費用や、工事現場の維持・管理のための費用をいいます。

B　工事原価に算入すべきでない項目

1．期間原価（ピリオド・コスト）

期間原価とは、一定期間の収益に関連させて集計する原価のことをいいます。すなわち、一会計期間に発生した費用のことであり、販売費及び一般管理費のことをいいます。

2．非原価（原価外項目）

非原価（原価外項目）とは、上記の工事原価や販売費及び一般管理費に含めない費用または損失をいいます。具体的には次のようなものがあります。

⑴　経営目的に関連しないもの

① 投資資産である不動産や有価証券、未稼動の固定資産、長期にわたり休止している設備、その他経営目的に関連しない資産などに関する減価償却費等
② 寄付金など経営目的に関連しない支出項目
③ 支払利息などの財務費用
④ 有価証券の評価損や売却損

⑵　異常な状態を原因とする価値の減少

① 異常な仕損、減損、棚卸減耗等
② 火災や風水害などの偶発的事故による損失
③ 予期し得ない陳腐化等によって固定資産に著しい減価を生じた場合の臨時償却費
④ 延滞金、違約金、罰課金、損害賠償金
⑤ 偶発債務損失
⑥ 訴訟費
⑦ 臨時多額の退職手当
⑧ 固定資産売却損及び除却損
⑨ 異常な貸倒損失

(3)　税法上特に認められている損金算入項目

(4)　その他の利益剰余金に課する項目

（概説　第１章）

以上を本問にあてはめると、以下のようになります。

1.「No.101工事現場の安全管理講習会費用」
　これは、工事現場の維持・管理のための費用となるので、**「A工事原価」**に該当します。

2.「No.101工事を管轄する支店の総務課員給与」
　これは、支店における一会計期間に発生した費用で期間原価となり、**「B工事原価に算入すべきでない項目」**に該当します。

3.「本社営業部員との懇親会費用」
　これは、本社における一会計期間に発生した費用で期間原価となり、**「B工事原価に算入すべきでない項目」**に該当します。

4.「No.101工事現場での資材盗難による損失」
　これは、非原価の(2)①となり、**「B工事原価に算入すべきでない項目」**に該当します。

5.「No.101工事の外注契約書印紙代」
　これは、建築物を作るための費用となるので、**「A工事原価」**に該当します。

問2　補助部門費の配賦（直接配賦法）

(1)　仮設部門費：336,000円（A工事への配賦額）＋924,000円（B工事への配賦額）＋420,000円（C工事への配賦額）＝**1,680,000円**

(2)　車両部門費の配賦

　B工事に600,000円が配賦されています。（記入済み）

　そのため、未配賦額600,000円をA工事とC工事の配賦基準により配賦します。

$$600{,}000円 \times \frac{135t/km}{135t/km + 115t/km} = \mathbf{324{,}000円}（A工事）$$

$$600{,}000円 \times \frac{115t/km}{135t/km + 115t/km} = \mathbf{276{,}000円}（C工事）$$

(3)　機械部門費の配賦

　C工事に240,000円が配賦されています。（記入済み）

　そのため、未配賦額1,200,000円をA工事とB工事の配賦基準により配賦します。

配賦基準　A工事：10×40時間＝400時間
　　　　　B工事：12×50時間＝600時間

$$1{,}200{,}000円 \times \frac{400時間}{400時間 + 600時間} = \mathbf{480{,}000円}（A工事）$$

$$1{,}200{,}000円 \times \frac{600時間}{400時間 + 600時間} = \mathbf{720{,}000円}（B工事）$$

(4)　補助部門費配賦額合計

A工事：336,000円（仮設部門費）＋324,000円（車両部門費）＋480,000円（機械部門費）＝**1,140,000円**

B工事：924,000円（仮設部門費）＋600,000円（車両部門費）＋720,000円（機械部門費）＝**2,244,000円**

C工事：420,000円（仮設部門費）＋276,000円（車両部門費）＋240,000円（機械部門費）＝**936,000円**

⑸ 工事原価

A工事：8,530,000円（部門費）＋1,140,000円（補助部門費）＝**9,670,000円**

B工事：4,290,000円（部門費）＋2,244,000円（補助部門費）＝**6,534,000円**

C工事：2,640,000円（部門費）＋ 936,000円（補助部門費）＝**3,576,000円**

精算表の作成問題です。本試験において毎回出題され、なおかつ出題論点も類似しているので確実に高得点を取るようにしましょう。

⑴ 現金実査

(通信費)	5,500	(現金)	7,000
(雑損失)	1,500		

⑵ 仮設材料の評価（すくい出し方式）

(材料貯蔵品)	1,500	(未成工事支出金)	1,500

⑶ 仮払金

①

(完成工事補償引当金)	5,000	(仮払金)	5,000

② ⑽の法人税等の計上で処理します。

⑷ 減価償却費の計上（予定計算）

① 機械装置

機械装置の減価償却費については、工事現場用であり月額5,500円が予定計上（工事原価算入）されているため、決算時の実際発生額との差額は、当期の工事原価（未成工事支出金）に加減します。

(機械装置減価償却累計額)(＊)	6,000	(未成工事支出金)（減価償却費）	6,000

(＊) (5,500円／月×12カ月)（予定計上額）−60,000円（実際発生額）＝6,000円（過大計上）

② 備品

(備品減価償却費)(＊)	15,000	(備品減価償却累計額)	15,000

(＊) 45,000円÷3年＝15,000円

③　建物

イ　建設仮勘定の振替

(建　　　　物)	36,000	(建 設 仮 勘 定)	36,000

ロ　建物の減価償却費の計算

(建物減価償却費)(＊)	1,500	(建物減価償却累計額)	1,500

(＊) 36,000円÷24年＝1,500円

(5)　仮受金

①	(仮　受　金)	9,000	(完成工事未収入金)	9,000
②	(仮　受　金)	16,000	(未成工事受入金)	16,000

(6)　貸倒引当金の計上

(貸 倒 引 当 金)	290	(貸倒引当金戻入)(＊)	290

(＊) (54,000円[受取手形]＋497,500円[完成工事未収入金]－9,000円[(5)①])×1.2％－6,800円[T/B残高]＝△290円 (戻入額)

(7)　完成工事補償引当金の計上

(未成工事支出金)(＊) 完成工事補償引当金繰入額	1,600	(完成工事補償引当金)	1,600

(＊) (15,200,000円[完成工事高]×0.2％)－(33,800円[T/B残高]－5,000円[(3)①])＝1,600円 (繰入額)

(8)　退職給付引当金

①　管理部門 (本社事務員)

(退職給付引当金繰入額)	3,200	(退 職 給 付 引 当 金)	3,200

②　施工部門 (現場作業員)

(未成工事支出金) 退職給付引当金繰入額	8,400	(退 職 給 付 引 当 金)	8,400

(9)　完成工事原価

(完成工事原価)(＊)	112,400	(未成工事支出金)	112,400

(＊) 212,000円[T/B残高]－1,500円[(2)]－6,000円[(4)①]＋1,600円[(7)]＋8,400円[(8)②]－102,100円[次期繰越]＝112,400円

(10)　法人税等の計上

(法人税、住民税及び事業税)(＊)	56,700	(仮　払　金)	23,000
		(未 払 法 人 税 等)	33,700

(＊) (15,225,700円[収益合計]－15,036,700円[費用合計])×30％＝56,700円

第35回 解答

問題 56

第1問 20点　仕　訳　記号（A～Y）も必ず記入のこと　　仕訳一組につき４点

No.	借方 記号	借方 勘定科目	借方 金額	貸方 記号	貸方 勘定科目	貸方 金額
(例)	B	当座預金	100000	A	現金	100000
(1)	N	繰越利益剰余金	3300000	J	未払配当金	3000000
				M	利益準備金	300000
(2)	B	当座預金	19700000	H	社債	19700000
	S	社債発行費	150000	B	当座預金	150000
(3)	A	現金	3500000	G	機械装置	3000000
				W	固定資産売却益	500000
(4)	F	賞与引当金	10000000	B	当座預金	11000000
	R	賞与	1000000			
(5)	C	材料貯蔵品	180000	D	未成工事支出金	180000

第2問 12点　　●数字…予想配点

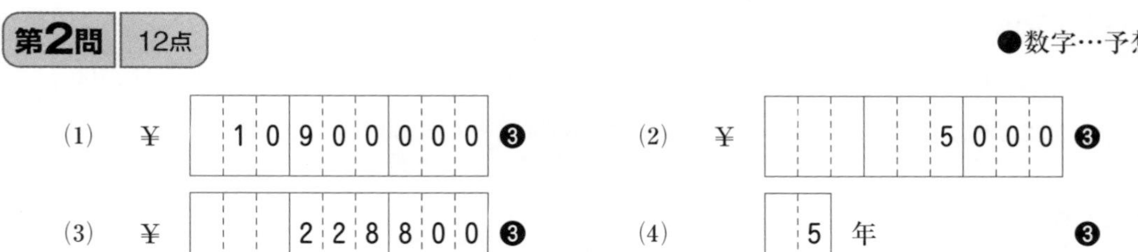

(1) ¥ 10900000 ❸　(2) ¥ 5000 ❸

(3) ¥ 228800 ❸　(4) 5 年 ❸

第3問 14点

●数字…予想配点

問1 ¥ 4350 ❹

問2 ¥ 404550 ❹

問3 ¥ 2200 ❹ 記号（AまたはB） B ❷

第4問 24点

●数字…予想配点

問1

工事原価明細表
20×1年4月

（単位：円）

	当月発生工事原価	当月完成工事原価
Ⅰ．材料費	806000 ❹	775000
Ⅱ．労務費	524000	539000 ❹
Ⅲ．外注費	723000	850000 ❹
Ⅳ．経　費	337000	269000 ❹
（うち人件費）	（183000）❹	（182000）
完成工事原価	2390000	2433000

問2

記号（A～D）

1	2	3	4
C	D	A	B

各❶

第5問 30点

●数字…予想配点

精　算　表

(単位：円)

勘定科目	残高試算表		整理記入		損益計算書		貸借対照表	
	借方	貸方	借方	貸方	借方	貸方	借方	貸方
現金	51500		300				51800	
当座預金	263000		2300 12000				❸277300	
受取手形	25000						25000	
完成工事未収入金	376000			12000 9000			❸355000	
貸倒引当金		4200		360				4560
未成工事支出金	186500		500 3000 680 7600	72180			126100	
材料貯蔵品	1800			500			❸1300	
仮払金	32000			4000 28000				
機械装置	600000						600000	
機械装置減価償却累計額		236000		3000				❸239000
備品	120000						120000	
備品減価償却累計額		25000		27500				❸52500
支払手形		58900						58900
工事未払金		184500						184500
借入金		143000						143000
未払金		163000		2300				165300
未成工事受入金		72000						72000
仮受金		19000	9000 10000					
完成工事補償引当金		46500		680				47180
退職給付引当金		119000		10400				129400
資本金		100000						100000
繰越利益剰余金		123160						123160
完成工事高		23580000		10000		23590000		
完成工事原価	20534000		72180		❸20606180			
販売費及び一般管理費	2690000			3000	2687000			
受取利息配当金		30960			❸	30960		
支払利息	25420				25420			
	24905220	24905220						
旅費交通費			3700		3700			
備品減価償却費			27500		27500			
貸倒引当金繰入額			360		❸360			
退職給付引当金繰入額			2800		2800			
前払費用			3000				3000	
未払法人税等				52400				❸52400
法人税、住民税及び事業税			80400		80400			
			235320	235320	23433360	23620960	1559500	1371900
当期（純利益）					❸187600			187600
					23620960	23620960	1559500	1559500

第35回 解答への道

問題 56

全体的に標準レベルの問題です。第2問と第5問に過去にはない出題形式がありましたが、高得点をめざしましょう。

第1問

指定された勘定科目と記号を使用して解答しなければ正解にはなりませんので注意してください。
A：易、B：普、C：難となっています。5題中4題以上の正解をめざしましょう。

(1) B　(2) A　(3) A　(4) A　(5) A

(1) 剰余金の配当と処分

剰余金の配当および処分にあたっての利益準備金の積立額は、次のように計算します。

① 配当または中間配当 $\times \frac{1}{10}$
② 資本金 $\times \frac{1}{4}-$（資本準備金＋利益準備金）
いずれか小さい方

① 3,000,000円 $\times \frac{1}{10}=$ 300,000円

② 100,000,000円 $\times \frac{1}{4}-$（15,000,000円＋8,000,000円）＝2,000,000円

①＜②　∴利益準備金の積立額300,000円

(2) 社債の発行

① 社債を発行したときは、払い込み金額をもって社債勘定（負債）に計上します。

（当座預金）	19,700,000	（社債）	19,700,000

98.5円 $\times \frac{20,000,000円}{100円}$（200,000口）＝19,700,000円

② 社債発行に際して生じた社債募集広告費などの支出額を繰延経理した場合は、社債発行費勘定（繰延資産）に計上します。

（社債発行費）	150,000	（当座預金）	150,000

(3) 固定資産の売却

取得原価から2年分の減価償却費を控除した金額（帳簿価額）3,000,000円（＊）と売却価額3,500,000円の差額が固定資産売却益500,000円になります。なお、〈勘定科目群〉に減価償却累計額がないので、直接法による記帳と判断します。

（＊）5,000,000円（取得原価）－5,000,000円÷5年×2年分（前々期と前期の減価償却費）＝3,000,000円

(4) 賞与の支給

賞与を支給したときは、賞与引当金を取り崩し、残額は賞与勘定（費用）で処理します。

(5) すくい出し方式

材料等を工事用に供した時点において、その取得原価の全額を未成工事支出金勘定（資産）で処理し、工事の完了時において評価額がある場合、その評価額をその工事原価から控除する方法をすくい出し方式といいます。

各個別論点による計算問題です。建設業会計と一般会計の両方から出題されるので、出題範囲は少し広いですが、計算式等を覚え一つ一つ確実に解答できるようにしましょう。

(1) B　(2) A　(3) A　(4) A

(1) 工事進行基準

工事の進行具合に合わせて完成工事高を計上します。

① 前期までの完成工事高

$$\underbrace{50{,}000{,}000円}_{請負金額}\times\frac{8{,}500{,}000円}{40{,}500{,}000円〈総工事原価見積額〉+2{,}000{,}000円〈追加工事原価見積額〉}(0.2)=10{,}000{,}000円$$

② 当期までの完成工事高

$$(\underbrace{50{,}000{,}000円}_{請負金額}+\underbrace{5{,}000{,}000円}_{追加請負金})\times\frac{8{,}500{,}000円+7{,}650{,}000円}{42{,}500{,}000円〈総工事原価見積額〉}(0.38)=20{,}900{,}000円$$

③ 当期の完成工事高：$\underbrace{20{,}900{,}000円}_{当期までの完成工事高}-\underbrace{10{,}000{,}000円}_{前期までの完成工事高}=$ **10,900,000円**

(2) 支払利息

支払利息	
期首前払額 3,000円	当期分 148,000円
当期支払額 150,000円	
	期末前払額 **5,000円**

(3) 有価証券の売却

① 買入時

(投資有価証券)	1,513,000	(当座預金)	1,513,000

取得原価：300円×5,000株＋13,000円＝1,513,000円

1株あたりの取得原価（単価）：1,513,000円÷5,000株＝@302.6円

② 売却時

(当座預金)(＊2)	834,000	(投資有価証券)(＊1)	605,200
		(投資有価証券売却益)	228,800

(＊1) 帳簿価額：@302.6円×2,000株＝605,200円

(＊2) 当座預金預入額：@420円×2,000株－6,000円(売却手数料)＝834,000円

(4) 固定資産の総合償却

① 要償却額合計

機械装置A： 6,300,000円
機械装置B： 3,800,000円
機械装置C： 1,500,000円
11,600,000円

② 年償却額合計

機械装置A：6,300,000円÷7年＝ 900,000円
機械装置B：3,800,000円÷5年＝ 760,000円
機械装置C：1,500,000円÷3年＝ 500,000円
2,160,000円

③ 平均耐用年数

11,600,000円÷2,160,000円＝5.370… ⇒**5年**（小数点以下切り捨て）

工事間接費に関する問題です。資料をよく読み、計算ミスをしないように注意しましょう。

問1 当会計期間の現場監督者給与手当の予定配賦率

15,225,000円(＊)(監督者給与予算総額)÷3,500時間(延べ予定作業時間)＝**4,350円**/時間

(＊) 8,650,000円(監督者甲)＋6,575,000円(監督者乙)＝15,225,000円

問2 当月のNo.351工事への現場監督者給与手当予定配賦額

4,350円/時間×93時間＝**404,550円**

問3 当月の現場監督者給与手当に関する配賦差異

1,270,200円(＊)(予定配賦額)－1,268,000円(実際発生額)＝**2,200円**（貸方差異「**B**」）

(＊) 4,350円/時間×(75時間(No.350工事)＋93時間(No.351工事)＋124時間(その他の工事))＝1,270,200円

工事原価明細表を作成する問題です。材料の仕入割引高の扱いと経費とその中に含まれる人件費の計算が少々面倒ですが、それ以外は標準的な内容なので、少しでも高得点が取れるようにがんばりましょう。

問１　工事原価明細表の作成

(1)　当月発生工事原価

①　材料費

845,000円（総仕入高）－32,000円（値引・返品高）＋56,000円（月初有高）－63,000円（月末有高）＝**806,000円**

②　労務費

542,000円（支払高）－236,000円（月初未払）＋218,000円（月末未払）＝**524,000円**

③　外注費

765,000円（支払高）－289,000円（月初未払）＋247,000円（月末未払）＝**723,000円**

④　経費

62,000円（動力用水光熱費）＋(31,000円（地代家賃）＋17,000円（月初前払）－18,000円（月末前払）)

＋(9,000円（保険料）＋8,000円（月初前払）－12,500円（月末前払）)

＋132,000円（従業員給料手当）＋39,000円（法定福利費）＋12,000円（福利厚生費）＋19,000円（通信交通費）

＋(38,000円（事務用品費）－7,500円（月初未払）＋8,000円（月末未払）)＝**337,000円**

⑤　経費のうち人件費

132,000円（従業員給料手当）＋39,000円（法定福利費）＋12,000円（福利厚生費）＝**183,000円**

(2)　当月完成工事原価

①　材料費

152,000円（月初有高）＋806,000円（(1)①）－183,000円（月末有高）＝**775,000円**

②　労務費

224,000円（月初有高）＋524,000円（(1)②）－209,000円（月末有高）＝**539,000円**

③　外注費

1,232,000円（月初有高）＋723,000円（(1)③）－1,105,000円（月末有高）＝**850,000円**

④　経費

117,000円（月初有高）＋337,000円（(1)④）－185,000円（月末有高）＝**269,000円**

⑤　経費のうち人件費

17,000円（月初有高）＋183,000円（(1)⑤）－18,000円（月末有高）＝**182,000円**

問２　工事原価計算の種類

A　形態別原価計算

形態別原価計算とは、財務諸表作成目的のために工事原価を材料費、労務費、外注費、経費に分類して行う原価計算の方法をいいます。

B　事前原価計算

原価の測定を請負工事の事前に実施して、標準原価（あらかじめ目標となる原価）等で行う原価計算を事前原価計算といいます。

C　総合原価計算

総合原価計算とは、同一の標準規格品を連続して生産する場合に用いられる原価の計算方法をいい、原価計算期間における総製造原価をその期間の総生産量で割ることにより、その製品単位あたりの製造原価を求める方法をいいます。また、この総合原価計算は素材などの直接材料をまず製造工程の始点で投入し、あとはこの直接材料を、切削・組立などによって加工する生産形態に多く用いられます。そのため原価を直接材料費と加工費（直接材料を加工するためのコスト）の２種類に分類し、計算するのが一般的です。

D　個別原価計算

個別原価計算とは、顧客から注文を受けた特定の工事に対し、工事指図書を発行し、工事原価について、まず個々の原価計算対象に係る原価である直接費を集計し、次に原価計算対象に共通的に発生する原価である間接費を配賦という手法によって計算する原価計算の方法をいいます。

（概説　第１章）

以上を本問にあてはめると、以下のようになります。

1.「建設資材を量産している企業では、一定期間に発生した原価をその期間中の生産量で割って、製品の単位当たり原価を計算する。」

この文章では、同一の標準規格品を連続して生産することをいっています。よって、この文章は**C総合原価計算**と関係が深い事柄になります。

2.「１つの生産指図書に指示された生産活動について費消された原価を集計・計算する方法である。建設会社が請け負う工事については、一般的にこの方法が採用される。」

この文章では、受注単位すなわち指図書別に原価を集計することをいっています。よって、この文章は**D個別原価計算**と関係が深い事柄になります。

3.「建設業では、工事原価を材料費、労務費、外注費、経費に区分して計算し、制度的な財務諸表を作成している。」

この文章では、形態別分類によって原価を表示する財務諸表の作成に関することをいっています。よって、この文章は**A形態別原価計算**と関係が深い事柄になります。

4.「建設業において、指名獲得あるいは受注活動で重視され、見積原価、予算原価などを算定する原価計算である。」

この文章では、原価の測定を請負工事の事前に実施して、見積原価、予算原価などを算定することをいっています。よって、この文章は**B事前原価計算**と関係が深い事柄になります。

精算表の作成問題です。固定資産における減価償却費の計算が少々難しいですがそれ以外は本試験において毎回出題され、なおかつ出題論点も類似しているので少しでも高得点を取れるようにがんばりましょう。

⑴ 銀行勘定調整表

① 未渡小切手

(当座預金)	2,300	(未払金)	2,300

② 振込未通知

(当座預金)	12,000	(完成工事未収入金)	12,000

⑵ 棚卸減耗

(未成工事支出金)	500	(材料貯蔵品)	500

⑶ 仮払金

①

(旅費交通費)	3,700	(仮払金)	4,000
(現金)	300		

② ⑾の法人税等の計上で処理します。

⑷ 減価償却費の計上(予定計算)

① 機械装置

機械装置の減価償却費については、工事現場用であり生産高比例法を採用し、毎月500単位分が予定計上(工事原価算入)されているため、決算時の実際使用量による実際発生額との差額は、当期の工事原価(未成工事支出金)に加減します。

(未成工事支出金)(＊) 減価償却費	3,000	(機械装置減価償却累計額)	3,000

(＊) 1単位当たりの減価償却費：600,000円÷30,000単位＝@20円

(@20円×500単位×12カ月)－@20円×6,150単位＝△3,000円(計上不足)
　　予定計上額　　　　　　　実際発生額

② 備品

(備品減価償却費)(＊)	27,500	(備品減価償却累計額)	27,500

(＊) 旧備品：(120,000円－20,000円)÷4年＝25,000円

新備品：20,000円÷4年×$\frac{6カ月}{12カ月}$＝2,500円

備品減価償却費：25,000円＋2,500円＝27,500円

(5)　仮受金

①

(仮受金)	9,000	(完成工事未収入金)	9,000

②

(仮受金)	10,000	(完成工事高)	10,000

(6)　貸倒引当金の計上

(貸倒引当金繰入額)(＊)	360	(貸倒引当金)	360

(＊) (25,000円〔受取手形〕＋376,000円〔完成工事未収入金〕－12,000円〔(1)②〕－9,000円〔(5)①〕)×1.2％－4,200円〔T/B残高〕＝360円 (繰入額)

(7)　完成工事補償引当金の計上

(未成工事支出金)(＊) 完成工事補償引当金繰入額	680	(完成工事補償引当金)	680

(＊) (23,580,000円〔完成工事高〕＋10,000円〔(5)②〕)×0.2％－46,500円〔T/B残高〕＝680円 (繰入額)

(8)　退職給付引当金

①　本社事務員

(退職給付引当金繰入額)	2,800	(退職給付引当金)	2,800

②　現場作業員

(未成工事支出金) 退職給付引当金繰入額	7,600	(退職給付引当金)	7,600

(9)　前払費用

(前払費用)(＊)	3,000	(販売費及び一般管理費) 保険料	3,000

(＊) $12{,}000円 \times \frac{3カ月}{12カ月} = 3{,}000円$

(10)　完成工事原価

(完成工事原価)	72,180	(未成工事支出金)(＊)	72,180

(＊) 186,500円〔T/B残高〕＋500円〔(2)〕＋3,000円〔(4)①〕＋680円〔(7)〕＋7,600円〔(8)〕－126,100円〔次期繰越〕＝72,180円

(11)　法人税等の計上

(法人税、住民税及び事業税)(＊)	80,400	(仮払金)	28,000
		(未払法人税等)	52,400

(＊) (23,620,960円〔収益合計〕－23,352,960円〔費用合計〕)×30％＝80,400円

〈参考文献〉
「建設業会計概説　２級」(監　　　修：一般財団法人 建設業振興基金
　　　　　　　　　　　　編集・発行：一般財団法人 建設産業経理研究機構)

よくわかる簿記シリーズ

'25年３月・９月検定対策
合格するための過去問題集　建設業経理士２級

('09年３月・９月検定対策　2008年11月15日　初版　第１刷発行)

2024年11月25日　初　版　第１刷発行

編著者　ＴＡＣ株式会社
　　　　(建設業経理士検定講座)
発行者　多　田　敏　男
発行所　TAC株式会社 出版事業部
　　　　(TAC出版)

〒101-8383
東京都千代田区神田三崎町3-2-18
電 話 03(5276)9492(営業)
FAX 03(5276)9674
https://shuppan.tac-school.co.jp

印　刷　株式会社 ワ　コ　ー
製　本　東京美術紙工協業組合

ISBN 978-4-300-11460-5
N.D.C. 336

建設業経理士検定講座のご案内

 Web通信講座　 DVD通信講座　 資料通信講座（1級総合本科生のみ）

オリジナル教材　合格までのノウハウを結集！

これが TAC

テキスト

試験の出題傾向を徹底分析。最短距離での合格を目標に、確実に理解できるように工夫されています。

トレーニング

合格を確実なものとするためには欠かせないアウトプットトレーニング用教材です。出題パターンと解答テクニックを修得してください。

的中答練

講義を一通り修了した段階で、本試験形式の問題練習を繰り返しトレーニングします。これにより、一層の実力アップが図れます。

DVD

TAC専任講師の講義を収録したDVDです。画面を通して、講義の迫力とポイントが伝わり、よりわかりやすく、より効率的に学習が進められます。［DVD通信講座のみ送付］

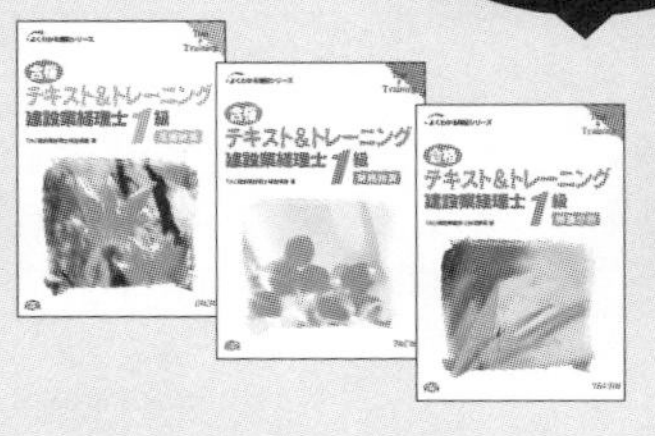

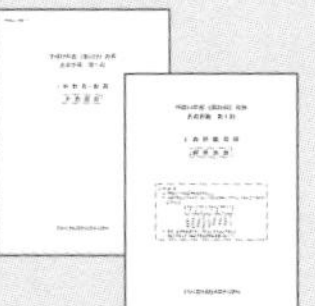

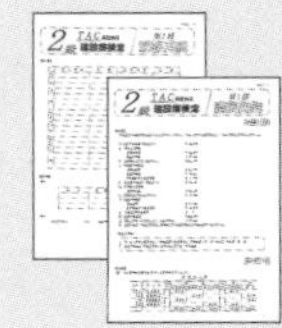

学習メディア　ライフスタイルに合わせて選べる！

Web通信講座

スマホやタブレットにも対応

講義をブロードバンドを利用し動画で配信します。ご自身のペースに合わせて、24時間いつでも何度でも繰り返し受講することができます。また、講義動画は専用アプリにダウンロードして2週間視聴可能です。有効期間内は何度でもダウンロード可能です。

※Web通信講座の配信期間は、受講された試験月の末日までです。

TAC WEB SCHOOL ホームページ URL https://portal.tac-school.co.jp/

※お申込み前に、右記のサイトにて必ず動作環境をご確認ください。

DVD通信講座

講義を収録したデジタル映像をご自宅にお届けします。
配信期限やネット環境を気にせず受講できるので安心です。

※DVD-Rメディア対応のDVDプレーヤーでのみ受講が可能です。パソコンやゲーム機での動作保証はいたしておりません。

資料通信講座

（1級総合本科生のみ）

テキスト・添削問題を中心として学習します。

Webでも無料配信中！

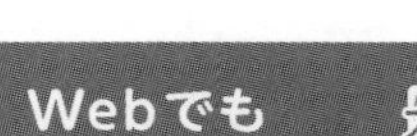

「TAC動画チャンネル」

● 入門セミナー　※収録内容の変更のため、配信されない期間が生じる場合がございます。

● 1回目の講義（前半分）が視聴できます

詳しくは、TACホームページ
「TAC動画チャンネル」をクリック！

TAC動画チャンネル　建設業　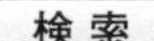

コースの詳細は、建設業経理士検定講座パンフレット・TACホームページをご覧ください。

パンフレットのご請求・お問い合わせは、
TACカスタマーセンターまで

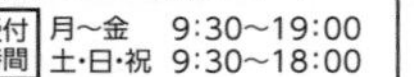

ゴウカク イイナ

※営業時間短縮の場合がございます。詳細はHPでご確認ください。

受付時間　月〜金 9:30〜19:00　土・日・祝 9:30〜18:00

TAC建設業経理士検定講座ホームページ

TAC建設業　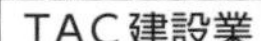

(2024年2月現在)

書籍のご購入は

1 全国の書店、大学生協、ネット書店で

2 TAC各校の書籍コーナーで

資格の学校TACの校舎は全国に展開!
校舎のご確認はホームページにて

資格の学校TAC ホームページ
https://www.tac-school.co.jp

3 TAC出版書籍販売サイトで

24時間
ご注文
受付中

TAC 出版 で 検索

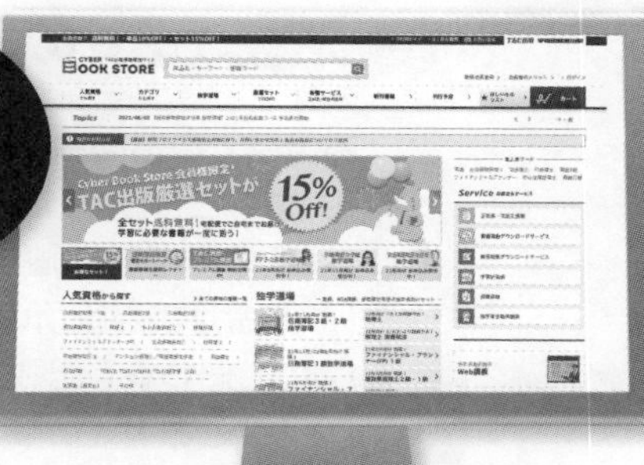

https://bookstore.tac-school.co.jp/

新刊情報をいち早くチェック!

たっぷり読める立ち読み機能

学習お役立ちの特設ページも充実!

TAC出版書籍販売サイト「サイバーブックストア」では、TAC出版および早稲田経営出版から刊行されている、すべての最新書籍をお取り扱いしています。
また、会員登録(無料)をしていただくことで、会員様限定キャンペーンのほか、送料無料サービス、メールマガジン配信サービス、マイページのご利用など、うれしい特典がたくさん受けられます。

サイバーブックストア会員は、特典がいっぱい!(一部抜粋)

通常、1万円(税込)未満のご注文につきましては、送料・手数料として500円(全国一律・税込)頂戴しておりますが、1冊から無料となります。

専用の「マイページ」は、「購入履歴・配送状況の確認」のほか、「ほしいものリスト」や「マイフォルダ」など、便利な機能が満載です。

メールマガジンでは、キャンペーンやおすすめ書籍、新刊情報のほか、「電子ブック版TACNEWS(ダイジェスト版)」をお届けします。

書籍の発売を、販売開始当日にメールにてお知らせします。これなら買い忘れの心配もありません。

書籍の正誤に関するご確認とお問合せについて

書籍の記載内容に誤りではないかと思われる箇所がございましたら、以下の手順にてご確認とお問合せをしてくださいますよう、お願い申し上げます。

なお、正誤のお問合せ以外の**書籍内容に関する解説および受験指導などは、一切行っておりません。**

そのようなお問合せにつきましては、お答えいたしかねますので、あらかじめご了承ください。

1 「Cyber Book Store」にて正誤表を確認する

TAC出版書籍販売サイト「Cyber Book Store」のトップページ内「正誤表」コーナーにて、正誤表をご確認ください。

CYBER BOOK STORE TAC出版書籍販売サイト

URL:https://bookstore.tac-school.co.jp/

2 1の正誤表がない、あるいは正誤表に該当箇所の記載がない ⇒ 下記①、②のどちらかの方法で文書にて問合せをする

★ご注意ください★

お電話でのお問合せは、お受けいたしません。

①、②のどちらの方法でも、お問合せの際には、「お名前」とともに、

「対象の書籍名(○級・第○回対策も含む)およびその版数(第○版・○○年度版など)」

「お問合せ該当箇所の頁数と行数」

「誤りと思われる記載」

「正しいとお考えになる記載とその根拠」

を明記してください。

なお、回答までに1週間前後を要する場合もございます。あらかじめご了承ください。

① ウェブページ「Cyber Book Store」内の「お問合せフォーム」より問合せをする

【お問合せフォームアドレス】

https://bookstore.tac-school.co.jp/inquiry/

② メールにより問合せをする

【メール宛先　TAC出版】

syuppan-h@tac-school.co.jp

※土日祝日はお問合せ対応をおこなっておりません。

※正誤のお問合せ対応は、該当書籍の改訂版刊行月末日までといたします。

乱丁・落丁による交換は、該当書籍の改訂版刊行月末日までといたします。なお、書籍の在庫状況等により、お受けできない場合もございます。

また、各種本試験の実施の延期、中止を理由とした本書の返品はお受けいたしません。返金もいたしかねますので、あらかじめご了承くださいますようお願い申し上げます。

TACにおける個人情報の取り扱いについて

■お預かりした個人情報は、TAC(株)で管理させていただき、お問合せへの対応、当社の記録保管にのみ利用いたします。お客様の同意なしに業務委託先以外の第三者に開示、提供することはございません(法令等により開示を求められた場合を除く)。その他、個人情報保護管理者、お預かりした個人情報の開示等及びTAC(株)への個人情報の提供の任意性については、当社ホームページ(https://www.tac-school.co.jp)をご覧いただくか、個人情報に関するお問い合わせ窓口(E-mail:privacy@tac-school.co.jp)までお問合せください。

(2022年7月現在)

解答用紙

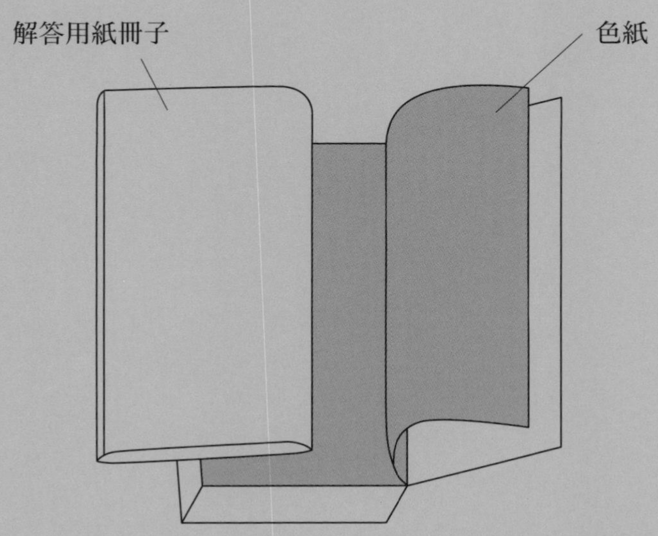

〈解答用紙ご利用時の注意〉

以下の「解答用紙」は，この色紙を残したままていねいに抜き取り，ご利用ください。

また，抜取りの際の損傷についてのお取替えはご遠慮願います。

解答用紙はダウンロードもご利用いただけます。

TAC 出版書籍販売サイト・サイバーブックストアにアクセスしてください。

https://bookstore.tac-school.co.jp/

別冊

解答用紙

第24回 解答用紙

問題 2
解答 62

第1問 20点　仕　訳　記号（A～Z）も必ず記入のこと

No.	借方 記号	借方 勘定科目	借方 金額	貸方 記号	貸方 勘定科目	貸方 金額
(例)	B	当座預金	100000	A	現金	100000
(1)						
(2)						
(3)						
(4)						
(5)						

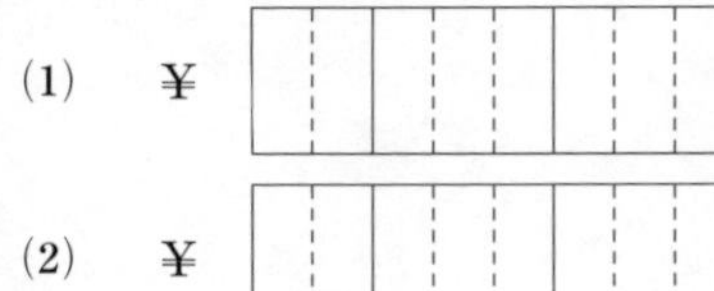

(1) ¥

(2) ¥

(3) ¥

(4) 年

第3問 14点

部門費配分表

(単位：円)

費目	合計金額	A部門	B部門	C部門	D部門
部門個別費					
(細目省略)					
個別費計	667400	289300	153000	128600	96500
部門共通費					
労務管理費	116400				
建物関係費	258000				
電力費	186400				
福利厚生費	82000				
共通費計	642800				
部門費合計	1310200				

第4問 24点

問1

記号（A～D）

1	2	3	4

問2

工事別原価計算表

（単位：円）

摘　　要	X工事	Y工事	Z工事	計
月初未成工事原価			――	
当月発生工事原価				
材　料　費				
労　務　費				
外　注　費				
直 接 経 費				
工 事 間 接 費				
当月完成工事原価		――		
月末未成工事原価	――		――	

工事間接費配賦差異月末残高　¥　　　　記号（AまたはB）

第5問 30点

精　算　表

（単位：円）

勘定科目	残高試算表		整理記入		損益計算書		貸借対照表	
	借方	貸方	借方	貸方	借方	貸方	借方	貸方
現金預金	256000							
受取手形	442000							
完成工事未収入金	602000							
貸倒引当金		19500						
未成工事支出金	398000							
材料貯蔵品	54500							
仮払金	64000							
機械装置	328000							
機械装置減価償却累計額		82000						
備品	95000							
備品減価償却累計額		57000						
支払手形		178000						
工事未払金		365000						
借入金		139700						
未成工事受入金		209000						
仮受金		21000						
完成工事補償引当金		5300						
退職給付引当金		247000						
資本金		500000						
繰越利益剰余金		80000						
完成工事高		4500000						
完成工事原価	3980000							
販売費及び一般管理費	178000							
受取利息		1000						
雑収入		5000						
支払利息	12000							
	6409500	6409500						
貸倒引当金繰入額								
不渡手形								
未払金								
未払法人税等								
法人税、住民税及び事業税								
当期（　　　）								

第25回 解答用紙

問題 6
解答 74

第1問 20点　仕 訳 記号（A～Y）も必ず記入のこと

No.	借方			貸方		
	記号	勘定科目	金額	記号	勘定科目	金額
(例)	B	当座預金	100000	A	現金	100000
(1)						
(2)						
(3)						
(4)						
(5)						

第2問 12点

(1) ¥

(2) ¥

(3) ¥

(4) ¥

第3問 24点

問1

記号（A～C）

1	2	3

問2

工事原価明細表
平成30年12月

（単位：円）

	当月発生工事原価	当月完成工事原価
Ⅰ．材料費		
Ⅱ．労務費		
Ⅲ．外注費		
Ⅳ．経　費		
（うち人件費）	（　）	（　）
工事原価		

第4問 14点

部門費振替表

(単位：円)

摘　　要	合　　計	第1工事部	第2工事部	第3工事部	(　　　)	(　　　)
部門費合計						
(　　　)	(　　　)					
(　　　)	(　　　)					
合　　計						

第5問 30点

精算表

(単位：円)

勘定科目	残高試算表		整理記入		損益計算書		貸借対照表	
	借方	貸方	借方	貸方	借方	貸方	借方	貸方
現金	4300							
当座預金	82500							
受取手形	874000							
完成工事未収入金	1286000							
貸倒引当金		39200						
有価証券	75000							
未成工事支出金	783000							
材料貯蔵品	45800							
仮払金	91200							
前払費用	2000							
機械装置	420000							
機械装置減価償却累計額		286000						
備品	50000							
備品減価償却累計額		32000						
投資有価証券	22000							
支払手形		706200						
工事未払金		627000						
借入金		356000						
未成工事受入金		236000						
仮受金		52000						
完成工事補償引当金		7600						
退職給付引当金		487000						
資本金		500000						
繰越利益剰余金		120000						
完成工事高		3150000						
完成工事原価	2746000							
販売費及び一般管理費	116000							
受取利息配当金		5200						
支払利息	6400							
	6604200	6604200						
長期前払費用								
償却債権取立益								
貸倒引当金繰入額								
子会社株式								
未払法人税等								
法人税、住民税及び事業税								
当期（　　　）								

第26回 解答用紙

問題 10
解答 86

第1問 20点　仕　訳　記号（A～X）も記入のこと

No.	借方 記号	借方 勘定科目	借方 金額	貸方 記号	貸方 勘定科目	貸方 金額
(例)	B	当座預金	100000	A	現金	100000
(1)						
(2)						
(3)						
(4)						
(5)						

第2問 12点

(1) ¥

(2) ¥

(3) ¥

(4) ¥

第3問　14点

未成工事支出金

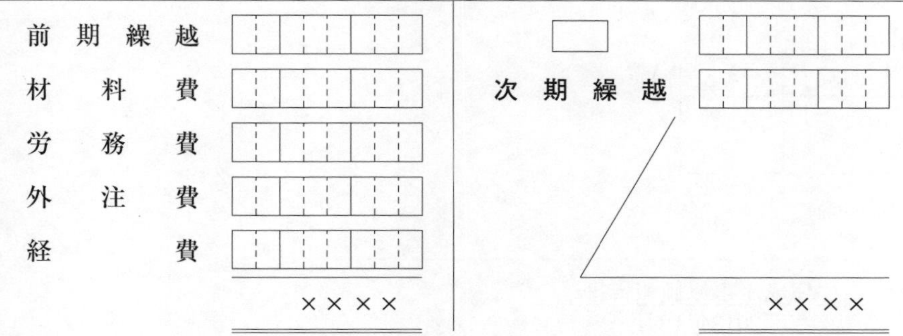

前期繰越
材料費
労務費
外注費
経費
××××
次期繰越
××××

完成工事原価

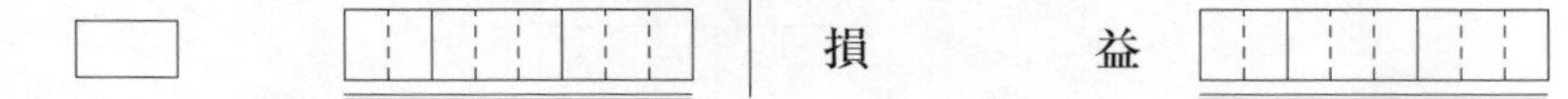

完成工事高

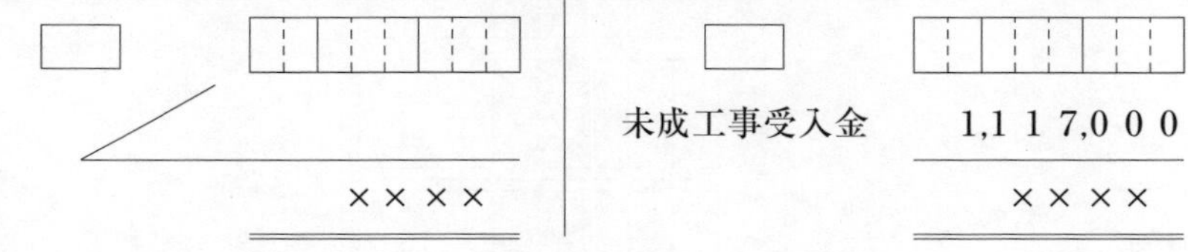

販売費及び一般管理費

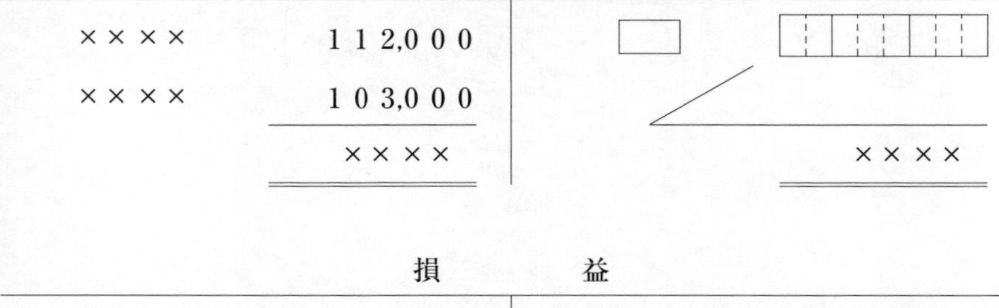

損　　益

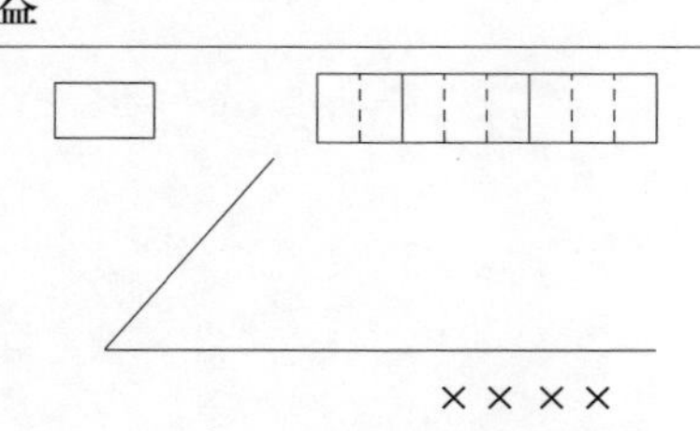

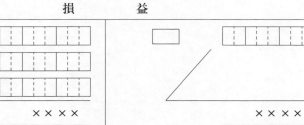

第4問 24点

問1

記号（AまたはB）

1	2	3	4

問2

完成工事原価報告書
2018年12月

（単位：円）

Ⅰ．材　料　費	
Ⅱ．労　務　費	
Ⅲ．外　注　費	
Ⅳ．経　　　費	
完成工事原価	

工事間接費配賦差異月末残高　¥ ＿＿＿＿　記号（AまたはB）＿＿

解答用紙

第26回

第5問 30点

精　算　表

(単位：円)

勘定科目	残高試算表 借方	残高試算表 貸方	整理記入 借方	整理記入 貸方	損益計算書 借方	損益計算書 貸方	貸借対照表 借方	貸借対照表 貸方
現金	7800							
当座預金	93000							
受取手形	826000							
完成工事未収入金	1141000							
貸倒引当金		42000						
未成工事支出金	972200							
材料貯蔵品	64000							
仮払金	61000							
機械装置	450000							
機械装置減価償却累計額		265000						
備品	75000							
備品減価償却累計額		45000						
支払手形		955000						
工事未払金		71400						
借入金		270000						
未払金		23000						
未成工事受入金		185000						
仮受金		57000						
完成工事補償引当金		6500						
退職給付引当金		540000						
資本金		800000						
繰越利益剰余金		100000						
完成工事高		4150000						
完成工事原価	3626000							
販売費及び一般管理費	174100							
受取利息配当金		7100						
支払利息	26900							
	7517000	7517000						
前払費用								
貸倒引当金戻入								
雑損失								
未払法人税等								
法人税、住民税及び事業税								
当期(　　　)								

第27回 解答用紙

問題 14
解答 98

第1問 20点　仕　訳　記号（A～X）も必ず記入のこと

No.	借方			貸方		
	記号	勘定科目	金額	記号	勘定科目	金額
(例)	B	当座預金	100000	A	現金	100000
(1)						
(2)						
(3)						
(4)						
(5)						

(1) ¥

(2) ¥

(3) ¥

(4) ¥

第3問 14点

問1

(A) ¥

(B) ¥

(C) ¥

(D) ¥

問2

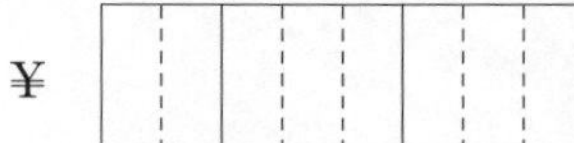

第4問 24点

問1

記号（A～C）

1	2	3	4

問2

部門費振替表

（単位：円）

摘　　要	合　　計	第１工事部	第２工事部	第３工事部	機械部門	仮設部門	材料管理部門
部門費合計							
機械部門費							
仮設部門費		14000					
材料管理部門費							
合　　計				126700			

第5問 30点

精　算　表

（単位：円）

勘定科目	残高試算表		整理記入		損益計算書		貸借対照表	
	借方	貸方	借方	貸方	借方	貸方	借方	貸方
現金	33200							
当座預金	162000							
受取手形	459000							
完成工事未収入金	1572000							
貸倒引当金		28000						
未成工事支出金	8300							
材料貯蔵品	24000							
仮払金	41000							
建物	456000							
建物減価償却累計額		240000						
機械装置	60000							
支払手形		155000						
工事未払金		365400						
借入金		260000						
未払金		55000						
未成工事受入金		118000						
仮受金		23000						
完成工事補償引当金		6500						
退職給付引当金		450000						
資本金		600000						
繰越利益剰余金		230000						
完成工事高		5380000						
完成工事原価	4805000							
販売費及び一般管理費	269000							
受取利息配当金		7100						
支払利息	28500							
	7918000	7918000						
通信費								
旅費交通費								
建物減価償却費								
機械装置減価償却累計額								
貸倒引当金繰入額								
退職給付引当金繰入額								
未払法人税等								
法人税、住民税及び事業税								
当期（　　　　）								

第28回 解答用紙

問題 18
解答 110

第1問 20点　仕　訳　記号（A～X）も必ず記入のこと

No.	借方			貸方		
	記号	勘定科目	金額	記号	勘定科目	金額
(例)	B	当座預金	100000	A	現金	100000
(1)						
(2)						
(3)						
(4)						
(5)						

第2問 12点

(1) ¥

(2) 年

(3) ¥

(4) ¥

第3問 14点

問1 ¥

問2 ¥

問3 ¥ 記号（AまたはB）

第4問　24点

問1

記号（A～E）

1	2	3	4

問2

工事別原価計算表

（単位：円）

摘　　要	No.100	No.110	No.200	計
月初未成工事原価			――	
当月発生工事原価				
材　料　費				
労　務　費				
外　注　費				
経　　　費				
工事間接費				
当月完成工事原価		――		
月末未成工事原価	――		――	

工事間接費配賦差異月末残高　¥ ＿＿＿＿　記号（AまたはB）＿＿

第5問 30点

精　算　表

（単位：円）

勘定科目	残高試算表		整理記入		損益計算書		貸借対照表	
	借方	貸方	借方	貸方	借方	貸方	借方	貸方
現金	52000							
当座預金	375000							
受取手形	198000							
完成工事未収入金	508000							
貸倒引当金		7000						
未成工事支出金	78000							
材料貯蔵品	15000							
仮払金	34000							
機械装置	360000							
機械装置減価償却累計額		60000						
備品	36000							
備品減価償却累計額		12000						
支払手形		85000						
工事未払金		105000						
借入金		160000						
未払金		61000						
未成工事受入金		110000						
仮受金		10000						
完成工事補償引当金		7000						
退職給付引当金		158000						
資本金		500000						
繰越利益剰余金		155600						
完成工事高		3800000						
完成工事原価	2582000							
販売費及び一般管理費	972000							
受取利息配当金		6500						
支払利息	27100							
	5237100	5237100						
事務用品費								
雑損失								
前払費用								
備品減価償却費								
貸倒引当金繰入額								
退職給付引当金繰入額								
未払法人税等								
法人税、住民税及び事業税								
当期（　　　）								

第29回 解答用紙

問題 24
解答 122

第1問 20点　仕　訳　記号（A～X）も必ず記入のこと

No.	借方			貸方		
	記号	勘定科目	金額	記号	勘定科目	金額
(例)	B	当座預金	100000	A	現金	100000
(1)						
(2)						
(3)						
(4)						
(5)						

第2問 12点

(1) ¥　　　(2) ¥

(3) ¥　　　(4) ¥

第3問　24点

問1

記号（A～E）

1	2	3	4

問2

1.

完成工事原価報告書
自　20×3年9月1日
至　20×3年9月30日

（単位：円）

Ⅰ．材　料　費	
Ⅱ．労　務　費	
Ⅲ．外　注　費	
Ⅳ．経　　　費	
完成工事原価	

2.　¥

3.　現場共通費配賦差異月末残高　¥ 　記号（AまたはB） 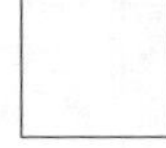

第4問　14点

問1　¥

問2　¥

問3　¥　　記号（AまたはB）

第5問　30点

精　算　表

(単位：円)

勘定科目	残高試算表 借方	残高試算表 貸方	整理記入 借方	整理記入 貸方	損益計算書 借方	損益計算書 貸方	貸借対照表 借方	貸借対照表 貸方
現金	106400							
当座預金	234000							
受取手形	68000							
完成工事未収入金	721000							
貸倒引当金		8400						
未成工事支出金	84500							
材料貯蔵品	7500							
仮払金	38500							
機械装置	250000							
機械装置減価償却累計額		150000						
備品	32000							
備品減価償却累計額		14000						
支払手形		85000						
工事未払金		115000						
借入金		150000						
未払金		61000						
未成工事受入金		141000						
仮受金		24000						
完成工事補償引当金		22000						
退職給付引当金		321000						
資本金		100000						
繰越利益剰余金		150480						
完成工事高		9800000						
完成工事原価	8594000							
販売費及び一般管理費	975000							
受取利息配当金		7400						
支払利息	38380							
	11149280	11149280						
旅費交通費								
備品減価償却費								
貸倒引当金繰入額								
退職給付引当金繰入額								
未払法人税等								
法人税、住民税及び事業税								
当期（　　）								

MEMO

第30回 解答用紙

問題 30
解答 132

第1問 20点

仕　訳　記号（A～X）も必ず記入のこと

No.	借方			貸方		
	記号	勘定科目	金額	記号	勘定科目	金額
(例)	B	当座預金	100000	A	現金	100000
(1)						
(2)						
(3)						
(4)						
(5)						

第2問 12点

(1) ¥

(2) 年

(3) ¥

(4) ¥

第3問　14点

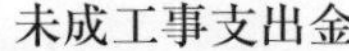

未成工事支出金

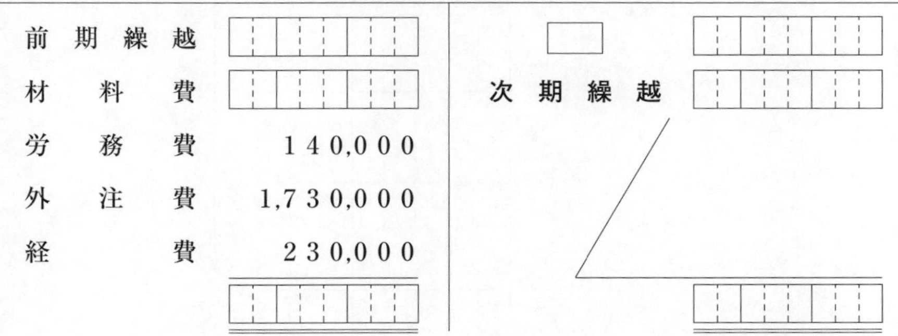

借方	金額	貸方	金額
前期繰越			
材料費		次期繰越	
労務費	140,000		
外注費	1,730,000		
経費	230,000		

完成工事高

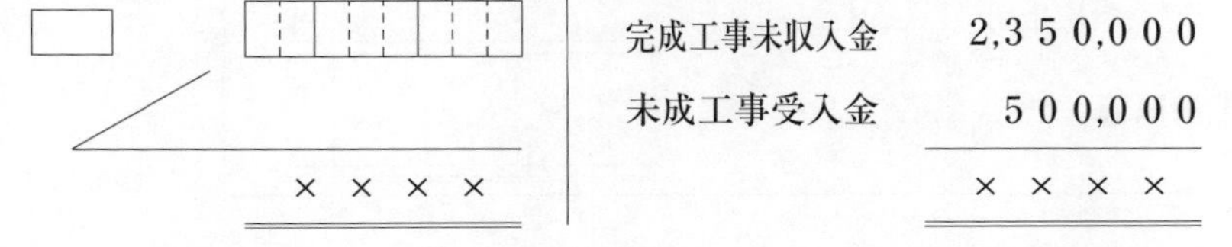

借方	金額	貸方	金額
		完成工事未収入金	2,350,000
		未成工事受入金	500,000
	××××		××××

完成工事原価

借方	金額	貸方	金額
			2,230,000

販売費及び一般管理費

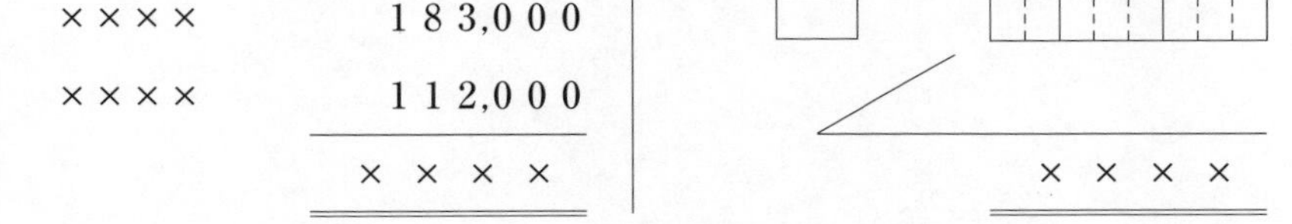

借方	金額	貸方	金額
××××	183,000		
××××	112,000		
	××××		××××

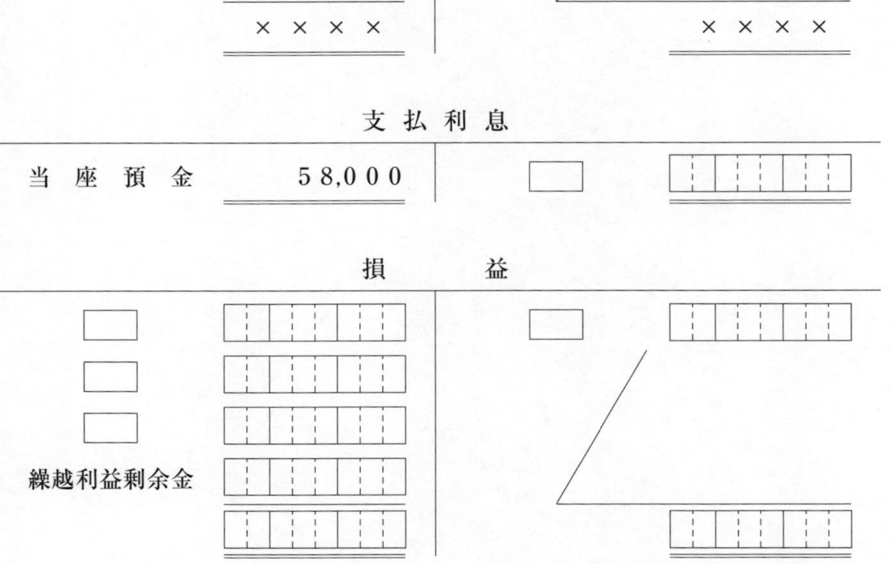

支払利息

借方	金額	貸方	金額
当座預金	58,000		

損益

借方	金額	貸方	金額
繰越利益剰余金			

完成工事原価報告書
自　20×1年４月１日
至　20×2年３月31日

（単位：円）

Ⅰ．材　料　費		
Ⅱ．労　務　費		
Ⅲ．外　注　費		
Ⅳ．経　　　費		
（うち人件費	）	
完成工事原価		

第4問 24点

問1

記号（A～C）

1	2	3	4

問2

部門費振替表

（単位：円）

摘要	工事部			補助部門		
	甲工事部	乙工事部	丙工事部	機械部門	車両部門	仮設部門
部門費合計	7,350,000	3,750,000	2,380,000			
機械部門費						
車両部門費	231,000	186,000	132,000			
仮設部門費		560,000				
補助部門費配賦額合計						
工事原価						

第5問 30点

精　算　表

(単位：円)

勘定科目	残高試算表		整理記入		損益計算書		貸借対照表	
	借方	貸方	借方	貸方	借方	貸方	借方	貸方
現金	12500							
当座預金	203000							
受取手形	47000							
完成工事未収入金	693000							
貸倒引当金		7500						
未成工事支出金	157100							
材料貯蔵品	5700							
仮払金	28400							
機械装置	150000							
機械装置減価償却累計額		65000						
備品	48000							
備品減価償却累計額		16000						
支払手形		83000						
工事未払金		115000						
借入金		150000						
未払金		61000						
未成工事受入金		141000						
仮受金		23000						
完成工事補償引当金		10500						
退職給付引当金		187000						
資本金		100000						
繰越利益剰余金		215040						
完成工事高		5550000						
完成工事原価	4484500							
販売費及び一般管理費	875000							
受取利息配当金		5560						
支払利息	25400							
	6729600	6729600						
通信費								
雑損失								
前払費用								
備品減価償却費								
貸倒引当金繰入額								
退職給付引当金繰入額								
未払法人税等								
法人税、住民税及び事業税								
当期(　　)								

MEMO

第31回 解答用紙

問題 34
解答 146

第1問 20点　仕　訳　記号（A～X）も必ず記入のこと

No.	借方			貸方		
	記号	勘定科目	金額	記号	勘定科目	金額
(例)	B	当座預金	100000	A	現金	100000
(1)						
(2)						
(3)						
(4)						
(5)						

第2問 12点

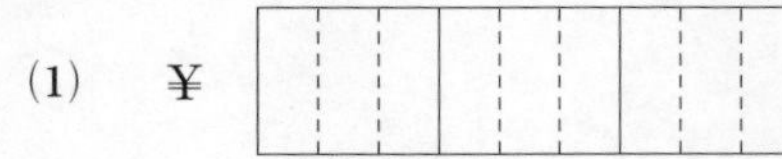

(1) ¥

(2) ¥

(3) ¥

(4) ¥

第3問 14点

(1) 先入先出法を用いた場合の材料費 ¥

(2) 移動平均法を用いた場合の材料費 ¥

(3) 総平均法を用いた場合の材料費 ¥

第4問　24点

問1

記号（A～H）

ア	イ	ウ	エ

問2

工事別原価計算表

（単位：円）

摘　　要	No.301	No.302	No.401	No.402	計
月初未成工事原価			――	――	
当月発生工事原価					
材　料　費					
労　務　費					
外　注　費					
直 接 経 費					
工 事 間 接 費					
当月完成工事原価	――			――	
月末未成工事原価		――	――		

工事間接費配賦差異月末残高　¥ ______　　記号（AまたはB）______

第5問 30点

精　算　表

(単位：円)

勘定科目	残高試算表		整理記入		損益計算書		貸借対照表	
	借方	貸方	借方	貸方	借方	貸方	借方	貸方
現金	21600							
当座預金	123000							
受取手形	43000							
完成工事未収入金	425000							
貸倒引当金		4500						
未成工事支出金	266400							
材料貯蔵品	2600							
仮払金	32900							
機械装置	123000							
機械装置減価償却累計額		65000						
備品	60000							
備品減価償却累計額		30000						
支払手形		65000						
工事未払金		115000						
借入金		120000						
未払金		61000						
未成工事受入金		71000						
仮受金		18000						
完成工事補償引当金		14500						
退職給付引当金		134000						
資本金		100000						
繰越利益剰余金		74200						
完成工事高		7630000						
完成工事原価	6694000							
販売費及び一般管理費	694000							
受取利息配当金		7800						
支払利息	24500							
	8510000	8510000						
旅費交通費								
減価償却費								
貸倒引当金繰入額								
退職給付引当金繰入額								
未払法人税等								
法人税、住民税及び事業税								
当期（　　　）								

第32回 解答用紙

問題 40
解答 158

第1問 20点　仕　訳　記号（A～X）も必ず記入のこと

No.	借方			貸方		
	記号	勘定科目	金額	記号	勘定科目	金額
(例)	B	当座預金	100000	A	現金	100000
(1)						
(2)						
(3)						
(4)						
(5)						

(1) ¥　　　　(2) ¥

(3) ¥　　　　(4) ¥

解答用紙

第32回

第3問 14点

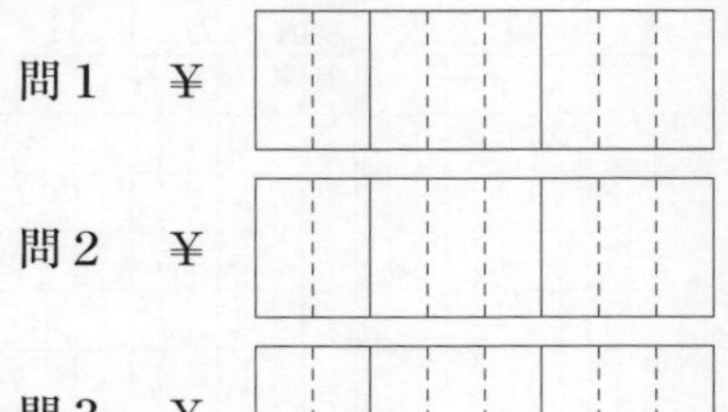

問1 ¥

問2 ¥

問3 ¥

記号（AまたはB）

第4問 24点

問1

記号（A～G）

1	2	3	4

問2

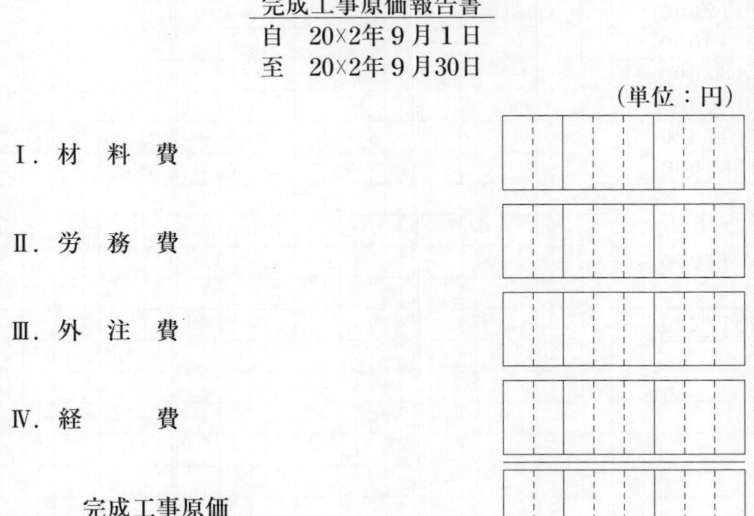

完成工事原価報告書
自 20×2年9月1日
至 20×2年9月30日

（単位：円）

Ⅰ．材料費

Ⅱ．労務費

Ⅲ．外注費

Ⅳ．経　費

完成工事原価

工事間接費配賦差異月末残高 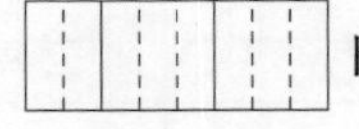 円　記号（AまたはB）

第5問 30点

精　算　表

（単位：円）

勘定科目	残高試算表		整理記入		損益計算書		貸借対照表	
	借方	貸方	借方	貸方	借方	貸方	借方	貸方
現金	23500							
当座預金	152900							
受取手形	255000							
完成工事未収入金	457000							
貸倒引当金		8000						
未成工事支出金	151900							
材料貯蔵品	3300							
仮払金	32600							
機械装置	250000							
機械装置減価償却累計額		150000						
備品	60000							
備品減価償却累計額		20000						
建設仮勘定	48000							
支払手形		32500						
工事未払金		95000						
借入金		196000						
未払金		48100						
未成工事受入金		233000						
仮受金		12000						
完成工事補償引当金		19000						
退職給付引当金		187000						
資本金		100000						
繰越利益剰余金		117320						
完成工事高		9583000						
完成工事原価	7566000							
販売費及び一般管理費	1782000							
受取利息配当金		17280						
支払利息	36000							
	10818200	10818200						
雑損失								
前払費用								
備品減価償却費								
建物								
建物減価償却費								
建物減価償却累計額								
貸倒引当金繰入額								
賞与引当金繰入額								
賞与引当金								
退職給付引当金繰入額								
未払法人税等								
法人税、住民税及び事業税								
当期（　　　）								

MEMO

第33回 解答用紙

問題 46
解答 168

第1問 20点　仕 訳　記号（A～X）も必ず記入のこと

No.	借方			貸方		
	記号	勘定科目	金額	記号	勘定科目	金額
(例)	B	当座預金	100000	A	現金	100000
(1)						
(2)						
(3)						
(4)						
(5)						

第2問 12点

(1) ¥

(2) ¥

(3) 年

(4) ¥

第3問 14点

部門費振替表

(単位：円)

摘　　要	合　　計	施工部門			補助部門		
		工事第１部	工事第２部	工事第３部	(　　)部門	(　　)部門	(　　)部門
部門費合計							
(　　)部門							—
(　　)部門							—
(　　)部門						—	—
合　　計					—	—	—
(配賦金額)	—				—	—	—

第4問 24点

問1

記号（A～C）

1	2	3	4	5

問2

工事別原価計算表

（単位：円）

摘　　要	No.501	No.502	No.601	No.602	計
月初未成工事原価			——	——	
当月発生工事原価					
材　料　費					
労　務　費					
外　注　費					
直接経費					
工事間接費					
当月完成工事原価		——		——	
月末未成工事原価	——		——		

工事間接費配賦差異月末残高　¥ ＿＿＿＿　記号（AまたはB）＿＿

第5問 30点

精　算　表

(単位：円)

勘定科目	残高試算表		整理記入		損益計算書		貸借対照表	
	借方	貸方	借方	貸方	借方	貸方	借方	貸方
現金	19800							
当座預金	214500							
受取手形	112000							
完成工事未収入金	565000							
貸倒引当金		7800						
有価証券	171000							
未成工事支出金	213500							
材料貯蔵品	2800							
仮払金	28000							
機械装置	300000							
機械装置減価償却累計額		162000						
備品	90000							
備品減価償却累計額		30000						
支払手形		43200						
工事未払金		102500						
借入金		238000						
未払金		124000						
未成工事受入金		89000						
仮受金		28000						
完成工事補償引当金		24100						
退職給付引当金		113900						
資本金		100000						
繰越利益剰余金		18556 0						
完成工事高		12300000						
完成工事原価	10670800							
販売費及び一般管理費	1167000							
受取利息配当金		23400						
支払利息	17060							
	13571460	13571460						
事務用消耗品費								
旅費交通費								
雑損失								
備品減価償却費								
有価証券評価損								
貸倒引当金繰入額								
退職給付引当金繰入額								
未払法人税等								
法人税、住民税及び事業税								
当期(　　　)								

第34回 解答用紙

問　題 ▶ 52
解　答 ▶ 180

第1問 20点　仕　訳　記号（A～X）も必ず記入のこと

No.	借方			貸方		
	記号	勘定科目	金額	記号	勘定科目	金額
(例)	B	当座預金	100000	A	現　　　金	100000
(1)						
(2)						
(3)						
(4)						
(5)						

第2問 12点

(1) ¥ 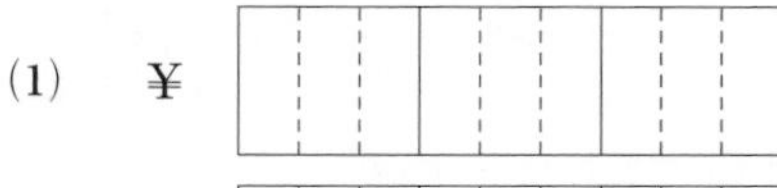

(2) ¥ 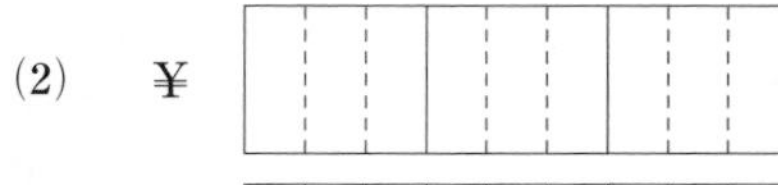

(3) ¥ 

(4) ¥ 

解答用紙

第34回

第3問 14点

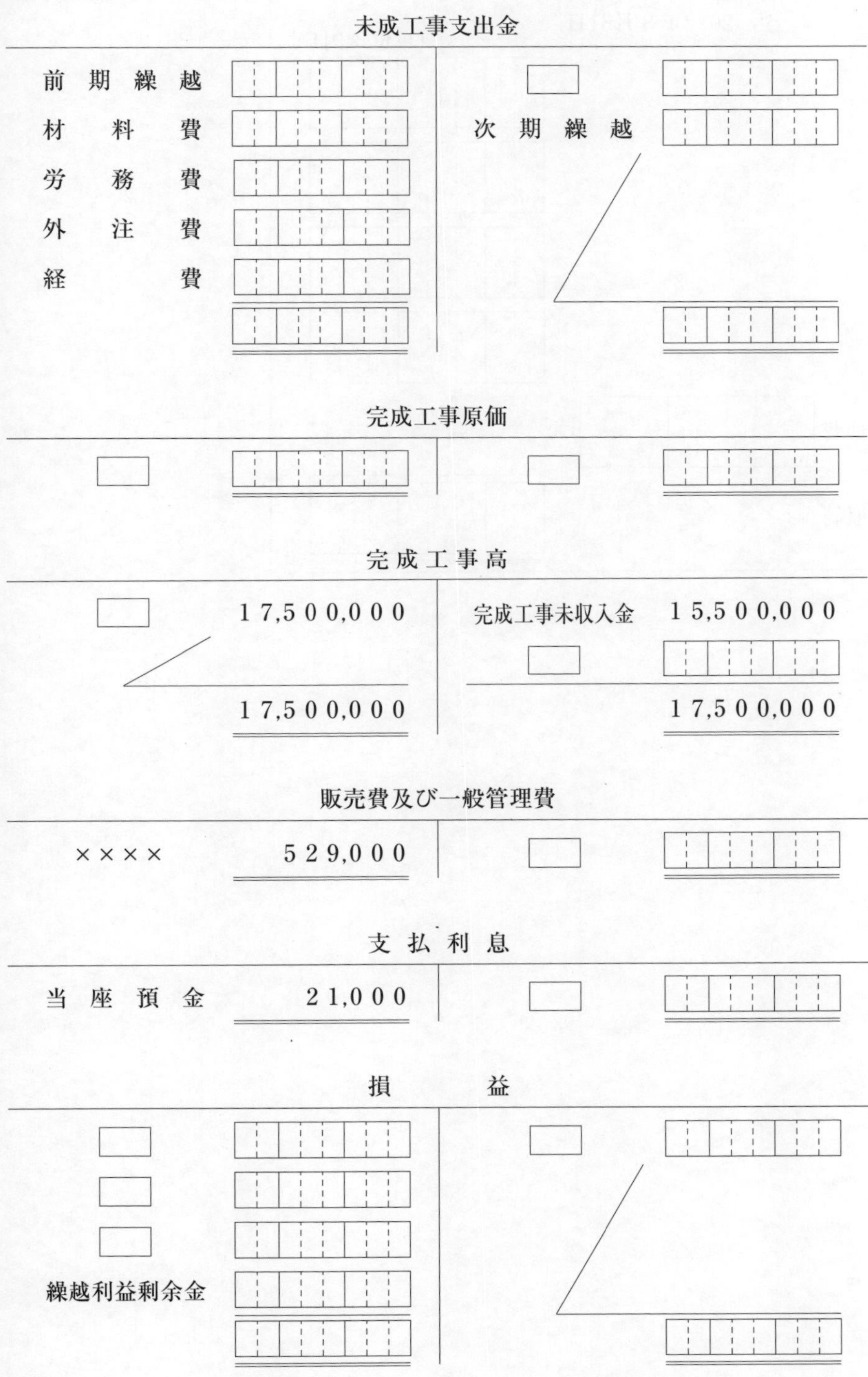

未成工事支出金

前期繰越			
材料費		次期繰越	
労務費			
外注費			
経費			

完成工事原価

完成工事高

	17,500,000	完成工事未収入金	15,500,000
	17,500,000		17,500,000

販売費及び一般管理費

××××	529,000		

支払利息

当座預金	21,000		

損益

繰越利益剰余金			

<u>完成工事原価報告書</u>
自　20×1年４月１日
至　20×2年３月31日

（単位：円）

Ⅰ．材　料　費	
Ⅱ．労　務　費	
Ⅲ．外　注　費	
Ⅳ．経　　　費	
（うち人件費　　　　）	
完成工事原価	

第4問 24点

問1

記号（AまたはB）

1	2	3	4	5

問2

部門費振替表

（単位：円）

摘　要	工事現場			補助部門		
	A 工 事	B 工 事	C 工 事	仮設部門	車両部門	機械部門
部門費合計	8,530,000	4,290,000	2,640,000			
仮設部門費	336,000	924,000	420,000			
車両部門費		600,000				
機械部門費			240,000			
補助部門費配賦額合計						
工事原価						

第5問 30点

精　算　表

(単位：円)

勘定科目	残高試算表		整理記入		損益計算書		貸借対照表	
	借方	貸方	借方	貸方	借方	貸方	借方	貸方
現金	17500							
当座預金	283000							
受取手形	54000							
完成工事未収入金	497500							
貸倒引当金		6800						
未成工事支出金	212000							
材料貯蔵品	2800							
仮払金	28000							
機械装置	500000							
機械装置減価償却累計額		122000						
備品	45000							
備品減価償却累計額		15000						
建設仮勘定	36000							
支払手形		72200						
工事未払金		122500						
借入金		318000						
未払金		129000						
未成工事受入金		65000						
仮受金		25000						
完成工事補償引当金		33800						
退職給付引当金		182600						
資本金		100000						
繰越利益剰余金		156090						
完成工事高		15200000						
完成工事原価	13429000							
販売費及び一般管理費	1449000							
受取利息配当金		25410						
支払利息	19600							
	16573400	16573400						
通信費								
雑損失								
備品減価償却費								
建物								
建物減価償却費								
建物減価償却累計額								
貸倒引当金戻入								
退職給付引当金繰入額								
未払法人税等								
法人税、住民税及び事業税								
当期（　　　）								

MEMO

第35回 解答用紙

問題 56
解答 194

第1問 20点

仕　訳　記号（A～Y）も必ず記入のこと

No.	借方 記号	借方 勘定科目	借方 金額	貸方 記号	貸方 勘定科目	貸方 金額
(例)	B	当座預金	100000	A	現金	100000
(1)						
(2)						
(3)						
(4)						
(5)						

第2問 12点

(1) ¥

(2) ¥

(3) ¥

(4) 年

第3問 14点

問1 ¥

問2 ¥

問3 ¥　　　記号（AまたはB）

第4問 24点

問1

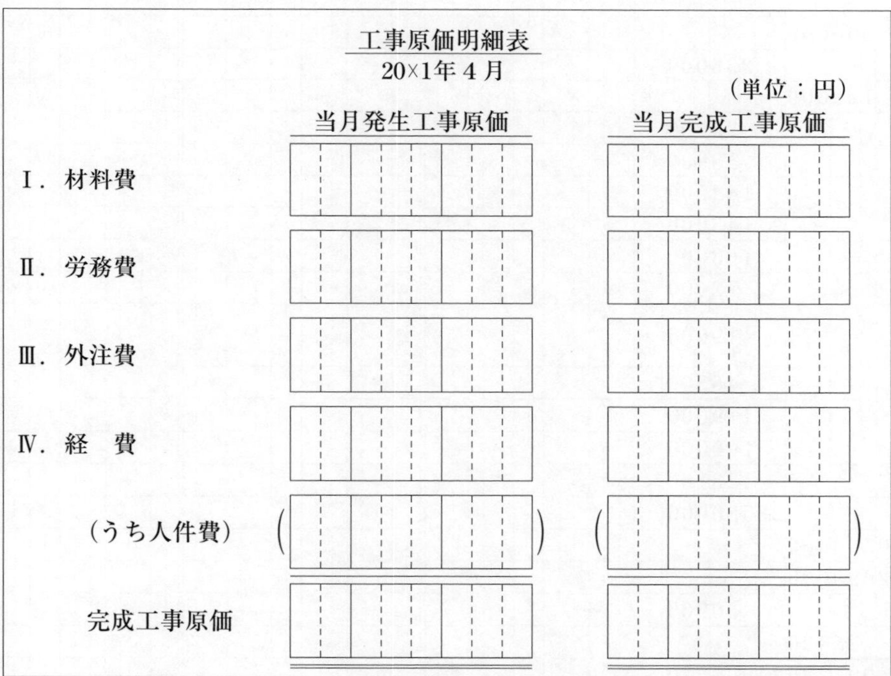

工事原価明細表
20×1年4月
（単位：円）

	当月発生工事原価	当月完成工事原価
Ⅰ．材料費		
Ⅱ．労務費		
Ⅲ．外注費		
Ⅳ．経　費		
（うち人件費）	（　）	（　）
完成工事原価		

問2

記号（A～D）

1	2	3	4

第5問 30点

精　算　表　　　　(単位：円)

勘定科目	残高試算表		整理記入		損益計算書		貸借対照表	
	借方	貸方	借方	貸方	借方	貸方	借方	貸方
現金	51500							
当座預金	263000							
受取手形	25000							
完成工事未収入金	376000							
貸倒引当金		4200						
未成工事支出金	186500							
材料貯蔵品	1800							
仮払金	32000							
機械装置	600000							
機械装置減価償却累計額		236000						
備品	120000							
備品減価償却累計額		25000						
支払手形		58900						
工事未払金		184500						
借入金		143000						
未払金		163000						
未成工事受入金		72000						
仮受金		19000						
完成工事補償引当金		46500						
退職給付引当金		119000						
資本金		100000						
繰越利益剰余金		123160						
完成工事高		23580000						
完成工事原価	20534000							
販売費及び一般管理費	2690000							
受取利息配当金		30960						
支払利息	25420							
	24905220	24905220						
旅費交通費								
備品減価償却費								
貸倒引当金繰入額								
退職給付引当金繰入額								
前払費用								
未払法人税等								
法人税、住民税及び事業税								
当期（　　　）								

MEMO

チェック・リスト

問題	回数	第1問	第2問	第3問	第4問	第5問	合計
24回	1回目	点	点	点	点	点	点
	2回目	点	点	点	点	点	点
25回	1回目	点	点	点	点	点	点
	2回目	点	点	点	点	点	点
26回	1回目	点	点	点	点	点	点
	2回目	点	点	点	点	点	点
27回	1回目	点	点	点	点	点	点
	2回目	点	点	点	点	点	点
28回	1回目	点	点	点	点	点	点
	2回目	点	点	点	点	点	点
29回	1回目	点	点	点	点	点	点
	2回目	点	点	点	点	点	点
30回	1回目	点	点	点	点	点	点
	2回目	点	点	点	点	点	点
31回	1回目	点	点	点	点	点	点
	2回目	点	点	点	点	点	点
32回	1回目	点	点	点	点	点	点
	2回目	点	点	点	点	点	点
33回	1回目	点	点	点	点	点	点
	2回目	点	点	点	点	点	点
34回	1回目	点	点	点	点	点	点
	2回目	点	点	点	点	点	点
35回	1回目	点	点	点	点	点	点
	2回目	点	点	点	点	点	点